O QUE ACONTECEU COM VOCÊ?

Bruce D. Perry, Ph.D.
Oprah Winfrey

O QUE ACONTECEU COM VOCÊ?

Sextante

Título original: *What Happened to You?*
Copyright © 2021 por Bruce D. Perry, M.D., Ph.D., e Oprah Winfrey
Copyright da tradução © 2022 por GMT Editores Ltda.
Todos os direitos reservados. Nenhuma parte deste livro pode ser utilizada ou reproduzida sob quaisquer meios existentes sem autorização por escrito dos editores.

tradução: Elisa Nazarian
preparo de originais: Sibelle Pedral
revisão: Carolina Rodrigues e Pedro Staite
consultoria psiquiátrica: Marco Antonio Coutinho Jorge
projeto gráfico: Paul Kepple e Alex Bruce em Headcase Design
ilustrações de miolo: Henry Sene Yee
adaptação de projeto gráfico: Ana Paula Daudt Brandão
capa: Filipa Pinto
imagem de capa: Unsplash | Dan-Cristian Pădureț
impressão e acabamento: Associação Religiosa Imprensa da Fé

CIP-BRASIL. CATALOGAÇÃO NA PUBLICAÇÃO
SINDICATO NACIONAL DOS EDITORES DE LIVROS, RJ

P547q

Perry, Bruce D., 1955-
    O que aconteceu com você? / Bruce D. Perry, Oprah Winfrey ; [tradução Elisa Nazarian]. - 1. ed. - Rio de Janeiro : Sextante, 2022.
    304 p. ; 23 cm.

Tradução de: What happened to you?
ISBN 978-65-5564-311-4

    1. Comportamento humano. 2. Famílias - Aspectos psicológicos. 3. Relações interpessoais. 4. Técnicas de autoajuda. I. Winfrey, Oprah. II. Nazarian, Elisa. III. Título.

21-75045   CDD: 158.1
                                                          CDU: 159.9.019.4

Camila Donis Hartmann - Bibliotecária - CRB-7/6472

Todos os direitos reservados, no Brasil, por
GMT Editores Ltda.
Rua Voluntários da Pátria, 45 – Gr. 1.404 – Botafogo
22270-000 – Rio de Janeiro – RJ
Tel.: (21) 2538-4100 – Fax: (21) 2286-9244
E-mail: atendimento@sextante.com.br
www.sextante.com.br

DEDICATÓRIAS

BRUCE D. PERRY:

Para meu clã:
Barbara, Grant, Jay, Emily, Maddie, Benji, Elisabeth,
Katharine, Robert e Emily.

À memória de Martha McGillis Perry, com amor.

OPRAH WINFREY:

Para as filhas que entraram na minha vida
acreditando ter asas quebradas.
Minha esperança é que vocês não apenas voem,
mas consigam planar.

SUMÁRIO

Nota dos autores 9

Introdução 11

CAPÍTULO 1 Dando sentido ao mundo 19

CAPÍTULO 2 Em busca de equilíbrio 45

CAPÍTULO 3 Como fomos amados 71

CAPÍTULO 4 O espectro do trauma 97

CAPÍTULO 5 Ligando os pontos 123

CAPÍTULO 6 Do enfrentamento à cura 155

CAPÍTULO 7 Prudência pós-traumática 187

CAPÍTULO 8 Nossos cérebros, nossas propensões, nossos sistemas 213

CAPÍTULO 9 Fome relacional no mundo moderno 247

CAPÍTULO 10 Do que precisamos agora 275

Epílogo 291

Para saber mais 300

Créditos e agradecimentos 303

Nas conversas sobre os pacientes do Dr. Perry, todos os nomes e muitos detalhes que poderiam facilitar a identificação foram alterados. Algumas conversas trazem uma somatória de situações clínicas.

NOTA DOS AUTORES

Este livro é para qualquer pessoa que tenha uma mãe, um pai, um companheiro ou uma companheira, ou um filho que possa ter vivido um trauma. E se você, ou alguém que você ama, já foi rotulado como "alguém que vive para agradar os outros", "autossabotador", "encrenqueiro", "questionador", "controlador", "uma pessoa que não consegue parar em um emprego", "alguém que pula de um relacionamento para outro", este livro é para você. Da mesma forma, se simplesmente quiser entender melhor a si mesmo e aos outros, este livro também se encaixa no seu perfil.

Sabemos que esta leitura o levará a refletir e, em certos momentos, provocará sentimentos que podem ser dolorosos. Para alguns, o conteúdo intenso e às vezes perturbador será um desafio. Para outros, os conceitos sobre o cérebro poderão parecer estranhos e, a princípio, complicados de entender. Pedimos que tenha paciência e dê um crédito a nós, assim como a você mesmo.

Quando achar a leitura muito difícil, pare. Deixe o livro de lado por uma hora ou uma semana. Ele ainda estará lá no momento em que se sentir capaz de retomá-lo. E quando estiver pronto para continuar explorando por que "o que aconteceu com você" molda sua maneira de pensar, sentir e agir, seja bem-vindo de volta. Você poderá descobrir um caminho para seguir em frente.

INTRODUÇÃO

— Pare de chorar — ameaçava ela. — É melhor calar a boca.

Meu rosto assumia um ar estoico. Meu coração desacelerava. Eu mordia com força o lábio inferior, para que nenhuma palavra escapasse da minha boca.

— Estou fazendo isso porque te amo — repetia ela sua desculpa em meu ouvido.

Quando criança, eu apanhava regularmente. À época, era aceitável que quem cuidasse de uma criança recorresse a castigos corporais para educá-la. Minha avó, Hattie Mae, era adepta dessa prática. Mas, mesmo aos 3 anos, eu sabia que aquilo era errado.

Uma das piores surras de que me lembro aconteceu em um domingo de manhã. A ida à igreja era um acontecimento importante em nossa vida. Um pouco antes de sairmos para o culto, me mandaram ir até o poço atrás da nossa casa para bombear água — a casa de fazenda onde eu morava com meus avós não tinha encanamento interno. Da janela, minha avó me viu mergulhando os dedos na água e ficou enfurecida. Embora eu estivesse apenas brincando, na maior inocência, como qualquer criança, ela ficou brava porque aquela era nossa água para beber, e eu tinha colocado os dedos nela. Quando voltei com o balde, ela me perguntou se eu tinha brincado com a água, e eu respondi "não". Minha avó dobrou meu corpo e me açoitou com tal violência que deixou minha carne cheia de vergões. Depois disso, até consegui colocar meu melhor vestido branco de domingo, mas o sangue começou a vazar e a manchar de um vermelho intenso o tecido engomado. Lívida ao perceber o que acontecia, ela me bateu por sujar meu vestido de sangue, depois me mandou à escola dominical. No Sul rural, era assim que as crianças pretas eram educadas. Eu não conhecia ninguém que não fosse açoitado.

Eu apanhava pelos motivos mais insignificantes: derrubar água, quebrar um copo, não conseguir ficar quieta ou parada. Certa vez, ouvi um comediante preto dizer: "A caminhada mais longa é para buscar a vara com a qual nos açoitarão." Eu não apenas tinha que caminhar para buscar a vara, como, se não houvesse uma disponível, era obrigada a sair para procurar. Um galho fino, ainda verde, funcionava melhor, mas se fosse fino demais eu tinha que trançar dois ou três. Com frequência, minha avó me obrigava a ajudá-la a trançar a vara. Às vezes, as surras eram reservadas para o sábado à noite, quando eu tinha acabado de sair do banho e ainda estava nua.

Depois, quando eu mal conseguia ficar em pé, ela dizia para eu "desmanchar essa cara feia" e começar a sorrir. Enterrar aquilo como se jamais tivesse acontecido.

Com o tempo, desenvolvi uma intuição apurada para problemas em ebulição. Reconhecia a mudança na voz da minha avó, ou o "olhar" que mostrava que eu a havia desagradado. Ela não era má pessoa. Acho que se preocupava comigo e queria que eu fosse uma "boa menina". E entendi que "calar a boca" ou simplesmente ficar em silêncio era a única maneira de assegurar que o castigo e a dor acabariam logo. Nos 40 anos seguintes, o padrão de submissão condicionada, resultado de um trauma profundamente enraizado, definiria qualquer relacionamento, interação e decisão na minha vida.

A longo prazo, o impacto de ter apanhado, depois ser forçada a calar a boca e por fim a sorrir apesar do que havia acontecido me transformou, na maior parte da minha vida, em uma pessoa que vivia para agradar os outros. Se eu tivesse sido criada de outra maneira, não teria levado metade da vida para aprender a impor limites e dizer "não" com confiança.

Como adulta, sou grata pelos relacionamentos duradouros, fortes e amorosos que mantenho com muitas pessoas. No entanto, as surras da infância, as fraturas emocionais e os vínculos fragmentados que construí com as figuras centrais nos meus primeiros anos de vida sem dúvida ajudaram a desenvolver minha independência solitária. Nas poderosas palavras do poema "Invictus", sou a capitã da minha alma e mestre do meu destino.

Milhões de pessoas, quando crianças, foram tratadas como eu e cresceram acreditando que sua vida não tinha valor.

Minhas conversas com o Dr. Bruce, e com as milhares de pessoas que tiveram a coragem de compartilhar suas histórias comigo no *The Oprah Winfrey Show*, me ensinaram que o modo como fui tratada por aqueles que deveriam cuidar de mim não produziu apenas consequências emocionais. Houve também uma reação biológica. Graças ao meu trabalho com o Dr. Perry, meus olhos se abriram para o fato de que, apesar de eu ter sofrido abuso e trauma quando criança, meu cérebro encontrou maneiras de se adaptar.

É aí que vive a esperança para todos nós: na adaptabilidade singular de nosso cérebro maravilhoso. Como o Dr. Perry explica neste livro, compreender a reação do cérebro a traumas precoces ajuda a esclarecer como o que nos aconteceu no passado molda quem somos, como nos comportamos e por que fazemos o que fazemos.

Por meio dessas lentes, podemos construir um renovado senso de autovalorização e por fim recalibrar nossas reações a circunstâncias, situações e relacionamentos. Em outras palavras, é a chave para reformular nossa própria vida.

— **Oprah Winfrey**

Certa manhã, em 1989, eu estava trabalhando no meu laboratório – o Laboratório de Neurociências do Desenvolvimento da Universidade de Chicago –, analisando os resultados de um experimento recente, quando meu assistente apareceu na porta e disse:

– É a Oprah no telefone.

– Tudo bem. Anote o recado.

Eu tinha passado a noite toda escrevendo. Os resultados do experimento pareciam confusos. Não havia clima para brincadeiras.

Ele sorriu.

– Não, estou falando sério. É alguém da Harpo.

Não havia um motivo possível para Oprah me telefonar. Eu era um jovem psiquiatra infantil estudando o impacto do estresse e do trauma no desenvolvimento. Apenas algumas pessoas tinham conhecimento do meu trabalho acadêmico e a maioria dos meus colegas na psiquiatria não levava em alta conta as neurociências nem os traumas infantis. O papel do trauma na saúde mental e física era algo inexplorado. Pensei que um dos meus amigos estivesse me passando um trote, mas atendi a ligação.

– A Sra. Winfrey está convocando um encontro de líderes nacionais na área de abuso infantil, em Washington, daqui a duas semanas. Gostaríamos que o senhor comparecesse.

Após mais explicações, ficou claro que muitas pessoas renomadas e consagradas participariam do encontro. Meu trabalho – estudar o impacto do trauma no desenvolvimento do cérebro – se perderia em meio a pontos de vista dominantes e mais aceitos politicamente.

Recusei, gentilmente.

Várias semanas depois, recebi outra ligação.

– A Oprah está convidando o senhor para um retiro de um dia na fazenda dela, em Indiana. Além do senhor e da Oprah, haverá mais duas pessoas. Queremos discutir soluções para o problema do abuso infantil.

Dessa vez, com uma chance de oferecer uma contribuição mais significativa, aceitei.

A voz predominante naquele dia foi a de Andrew Vachss, autor e advogado especializado em representar crianças. Seu trabalho pioneiro ressaltou a necessidade de rastrear pedófilos conhecidos. Àquela altura, eles podiam se mudar de um estado para outro e não havia como controlar onde estavam, nem se estavam cumprindo com as restrições de evitar o contato com crianças. Nosso encontro de 1989 em Indiana levou ao esboço do National Child Protection Act (Lei Nacional de Proteção à Criança) de 1991, que criou um banco de dados nacional de pedófilos condenados. Em 20 de dezembro de 1993, após dois anos de argumentações, incluindo um depoimento ao Comitê

Judiciário do Senado Americano, o "Projeto Oprah" foi transformado em lei.

Aquele dia em 1989 gerou muitos outros debates. Alguns aconteceram no *The Oprah Winfrey Show* para discutir histórias específicas de crianças e campanhas sobre a importância da primeira infância para o desenvolvimento do cérebro. No entanto, a maioria das nossas conversas foi no contexto da Oprah Winfrey Leadership Academy of Girls (OWLAG/Academia Oprah Winfrey de Liderança para Meninas), fundada por Oprah na África do Sul em 2007. Essa instituição notável foi criada para selecionar, apoiar, educar e aprimorar meninas "menos favorecidas" com grande potencial. A intenção explícita é produzir futuras líderes. Muitas dessas meninas haviam demonstrado resiliência e alcançado grandes conquistas escolares apesar de uma série de adversidades, incluindo pobreza, perdas traumáticas e violência comunitária ou intrafamiliar. Desde o início, a escola atuou com base em muitos dos conceitos que discutimos neste livro. Atualmente, a OWLAG está se tornando um modelo de projeto educacional sensível ao impacto dos traumas e atento ao desenvolvimento.

Em 2018, Oprah e eu estivemos juntos no programa *60 Minutes* para uma reportagem sobre "cuidado relacionado a trauma". A edição final manteve apenas dois minutos da nossa conversa, mas milhões de pessoas estavam assistindo. Houve enorme empolgação na comunidade de profissionais que trabalham com trauma. Porém, há muito mais a dizer.

O entusiasmo que nossa participação despertou foi, em parte, um reflexo do entusiasmo da própria Oprah por esse tópico tão relevante. No *This Morning*, da CBS, ela disse à apresentadora do programa, Gayle King, que seria capaz de subir numa mesa e dançar se isso chamasse a atenção do público para o impacto do trauma no cérebro infantil em desenvolvimento. Em um adendo da CBS News ao programa *60 Minutes*, Oprah declarou que aquela era a empreitada mais importante da sua vida.

Ao longo de toda a sua carreira, Oprah tem falado sobre abuso, negligência e cura. Seu empenho em trazer esclarecimentos sobre traumas e seus desdobramentos tornou-se uma característica dos programas que comanda. Milhões de pessoas viram Oprah ouvir, se solidarizar, consolar e aprender com pessoas com experiência ou conhecimento sobre traumas de todos os tipos. Ela explorou os impactos de perda traumática, maus-tratos, abuso sexual, racismo, misoginia, violência doméstica, violência comunitária, problemas de identidade sexual e de gênero, cárcere privado e muito mais, e assim nos ajudou a refletir sobre a saúde, a cura, o desenvolvimento pós-traumático e a resiliência.

Durante 25 anos, *The Oprah Winfrey Show* analisou de forma profunda e criteriosa como a adversidade, o desafio, a dificuldade, o estresse, o trauma e a resiliência influenciam o desenvolvimento. Ela explorou o transtorno dissociativo de identidade em 1989; a importância das experiências na primeira infância para o desenvolvimento cerebral em 1997; os direitos de crianças adotadas em 2005; o impacto da negligência severa em 2009, só para citar alguns exemplos. De várias maneiras, seu programa abriu caminho para uma consciência sistêmica e maior desses problemas. A última temporada incluiu um episódio em que 200 homens, inclusive o comediante Tyler Perry, revelaram suas histórias de abuso sexual. Ela tem sido, e continuará a ser, uma defensora e guia para pessoas afetadas pela adversidade e por traumas.

Oprah e eu conversamos sobre trauma, cérebro, resiliência e cura há mais de 30 anos. Sob vários prismas, este livro é o ápice dessas trocas, trazendo histórias humanas para iluminar a ciência por trás de tudo isso.

Há inúmeros aspectos do desenvolvimento, do cérebro e do trauma a serem tratados em um único livro, especialmente se for escrito por meio de histórias. A linguagem e os conceitos usados aqui traduzem o trabalho de milhares de cientistas, médicos e pesquisadores em campos que vão da genética à epidemiologia, passando pela antropologia. É um livro para qualquer pessoa e para todas as pessoas.

O título *O que aconteceu com você?* representa uma mudança de perspectiva e um reconhecimento do poder do passado sobre nossas ações do presente. A frase surgiu no grupo de trabalho pioneiro da Dra. Sandra Bloom, criadora do Sanctuary Model, uma abordagem teórica para estimular na sociedade uma cultura atenta aos traumas e suas consequências.

Nas palavras da Dra. Bloom:

Nós [a equipe de tratamento do Sanctuary] estávamos numa reunião de equipe por volta de 1991 em nossa unidade de internação. Tentávamos descrever a mudança que observamos no reconhecimento e na resposta ao problema do trauma, especialmente quanto ao que agora se tornou conhecido como adversidade infantil – como causa dos problemas da maioria das pessoas que estávamos tratando. Naquele momento, Joe Foderaro, assistente social clínico, sempre arguto, disse: "É porque mudamos nossa pergunta fundamental de 'Qual é o seu problema?' para 'O que aconteceu com você?'"

Oprah e eu estamos convencidos de que fazer a pergunta fundamental "O que aconteceu com você?" pode ajudar cada um de nós a entender um pouco mais sobre como somos moldados pelas experiências, tanto as boas quanto as ruins. Ao compartilhar essas histórias e esses conceitos científicos, nossa esperança é que cada leitor, à sua maneira, perceba como pode ajudar todos nós a viver uma vida melhor e mais gratificante.

– Dr. Bruce Perry

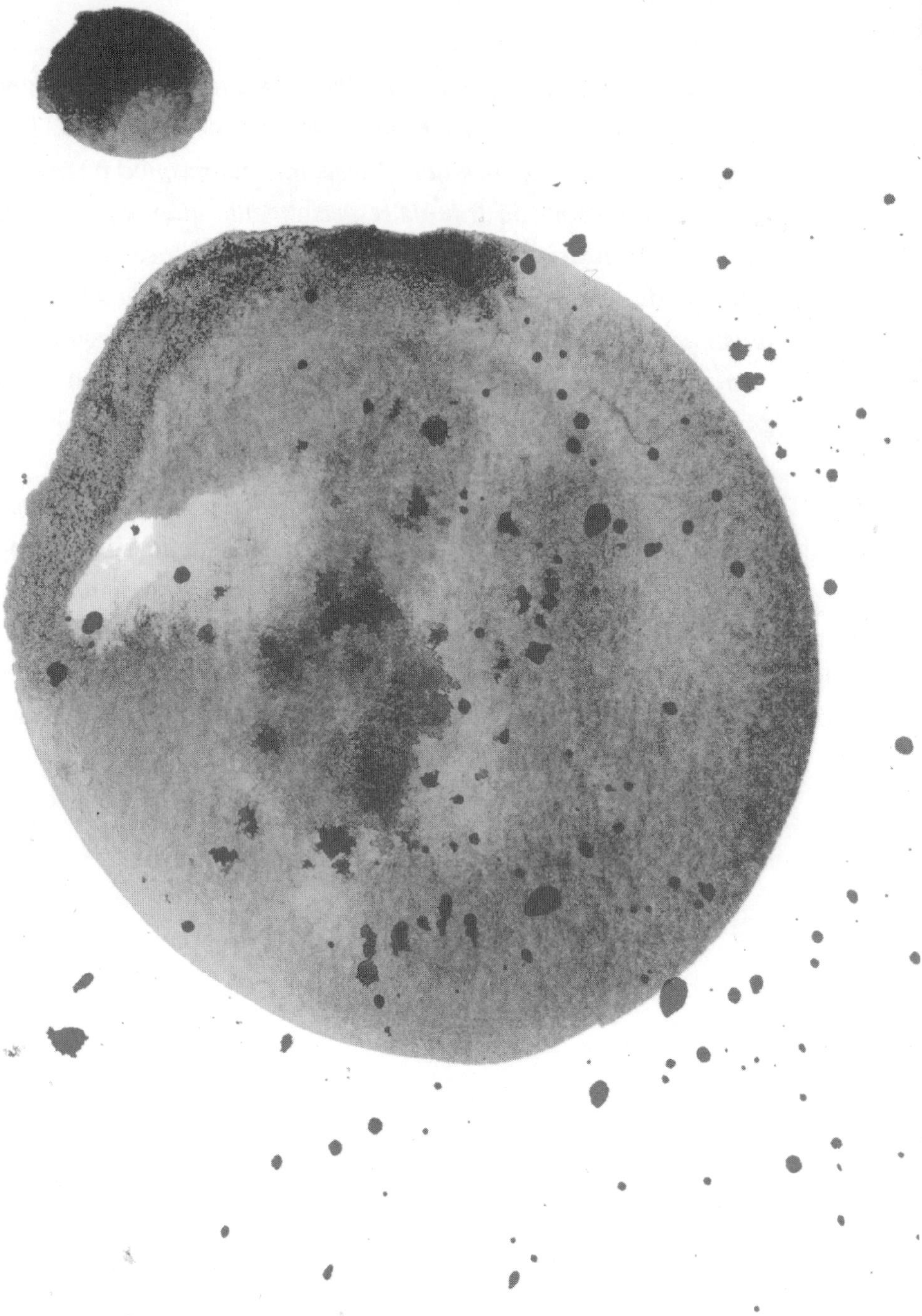

CAPÍTULO 1

DANDO SENTIDO AO MUNDO

Todo ano, nascem mais de 130 milhões de bebês no mundo. Cada um deles encontra seu próprio e incomparável conjunto de circunstâncias sociais, econômicas e culturais. Alguns são recebidos com gratidão e alegria, acolhidos por pais e famílias extasiados. Outros são mais como eu, rejeitados por uma jovem mãe que sonhava com uma vida diferente, no contexto de um casal esmagado pelas pressões da pobreza, ou convivendo com um pai agressivo que perpetuava um ciclo de abuso.

No entanto, sejam amados ou não, todos os recém-nascidos, de hoje e de sempre (isto é, você e eu), compartilham um traço profundamente importante. Apesar da variedade de circunstâncias em que nascemos, chegamos ao mundo com uma sensação inata de completude. Não começamos a vida perguntando: "Eu sou suficiente? Minha vida vale a pena? Sou merecedor ou amado?"

Nenhum bebê nos primórdios da consciência pergunta: "Eu faço diferença?" O mundo deles é um mundo de deslumbramento. No entanto, desde que começam a respirar, esses minúsculos seres humanos tentam dar sentido ao seu entorno. Quem vai alimentá-los e cuidar deles? O que trará conforto? Para muitos, a vida logo mostra uma face dura: são vítimas de violentas explosões de quem cuida ou sentem falta de uma voz suave ou de um toque delicado. É em nossos primeiros encontros que as experiências humanas começam a divergir.

Até onde me lembro, a sensação predominante na minha infância foi a de solidão. Meus pais estiveram juntos apenas uma vez, sob um velho carvalho próximo à casa onde minha mãe, Vernita, foi criada, em

Kosciusko, Mississippi. Meu pai, Vernon, costumava me dizer que eu nunca teria nascido se ele não tivesse ficado curioso sobre o que haveria debaixo daquela saia rosa rodada, com um bordado de poodle, que minha mãe usava. Nove meses após aquele encontro singular, eu cheguei. Eu sempre soube que não era desejada. Meu pai só soube da minha existência quando minha mãe lhe mandou uma notificação de nascimento e pediu dinheiro para comprar roupas de bebê.

A casa da minha avó, Hattie Mae, era um lugar onde as crianças eram vistas, mas não ouvidas. Tenho lembranças nítidas do meu avô me afastando com sua bengala, mas nenhuma memória dele falando diretamente comigo. Após a morte da minha avó, fiquei num vaivém entre a casa da minha mãe, que havia se mudado para Milwaukee, e a do meu pai, em Nashville. Como eu não conhecia direito nenhum dos dois, fiz um esforço enorme para criar vínculos com meus pais. Minha mãe trabalhava como doméstica ganhando 50 dólares por semana em Five Point, na costa norte de Milwaukee, se desdobrando para cuidar de três crianças pequenas. Não sobrava tempo para me acolher. Eu estava sempre tentando não incomodá-la ou preocupá-la. Minha mãe parecia distante e fria diante das necessidades desta garotinha. Toda a sua energia estava concentrada em manter a cabeça fora d'água, sobrevivendo. Sempre me senti um peso, uma "boca a mais para alimentar". São raras as lembranças de me sentir amada. Até onde me recordo, eu sabia que estava por conta própria.

O que aprendi, falando com tantas vítimas de episódios traumáticos, abuso ou negligência, é que depois de absorver essas experiências dolorosas a criança entra em sofrimento. Surge nela um desejo profundo de se sentir necessária, reconhecida e valorizada. À medida que essa criança cresce, falta a ela a habilidade para identificar um padrão sobre o que merece. Se essa carência não for resolvida, o que com frequência se segue é um padrão complicado e frustrante de autossabotagem, violência, promiscuidade ou dependência.

É aí que começa o trabalho de escavar as raízes assentadas bem antes que tivéssemos as palavras para articular o que estava acontecendo conosco.

O Dr. Perry me ajudou a abrir os olhos para a maneira como experiências sensoriais intensas, assustadoras ou isolacionistas podem permanecer trancadas nas profundezas do cérebro, quer tenham durado alguns segundos, quer tenham se prolongado por anos. No entanto, conforme nosso cérebro se desenvolve e absorve constantemente novas experiências, ao mesmo tempo que continua dando um sentido ao mundo à nossa volta, todo momento se sobrepõe aos anteriores.

Há um ditado que diz que a semente contém o carvalho. Sempre soube que era verdadeiro. Meu trabalho com o Dr. Perry me mostrou que isto também é verdade: se quisermos entender o carvalho, temos que retroceder à semente.

— Oprah

Lembro-me de Oprah dizer, logo que nos conhecemos: "Você é o sujeito que vê tudo pelas lentes do cérebro. Você pensa o tempo todo no cérebro?" A resposta curta é: quase. Penso muito no cérebro. Eu me formei em neurociência e venho estudando o cérebro e os sistemas de resposta ao estresse desde a faculdade. Também sou psiquiatra, área que escolhi depois de cursar neurociência. Descobri que uma perspectiva "atenta ao cérebro" me ajuda quando estou tentando entender pessoas.

Sendo psiquiatra infantil, sempre me perguntam sobre comportamentos problemáticos. Por que aquela criança age como um bebê? Ela não consegue se portar de acordo com a idade? Como uma mãe pode ficar parada assistindo ao namorado bater no filho? Por que alguém abusa de uma criança? Qual é o problema daquela criança? A mãe? O namorado da mãe?

Ao longo dos anos, descobri que comportamentos aparentemente desconexos ganham sentido quando se olha para o que está por trás deles. E uma vez que o cérebro é o que nos permite pensar, sentir e agir, sempre que tento entender alguém, me pergunto sobre o cérebro daquela pessoa. Por que ela fez aquilo? O que a levou a agir daquele jeito? Algum episódio influenciou a maneira como o cérebro dela funciona.

Na primeira vez que usei a lente da neurociência para entender um comportamento, eu era um jovem psiquiatra, ainda em formação. Atendia um idoso, Mike Roseman, homem inteligente, engraçado e simpático. Era um veterano da Guerra da Coreia e estivera em muitos combates. Tinha os clássicos sintomas de transtorno de estresse pós--traumático (TEPT), sobre o qual falaremos mais tarde de maneira mais aprofundada. Sofria de ansiedade, dificuldades para dormir, depressão e flashbacks episódicos, nos quais sentia como se estivesse literalmente em combate. Recorrera à automedicação com álcool e lutava contra o *binge drinking*, a ingestão de grandes quantidades de álcool em uma só ocasião. Logicamente, isso contribuía para conflitos profissionais e familiares, e acabou levando ao divórcio e à aposentadoria forçada.

Fazia cerca de um ano que trabalhávamos juntos, e Mike estava se saindo muito bem na sua relação com a bebida. Os outros sintomas, porém, persistiam.

Um dia, ele me telefonou, muito nervoso. "Doutor, posso ir vê-lo hoje? É importante. E a Sally quer ir." Sally era uma professora aposentada, namorada de Mike. Ele havia falado bastante nas sessões anteriores sobre como não queria "estragar tudo" com ela. Percebendo a urgência, concordei.

Eles foram ao meu consultório naquele mesmo dia, mais para o final da tarde, e se sentaram lado a lado no sofá. Estavam de mãos dadas. Sally cochichou carinhosamente no ouvido de Mike. Ele parecia envergonhado, e ficou claro que ela tentava tranquilizá-lo. Pareciam adolescentes nervosos.

Ele começou:

– Você pode explicar o TEPT para ela? Você sabe, o motivo de eu ser tão transtornado. – Mike então começou a chorar. – O que há de errado comigo? A Coreia acabou trinta anos atrás.

Sally o abraçou.

Eu me vi hesitando. Conseguiria, realmente, explicar o TEPT? Então, contemporizei.

– Se me permite, por que agora, Mike? Aconteceu alguma coisa?

– A gente deu uma saída ontem à noite. Tivemos um jantar agradável e estávamos caminhando pelo centro, em direção ao cinema. De repente, eu me vi na rua, entre carros estacionados, deitado de bruços, com as mãos na cabeça, apavorado. Achei que estávamos num tiroteio. Imagino que eu estivesse muito confuso. A certa altura, percebi que o barulho era o escapamento de uma moto. Parecia tiro. Meu terno rasgou. Eu suava, meu coração estava acelerado. Fiquei muito constrangido. Era como se eu estivesse morrendo de medo. Só queria ir para casa e ficar bêbado.

Sally disse:

– Num minuto estávamos de braços dados, no seguinte ele estava de volta a uma trincheira na Coreia, gritando. Tentei me abaixar e ajudá-lo, mas ele me empurrou, me bateu. – Ela fez uma pausa. – A impressão é que tudo durou uns dez minutos, mas acho que foram só uns dois. Me diga como ajudá-lo – pediu ela, olhando para mim. Então se virou para Mike. – Não vou desistir de você.

– Conte para ela o que há de errado comigo – suplicou ele.

Essa cena aconteceu em 1985. Os estudos sobre TEPT ainda eram muito preliminares, e eu era um psiquiatra em formação, inexperiente, com 29 anos. Não sabia quase nada.

– Ouçam, não sei se tenho alguma resposta aqui, mas o que sei com certeza é que Mike não estava tentando machucar você – expliquei.

– Eu sei disso.

Sally olhou para mim como se eu fosse um idiota – o idiota que eu realmente era.

Embora eu não soubesse muito sobre o trabalho clínico, eu tinha grande conhecimento sobre o cérebro, a memória e a reação ao estresse. Pensei em Mike buscando se proteger na rua, não como médico, mas como neurocientista. O que aconteceu no cérebro dele quando o escapamento daquela moto fez barulho? Comecei a refletir sobre um problema clínico usando as lentes do cérebro.

– Acho que parte do problema é que muitos anos atrás, na Coreia, o cérebro de Mike se adaptou a uma situação de ameaça contínua. Seu corpo e seu cérebro tornaram-se hipersensíveis e hiper-reativos a qualquer sinal do mundo relacionado a ameaças. Naquela época, para permanecer vivo, o cérebro dele fez uma conexão, ou seja, uma forma especializada de memória, entre os sons de tiro e granadas e a necessidade de ativar uma reação extrema de sobrevivência. – Fiz uma pausa. – Isso faz sentido?

Sally confirmou com a cabeça.

– Ele vive sobressaltado.

– Mike, eu já vi você se encolher e se assustar na minha sala muitas vezes quando uma porta bate ou um carrinho chacoalha muito alto no corredor. Você também está sempre sondando a sala. Qualquer mudança de atividade, som ou luz chama a sua atenção.

– Se você não mantivesse a cabeça abaixada, estava morto – falou Mike. – Se não estivesse vigilante à noite, estava morto. Se dormisse, estava morto. – Ele encarou o vazio, sem piscar. Depois de um momento de silêncio, suspirou. – Detesto o 4 de Julho. E o ano-novo. Os fogos de artifício me deixam apavorado. Mesmo sabendo que haverá fogos de artifício, eu ainda tenho medo, é como se meu coração fosse explodir. Detesto. Fico uma semana sem dormir depois dessas comemorações.

– Certo. Então aquela lembrança original adaptativa e protetora continua presente. Não foi embora.

– Mas ele não precisa mais disso – disse Sally. – Essa memória está tornando a vida dele insuportável. Não dá para ele simplesmente desaprender?

– Esta é uma grande questão – falei. – O complicado é que nem todas essas lembranças relacionadas a combate estão em partes do cérebro que o Mike pode controlar conscientemente. Vou tentar explicar.

Peguei uma folha de papel, desenhei um triângulo invertido e cortei-o com três linhas horizontais, criando quatro faixas. Foi a primeira vez que representei o cérebro dessa maneira. Após 35 anos, ainda usamos esse modelo básico para ajudar no ensino sobre o cérebro, o estresse e o trauma.

– Vamos dar uma olhada na organização básica do cérebro. É como um bolo com quatro camadas. No topo está o córtex, a parte mais singularmente humana do nosso cérebro. – Comecei a incrementar meu desenho com diferentes funções mediadas pelo cérebro, como na ilustração a seguir.

Figura 1
UM MODELO DO CÉREBRO

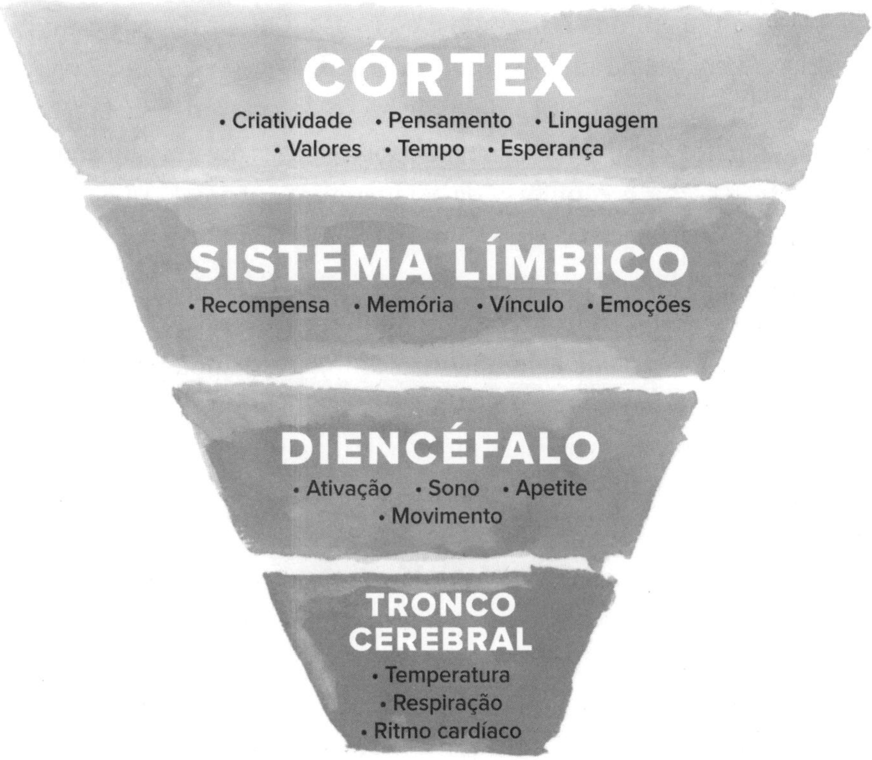

CÓRTEX
- Criatividade • Pensamento • Linguagem
- Valores • Tempo • Esperança

SISTEMA LÍMBICO
- Recompensa • Memória • Vínculo • Emoções

DIENCÉFALO
- Ativação • Sono • Apetite
- Movimento

TRONCO CEREBRAL
- Temperatura
- Respiração
- Ritmo cardíaco

ORGANIZAÇÃO HIERÁRQUICA DO CÉREBRO HUMANO

O cérebro pode ser dividido em quatro áreas interconectadas: tronco cerebral, diencéfalo, sistema límbico e córtex. A complexidade estrutural e funcional aumenta das áreas mais baixas e mais simples do tronco cerebral até o córtex. O córtex media as funções mais singularmente "humanas", como a fala e a linguagem, a cognição abstrata e a capacidade de refletir sobre o passado e vislumbrar o futuro.

Enquanto fazia isso, eu explicava:

– Os sistemas no alto são responsáveis pela fala e pela linguagem, pelo pensamento, pelo planejamento. Nossos valores e crenças também estão armazenados ali. E, o que é muito importante para você, é a parte do cérebro que pode "identificar o tempo". Quando o córtex está "ligado" e ativo, podemos pensar no passado e ansiar pelo futuro. Sabemos que coisas estão em nosso passado e quais estão no presente, certo?

Mike e Sally acenaram positivamente.

– Ok. Agora, olhem para a parte de baixo do cérebro, o tronco cerebral. Essa parte controla funções menos complexas, em sua maioria regulatórias, como o equilíbrio da temperatura corporal, a respiração, os batimentos cardíacos e assim por diante. Mas na parte baixa não há redes que reconheçam o tempo. Às vezes, nos referimos a essa parte do cérebro como o cérebro reptiliano. Então pense no que um lagarto pode fazer: ele não planeja nem pensa muito, vive o momento presente e reage. Mas nós, humanos, graças à parte superior do nosso cérebro, o córtex, podemos inventar, criar, planejar e identificar o tempo.

Antes de continuar, olhei para eles para ter certeza de que estavam me acompanhando.

– A informação fornecida pelos nossos sentidos, visão, audição, tato, olfato, paladar, entra no nosso cérebro pelas regiões mais baixas. Nenhum estímulo sensorial vai diretamente para o córtex: tudo se conecta primeiro com o cérebro reptiliano.

Eles assentiram.

– Depois que o sinal entra no tronco cerebral – indiquei a base do triângulo –, ele é processado. O sinal recebido é comparado com experiências armazenadas anteriormente. No nosso caso, o processo mental do Mike conectou o barulho do escapamento da motocicleta com um tiro. Você se recorda daquela lembrança relacionada a combate? Como seu tronco cerebral não consegue identificar o tempo nem saber que muitos anos se passaram, ele ativa a resposta ao estresse e você sente e reage como se estivesse sob ameaça. Essa parte do seu cérebro não consegue dizer: "Ei, não fique tão agitado, a Coreia aconteceu 30 anos atrás. Aquele som foi apenas o estrondo do escapamento de uma motocicleta."

Observei os dois enquanto assimilavam o que eu dizia e continuei:

– Quando o sinal finalmente chega ao córtex, essa área, sim, é capaz de perceber o que de fato está acontecendo. No entanto, uma das primeiras coisas que acontecem quando você ativa a resposta ao estresse é que os sistemas nas partes superiores do cérebro, incluindo sua habilidade em "identificar tempo", se desligam. Assim, a informação sobre o escapamento da motocicleta foi processada, mas levou um tempo. E até isso acontecer, você esteve na Coreia e depois ficou confuso. Você levou a noite toda para se acalmar, não foi?

– Eu nem cheguei a dormir. – Mike parecia exausto, mas aliviado. – Então eu não estou louco?

– Não. Seu cérebro está fazendo exatamente o que você esperaria que ele fizesse, levando-se em conta a experiência que viveu. Você precisava dessa reação: ela foi adaptativa e o manteve vivo na Coreia. Mas agora é desajustada e está te matando em seu próprio país. Temos que descobrir como ajudar seus sistemas de resposta ao estresse a se tornarem menos reativos e hipersensíveis.

É óbvio que esse não é o fim da história de Mike, mas a compreensão do que estava por trás do seu comportamento foi muito reconfortante para ele e Sally. Para mim, foi o início de um processo muito mais ativo de integrar princípios das neurociências com a prática médica. Ficou claro para mim como "sugestões evocativas" – ou seja, qualquer informação sensorial, como uma visão, um som, cheiro, gosto ou toque – podem ativar uma lembrança traumática. No caso de Mike, o barulho do escapamento da motocicleta trouxe a lembrança complexa dos combates. Foi um dos primeiros exemplos que compartilhei com Oprah, logo que começamos a discutir trauma.

– Dr. Perry

Oprah: Quando escuto a história do Mike, a primeira coisa que noto é que ele se sentiu avariado. Ele até pergunta: "O que há de errado comigo?", mas você mudou o foco para "O que aconteceu comigo?". É exatamente essa a mudança que estamos tentando ajudar os outros a fazer. A história dele também me ajudou a entender o que você quer dizer quando fala sobre a organização "sequencial" do cérebro.

Dr. Perry: Toda experiência é processada de baixo para cima. Isso significa que para chegar ao topo, à parte "inteligente" do nosso cérebro, ela precisa passar pela parte mais baixa, não tão inteligente. A parte mais primitiva e reativa do nosso cérebro é a primeira a interpretar e agir diante da informação que chega dos nossos sentidos. Conclusão: *nosso cérebro é organizado para agir e sentir antes de raciocinarmos*. É assim também que ele se desenvolve, sequencialmente, de baixo para cima. O bebê em desenvolvimento *age* e *sente*, e esses sentimentos e ações ajudarão a organizar o pensamento.

Oprah: Há anos você me diz que as experiências dos primeiros anos têm o maior impacto porque nessa fase o cérebro se desenvolve com mais rapidez.

Dr. Perry: A pergunta "O que aconteceu com você?" não é apenas a pergunta-chave quando se quer entender alguém: é a pergunta fundamental quando se quer entender o cérebro. Em outras palavras, seu histórico pessoal (as pessoas e os lugares na sua vida) influencia o desenvolvimento cerebral. O resultado é que cada cérebro é único. Nossas experiências moldam a maneira como os sistemas essenciais do nosso cérebro se organizam e funcionam. Assim, cada um de nós vê e compreende o mundo de maneira única.

O exemplo do Mike envolve experiências traumáticas que ocorreram quando ele tinha 24 anos. Se essas experiências mudaram o cérebro de uma pessoa dessa idade, imagine o impacto do trauma no cérebro de um bebê ou de uma criança na primeira infância. É muito mais abrangente.

Ainda no útero, o cérebro em desenvolvimento começa a armazenar fragmentos da nossa experiência de vida. O desenvolvimento cerebral do feto pode ser influenciado por uma série de fatores, dentre os quais droga, álcool, ingestão de nicotina, dieta, padrões de atividade e até estresse materno. Nos nove meses da gestação, o desenvolvimento é explosivo: há ocasiões em que "nascem" 20 mil novos neurônios por segundo. (A título de comparação, um adulto pode, num dia bom, produzir setecentos novos neurônios.) Ao nascer, o recém-nascido tem 86 bilhões de neurônios que continuarão a se multiplicar e a se conectar em redes complexas. Graças a essas redes, o recém-nascido começará a compreender o mundo. Isso tudo é extremamente complexo e nem sempre entendido pelos pesquisadores, mas existem alguns princípios básicos que serão úteis durante nossas conversas sobre o trauma.

Nossos sentidos externos – visão, audição, olfato, paladar e tato – monitoram o que acontece fora do nosso corpo. Para isso, eles precisam dos órgãos sensoriais – olhos, ouvidos, nariz e pele. Quando são estimulados por luz, som, cheiro ou toque, neurônios especializados enviam um sinal para o cérebro.

Nós também temos sistemas sensoriais que nos contam o que acontece dentro do nosso corpo. Isto é chamado de interocepção e produz sensações como, por exemplo, sede, fome ou falta de fôlego. Todas as informações sensoriais do mundo externo e do nosso mundo interno alimentam continuamente o cérebro, que então ativa os sistemas adequados para nos manter saudáveis e seguros. Se sentimos sede, procuramos água; se sentimos fome, vamos atrás de comida; se pressentimos perigo, mobilizamos nossos sistemas de resposta ao estresse.

O cérebro classifica cada fragmento de informação sensorial e a envia "triângulo acima" para outras áreas, que vão integrá-la e processá-la. Isso produz uma versão cada vez mais rica e detalhada de qualquer experiência, uma vez que várias informações passam a ficar interligadas após serem classificadas. Por exemplo, o cérebro manda uma informação visual para as mesmas áreas a que envia sensações auditivas (som), táteis (toque) e olfativas (cheiro) que aconteceram simultaneamente.

Essas diferentes sensações – as visões, os sons, os cheiros e movimentos da mesma experiência – tornam-se, então, interligadas. É o começo da compreensão do mundo.

Conforme o cérebro começa a criar as lembranças complexas que armazenam essas conexões, seu catálogo pessoal de experiências se amplia. À medida que crescemos, todos nós tentamos compreender o que acontece a nossa volta. O que significa aquele som? Por que alguém esfrega as minhas costas? O que quer dizer aquela expressão no rosto dele? O que mais acontece quando sinto aquele cheiro?

Para uma criança, o contato visual significa "Eu me preocupo com você e me interesso pelo seu bem-estar". Para outra, significa "Estou prestes a gritar com você". Momento a momento, no começo da vida, nosso cérebro em desenvolvimento classifica e armazena nossas experiências pessoais, produzindo um "livro de códigos" que nos ajuda a interpretar o mundo. Cada um constrói uma visão de mundo moldada pelas experiências de vida.

Imagine, por um momento, as dramáticas mudanças no mundo sensorial de um recém-nascido. No útero, o mundo dele era aquecido, rítmico e escuro. No momento do nascimento, é exposto a uma avalanche sensorial esmagadora de imagens, sons, mudanças de temperatura e ar. O cérebro é bombardeado por novos padrões de estímulo sensorial. E como o mundo apresenta tantas coisas novas quando se é bebê, o cérebro faz essas novas conexões com mais rapidez e energia. As experiências nos primeiros anos de vida são desproporcionalmente poderosas para a definição de como o cérebro se organiza.

Oprah: Uma das coisas mais importantes que aprendi com seus estudos é que as crianças pequenas absorvem muito mais do que percebemos. Quanto mais novas, mais sensíveis ao clima emocional. As pessoas acham que podem xingar e ser violentas na frente de crianças pequenas. Fiz centenas de programas em que mães disseram: "Bom, quando ele crescer, vou largar o pai abusivo", pensando: *Meu filho é pequeno demais para entender*, quando, na verdade, é exatamente o oposto.

Dr. Perry: É, é exatamente o oposto. Quanto menor a criança, mais ela depende de quem cuida dela – pais e outros adultos – para interpretar o mundo. De certa maneira, a criança pequena vivencia o mundo através dos filtros desses adultos.

Uma criança muito pequena talvez não entenda as palavras usadas pelos adultos, mas percebe a comunicação não verbal – o tom de voz, por exemplo. Pode sentir a tensão e a hostilidade numa fala zangada, e a exaustão e o desespero da linguagem deprimida. E como o cérebro se expande com muita rapidez nos primeiros anos de vida, produzindo milhares e milhares de associações sobre como o mundo funciona, essas primeiras experiências têm mais impacto no bebê e na criança pequena.

O cérebro de crianças com pais abusivos começa a associar homens a ameaça, raiva e medo, por exemplo. E essa visão de mundo fica incorporada: os homens são perigosos, ameaçadores, vão machucar você e as pessoas que você ama. Se essa é sua visão de mundo, imagine o que acontece quando você tem um homem como professor ou treinador. Imagine como verá um novo homem na vida da sua mãe, ainda que não seja abusivo.

Oprah: Se a criança ainda não desenvolveu as palavras ou a habilidade para identificar o que vê ou sente, ela se deixa influenciar pela vibração. E a vibração na casa é... *isso é ruim*.

Dr. Perry: A vibração, como você descreve, equivale ao tom emocional do ambiente.

Oprah: É, acredito que todo ambiente tem um tom. Se você entra na casa de um estranho, mesmo sem falar a língua, consegue, com toda certeza, sentir se é um lugar onde as pessoas são amadas. Assim como consegue perceber quando alguma coisa não vai bem. Pode ser que você não saiba o que é, mas alguma coisa parece errada.

Dr. Perry: Da mesma maneira, é possível entrar numa pré-escola e afirmar: "Uau, que ambiente incrível!" Dá para sentir o clima, o tom emocional positivo. E também pode acontecer de ir a outra turma, na mesma escola, e dizer: "Nossa, o que está acontecendo aqui?" É muito forte. Certas partes no nosso cérebro são muito, muito sensíveis a dicas relacionais não verbais. Na nossa sociedade, porém, esse é um aspecto subvalorizado da interação humana. Tendemos a ser uma sociedade muito verbal, em que as palavras escritas e faladas são importantes. No entanto, a maior parte da comunicação é, de fato, não verbal.

Oprah: Imagine uma pessoa que vivenciou um trauma até os 2 anos de vida, antes de ter desenvolvido a capacidade de explicar o que aconteceu. Você nos ensina que esse trauma pode ter um impacto mais profundo no cérebro do que quando se tem as palavras para explicá-lo.

Penso nas crianças molestadas que, por serem ainda tão pequenas, não têm a linguagem para processar o que aconteceu. A experiência fica trancada no cérebro de uma maneira que não aconteceria se ela pudesse expressar o que houve em palavras.

Dr. Perry: O que você está descrevendo é uma forma de memória. Vamos voltar ao triângulo de cabeça para baixo que desenhei para o Mike.

Cada sistema biológico do nosso corpo tem a própria maneira de mudar em resposta a uma experiência. Em certo sentido, então, essa mudança é um registro de experiências passadas, ou, basicamente, memória. Os neurônios são muito sensíveis a experiências, e as redes neurais em todas as regiões do cérebro podem formar memórias. Lembrar nomes, números de telefone e onde você deixou suas chaves é função das redes neurais do córtex. Mas também temos lembranças emocionais: uma música pode provocar um sentimento, uma associação com uma experiência de anos atrás. O cheiro de frango assado ou de um pão recém-saído do forno pode provocar uma sensação agradável de pertencimento, ou uma sensação melancólica de um passado que não volta mais. Essas sensações são fruto de associações armazenadas nas redes neurais do sistema límbico e de outras regiões cerebrais. E existem lembranças motor vestibulares – enrodilhar-se em posição fetal é essencialmente um ato de lembrança – armazenadas em redes situadas em áreas ainda mais inferiores do cérebro. Mas uma experiência traumática pode criar traços de uma memória complexa que envolvem *todas* as regiões do cérebro.

Como já mencionamos, o cérebro se desenvolve de maneira sequencial, da base para cima e de dentro para fora, ou seja, das funções básicas do tronco cerebral às elaborações complexas do córtex. Cada área cerebral tem capacidade própria de criar memória, de mudar em resposta a experiências e de armazenar essas mudanças em suas redes neurais específicas.

Numa criança pequena, o córtex não está totalmente desenvolvido. Antes de 3 anos, as redes neurais não estão suficientemente maduras para criar o que chamamos de memória narrativa linear (em outras palavras, uma memória de quem, o quê, quando e onde). No entanto, nas áreas inferiores do cérebro, outras redes neurais estão processando nossas experiências mais remotas e mudando de acordo com elas. Associações ou lembranças estão nascendo nessas redes inferiores, o que tem enorme impacto na maneira como o trauma é armazenado no cérebro das crianças bem pequenas.

Se uma criança sofre abuso, seu cérebro pode criar uma associação entre a circunstância e as características do abusador – cor do cabelo, tom de voz, a música que toca ao fundo –, além de uma sensação de medo. As associações complexas e confusas podem influenciar o comportamento durante anos. Mais tarde, por exemplo, se essa criança, já mais velha, for atendida em um restaurante por um homem de cabelo castanho que se aproxima demais enquanto anota o pedido, ela pode ter um ataque de pânico. Como não há uma lembrança cognitiva solidamente incorporada, ou seja, nenhuma memória narrativa linear, é comum que esse ataque de pânico seja vivido e interpretado como aleatório, sem qualquer ligação com experiências prévias.

Quando o trauma é vivenciado numa idade tenra, pode produzir um conjunto de crenças e comportamentos duradouros. O abuso sexual nos primórdios da vida pode contaminar a intimidade na vida adulta, mesmo que a pessoa não tenha lembrança de situações específicas de abuso. Para mim, essa é uma das manifestações mais graves do trauma.

Oprah: O *The Oprah Winfrey Show* levou ao ar 217 episódios que tratavam de abuso sexual, e vi uma profunda coerência na maioria das vítimas, incluindo eu mesma. Quando você foi ensinada a ser complacente, qualquer tipo de confrontação é desconfortável porque nunca lhe disseram que você tinha o direito de dizer não. Na verdade, o que lhe ensinaram é que você *não pode* dizer não. A sensação de que você é merecedora o suficiente para determinar seus próprios limites lhe foi roubada. Muitas pessoas reagem ocultando seus desejos reais e empenhando-se ao máximo em agradar. Eu pertenço a essa categoria. Durante anos, dizia sim a coisas que eu sabia que, na verdade, não queria fazer, ou evitava conversas difíceis porque não conseguia viver com o desconforto de me posicionar. Conheci outras vítimas de trauma que suportam situações terríveis até que alguém, outra pessoa, ponha um ponto final e o relacionamento entre elas termine, uma amizade se torne tóxica ou elas percam o emprego. É isso que me vem à mente quando você fala de pessoas com intimidade tóxica.

Mas as experiências extremas das quais falamos até agora – abuso sexual, abuso infantil, guerra – não são as únicas que podem causar trauma. Na verdade, o termo pode ser aplicado a um vasto espectro de eventos da vida.

Para mim, não existe exemplo melhor do que a história de Kris e Daisy, que foram pela primeira vez ao *The Oprah Winfrey Show* num episódio sobre filhos do divórcio. À época do programa, Kris tinha 7 anos. Daisy, a irmã, 11. Eles não apenas sofreram o trauma do divórcio dos pais, como passaram vários anos afastados da mãe. Kris tinha só 4 anos quando viu a mãe pela última vez, e a saudade que sentia era de cortar o coração. O pai acreditava que, se pudesse comprar um anel para ela com o dinheiro que havia economizado, a mãe voltaria para ele. Aquilo me deixou arrasada.

Por outro lado, a dor de Daisy manifestava-se como raiva. "Não é para você ter um namorado quando é casada", me contou ela, referindo-se à mãe. A mulher que deveria amá-la incondicionalmente e ser sua grande inspiração tinha desaparecido da sua vida. Daisy descrevia essa situação como "insuportável".

No programa, o rabino e terapeuta familiar Gary Neuman me contou que, para a maioria das crianças, o divórcio equivale a uma morte. Ele explicou que as crianças não veem os pais como pessoas separadas que um dia se juntaram: enxergam um bloco parental dentro de uma unidade familiar. Assim, mesmo que o divórcio seja melhor para a família como um todo, as crianças sentem como se tivessem arrancado um pedaço delas. E se um dos pais não está mais disponível, ou inicia um novo relacionamento antes que a criança possa desenvolver confiança, isso afeta as áreas do cérebro envolvidas em lapidar a autoestima. A identidade que construímos molda cada relacionamento ou decisão que tomamos ao longo da vida. E quando as crianças não se sentem respeitadas pelas decisões dos pais, ocorre um abalo em suas convicções a respeito do próprio valor.

Kris e Daisy foram as primeiras crianças que ouvi relatarem com absoluta sinceridade o trauma do rompimento dos pais. Algumas pessoas acreditam que quanto mais nova a criança, mais fácil ela absorve um novo relacionamento. A história de Kris e Daisy me mostrou que isso não é verdade.

Sei que seus estudos sugerem o mesmo. Me explique o que acontece com o cérebro de uma criança em tal situação, sob uma perspectiva neurológica.

Dr. Perry: Quando um novo relacionamento entra em cena, acontecem duas coisas. Em primeiro lugar, a criança – e isso vale até para os bebês – começa a se perguntar: "Quem é esta pessoa, e o que está acontecendo?" Em segundo lugar, ela sente que a atenção dos pais se afasta dela e é dirigida a outra pessoa. Já dá para perceber o quanto isso é desestabilizador, mesmo que não haja um clima hostil, agressivo ou abusivo.

Oprah: Ou seja, mesmo quando os relacionamentos são relativamente saudáveis.

Dr. Perry: Sim. Mesmo que a pessoa que esteja entrando na vida da criança seja agradável, gentil e respeitosa, demora muito até ela entender a mudança e voltar a um estado de calma e equilíbrio. Como falaremos mais adiante, qualquer novidade ativará nossos sistemas de resposta ao estresse. Nossa resposta padrão à novidade é: "Ô-ou. Do que se trata?" E até que esse algo se mostre seguro e positivo, será classificado como uma ameaça em potencial. Para a maioria das pessoas, o desconhecido é uma das principais causas da sensação de ansiedade e opressão.

Claro, a situação piora se há conflito no relacionamento. Digamos que o novo namorado da mãe grite com o filho pequeno dela. Essa experiência é processada e armazenada no córtex de crianças de mais de 3 anos como uma memória narrativa – quem, o quê, quando, onde: "Na segunda-feira, o namorado da mamãe entrou em casa e gritou comigo." Mas ela também se fixa mais profundamente no cérebro. Quando o namorado estava gritando, a resposta do menino ao estresse foi ativada. Os sistemas regulatórios principais, governados pelas regiões inferiores do cérebro, aceleraram seu coração, aumentaram seu tônus muscular e enviaram sinais ao corpo para se preparar para "lutar ou fugir". O medo desliga o raciocínio e amplia a sensação, e o menino estava com medo. E, enquanto o cérebro dele tentava compreender a experiência, também estava criando uma memória do trauma.

Mais tarde, quando esse menino for exposto a um gatilho que lembre a seu cérebro aquela experiência traumática, sua frequência cardíaca aumentará, sua postura corporal mudará e o coquetel de hormônios em seu corpo será outro. O ponto é que os sistemas centrais regulatórios do nosso corpo podem ser alterados por experiências traumáticas. Uma criança exposta a um estresse imprevisível ou extremo se tornará o que chamamos de "desregulada".

Oprah: E viver num ambiente traumatizante faz com que a criança seja continuamente desregulada.

Dr. Perry: Sim. Por exemplo, se uma criança vivencia repetidos abusos verbais, emocionais ou físicos praticados pelo pai ou pela mãe, ou sofre abusos diretamente por parte de um companheiro ou companheira do pai ou da mãe, seu cérebro faz associações entre todos os atributos do abusador e a ameaça. Essas associações podem influenciar a maneira como a criança vivencia e interpreta relacionamentos ao crescer.

Oprah: E isso forma o que você chama de "catálogo pessoal ou livro de códigos", que define as lentes pelas quais compreendemos o mundo.

Dr. Perry: Com certeza. Essas associações do começo da vida são imensamente poderosas e abrangentes. Certa vez, eu trabalhava como médico em um abrigo, onde havia cerca de cem meninos entre 7 e 17 anos. Todas essas crianças estavam sob tutela do Estado após terem sido retiradas de suas famílias por causa de abuso ou negligência. Depois de enfrentarem dificuldades em famílias de acolhimento, esses meninos haviam sido colocados naquele abrigo, onde participavam de um programa e frequentavam uma escola.

Havia um menino de 14 anos chamado Samuel. Quando ele tinha 7 anos, o Child Protective Services (CPS, sigla em inglês para Serviços de Proteção à Infância) retirou-o de casa, juntamente com seus quatro irmãos mais novos. Todos tinham sido negligenciados, e Samuel é que cuidava dos irmãos e os protegia. Ele era o alvo da maioria das explosões mais violentas do pai alcoólatra. Quando as crianças foram resgatadas, os mais novos ficaram em outra casa de acolhimento. Sam ficou transtornado. Fugia para encontrá-los. Havia passado por 12 casas de acolhimento e por 12 escolas antes de chegar, com 11 anos, ao abrigo onde eu trabalhava. Uma das primeiras coisas que fizemos foi restabelecer sua ligação com os irmãos por meio de telefonemas semanais e visitas mensais. Saber que eles estavam seguros e eram amados o tranquilizou. Somente aí, o difícil trabalho de cura pôde realmente começar.

Nos três anos seguintes, Sam fez grandes progressos. Ele melhorou suas habilidades sociais e desenvolveu o autocontrole em situações de frustração ou decepção. Além disso, tornou-se mais esperançoso e focado no futuro. Embora o caos familiar tivesse atrasado sua vida escolar, estava se recuperando a ponto de ser transferido para uma nova turma.

O novo professor de Sam era dinâmico, benquisto, experiente – e homem. Na primeira semana na nova turma, Sam teve três grandes explosões. Duas delas, dirigidas ao professor, foram tão violentas que Sam teve que ser fisicamente contido. Foi uma intervenção extrema para aquele programa, e um comportamento bastante incomum para Sam. Infelizmente, a história se repetiu outras vezes. A equipe estava confusa e frustrada. Sam ficou taciturno e envergonhado.

Sentei-me com o professor para rever cada evento, e nem ele nem eu conseguimos detectar algum gatilho óbvio para as crises. Observei a sala de aula de Sam e não vi nenhum comportamento impróprio ou potencialmente provocativo por parte do professor. No entanto, Sam ficava claramente agitado sempre que o professor falava com ele ou tentava ajudá-lo em seu trabalho. O único gatilho possível que me ocorreu foi a proximidade: quanto mais perto o professor estava, pior a agitação de Sam. Com o tempo, o professor começou a evitar qualquer interação – nenhum contato visual, nenhum incentivo verbal, nenhum sorriso. Estava se desconectando emocional e fisicamente do menino. Ficou claro que aqueles dois não gostavam um do outro.

Um dia, quando eu conversava com Sam sobre isso, sua única explicação foi: "Ele me odeia. Nada que eu faço está certo." Nossa sessão foi interrompida por um funcionário que lembrou a Sam que estava quase na hora da visita do pai. Essas visitas tinham que ser supervisionadas e o assistente social não tinha chegado, então me ofereci para acompanhá-lo.

Fomos até uma sala de reuniões e me acomodei num canto, esperando que o pai de Sam aparecesse. Sam se sentou à mesa da sala, empilhando peças de jogo de damas. Esperando. O pai estava atrasado, mais uma vez. Por fim, a porta se abriu, o pai entrou e se sentou em frente a Sam. Eles se cumprimentaram constrangidos e colocaram as peças no tabuleiro. Nos dez minutos seguintes, talvez tenham trocado dez palavras enquanto jogavam. Não se olhavam. A tensão era palpável.

Minha mente divagou enquanto eles jogavam. Me vi pensando no meu próprio pai. Viagens de pescaria no Canadá, ao norte de Flin Flon. Ele me acordando de um sono quentinho às cinco da manhã, para caminhar na mata. Ele vestindo sua camisa de caça de flanela xadrez vermelha, que tinha seu cheiro, uma mescla especial de cigarro, suor e desodorante Old Spice. Um cheiro muito acolhedor e reconfortante. Eu era tomado por uma sensação intensa de estar seguro e ser amado.

Quando voltei ao presente, o cheiro de Old Spice ainda perdurava na sala. Seria possível? Fui até a mesa e me debrucei entre Sam e o pai.

– Como está indo o jogo?

O pai respondeu:

– Ele está ganhando.

Senti cheiro de álcool em seu hálito, e do Old Spice com o qual tinha se empesteado na tentativa de disfarçar o álcool. O combinado é que ele estaria sóbrio durante as visitas.

Quando acabou o horário, fui ver o professor. Ele estava na sala de aula, preparando-se para o dia seguinte.

– Sei que pode parecer um pouco estranho – falei –, mas que marca de desodorante você usa?

– Old Spice. Por quê?

Peguei uma folha de papel e um lápis e fiz o desenho do cérebro como um triângulo de ponta-cabeça. Conversamos por um ou dois minutos sobre memória, associações e gatilhos. Contei a ele minha suspeita: o cheiro de Old Spice era uma pista evocativa para Sam (exatamente como os sons explosivos para Mike). O professor concordou em mudar para um desodorante sem perfume.

No fim da tarde, pedi a Sam que se sentasse comigo e expliquei minha tese sobre por que ele se sentia tão desconfortável e irritado com o professor. Mostrei o mesmo desenho do cérebro com o triângulo invertido e conversamos sobre como o nosso cérebro dá sentido ao mundo conectando visões, sons e cheiros em uma mesma situação. Ele fez que sim com a cabeça: fazia sentido para ele. Sam me deu outros exemplos de coisas que o tiravam do sério: quando alguém gritava, tinha vontade de correr e se esconder. Quando uma pessoa mais velha oprimia outra mais jovem, tinha vontade de atacar. Perguntei se ele estaria disposto a conversar com o professor para tentar recuperar o relacionamento entre eles.

Tanto Sam quanto o professor concordaram em se dar uma nova chance. No ano seguinte, o relacionamento entre eles ficou mais profundo, e Sam terminou como um modelo de aluno naquela turma.

A história de Sam é um ótimo exemplo de como o cérebro armazena lembranças. Tanto ele quanto eu tivemos no começo da vida experiências das quais nossos cérebros guardaram lembranças ligadas ao cheiro do Old Spice. Minhas associações desencadearam sensações positivas; as dele desencadearam perturbação e medo. Conforme seguimos pelo mundo, inúmeros sons, cheiros e imagens evocam lembranças que criamos nos primeiros anos da vida. Essas lembranças podem ser recordações plenas de um evento específico ou podem ser fragmentos, um sentimento, uma sensação de déjà-vu, uma impressão.

Quando conhecemos alguém, formamos uma primeira impressão ("Ele parece um cara muito simpático") quase sempre sem informações aparentes em que possamos nos basear. Isso ocorre porque características daquela pessoa nos fazem lembrar algo que já tínhamos classificado como familiar e positivo. O oposto pode acontecer ("Esse cara é um babaca total") se alguma característica evoca uma experiência negativa prévia.

Nosso cérebro classifica uma grande quantidade de informações das nossas família, comunidade e cultura, juntamente com o que nos é apresentado na mídia. Quando isso se combina ao que está armazenado, começamos a formar uma visão de mundo. Se mais tarde conhecemos alguém com características diferentes das que havíamos catalogado, nossa resposta padrão é sermos cautelosos, defensivos. Por sua vez, se nosso cérebro está repleto de associações baseadas em vieses midiáticos sobre o corpo ideal, ou sobre estereótipos raciais ou culturais, por exemplo, exibiremos preconceitos implícitos (talvez até declarados).

Muitos e muitos fenômenos da vida cotidiana estão diretamente ligados a esse processo em que o cérebro elabora o mundo por meio de associações e memórias. É por isso que perguntar "O que aconteceu com você?" é tão importante para o entendimento do que está acontecendo com você agora.

CAPÍTULO 2

EM BUSCA DE EQUILÍBRIO

Você pensa no seu coração?

Antes mesmo de você nascer, essa máquina milagrosa já bombeava regularmente a energia da vida pelo seu corpo. Cerca de 115 mil batimentos diários, dia após dia, com o único propósito de mantê-lo vivo.

Além da tarefa física complexa de levar nutrientes essenciais a cada célula, tecido e órgão, a pulsação cardíaca também regula sua energia emocional. Um ritmo forte e estável pode trazer uma sensação de calma. Uma aceleração pode deixar em pânico até a pessoa mais saudável.

No final da minha década dos 40, houve uma época em que notei uma mudança, um rápido sobressalto no meu coração. Logo pensei as piores coisas. Uma noite, acordei com meu coração batendo com tal intensidade que, pela primeira vez na vida, pensei que fosse morrer.

Levei seis meses para entender o que estava acontecendo. Um livro que encontrei sobre uma mesa em frente ao estúdio onde gravávamos *The Oprah Winfrey Show* dizia que as palpitações cardíacas podem acontecer na menopausa. Um médico confirmou que, de fato, meu corpo passava por mudanças típicas do climatério, e foi impossível mensurar o meu alívio. Alívio e assombro. Porque, para mim, aquelas mensagens diretas do meu coração eram uma das conexões mais poderosas que eu já tinha feito com meu biossistema único. Elas provavam aquilo em que eu já acreditava: que meu corpo está sempre falando comigo.

O mesmo vale para você. Desde o nascimento, o coração constantemente manda mensagens sobre o seu bem-estar. Ele está sintonizado com as mínimas mudanças na sua saúde física e emocional, e quando ele manda um aviso, você sente o efeito em cada parte do seu corpo.

Desde aquelas palpitações, senti uma profunda gratidão por esse alarme interno sempre vigilante. Em épocas de estresse, as mudanças no ritmo do meu coração têm sido uma dádiva.

No entanto, aprendi com o Dr. Perry que permanecer em estado de prontidão permanente pode ter efeitos devastadores sobre nossa saúde física e emocional. É real a correlação entre estresse duradouro e condições como ansiedade, depressão, acidente vascular cerebral, doença cardíaca e diabetes.

Quando eu estava na casa dos 20 anos, fui desafiada, pela primeira vez e de maneira significativa, a equilibrar meu próprio estresse. Tinha assumido um trabalho como repórter e trabalhava 100 horas por semana. Queria ser uma boa colega de equipe, mas percebia, cada vez mais, que estava ficando fora de sintonia. Como já expliquei, eventos traumáticos na minha infância, incluindo uma família disfuncional, abuso sexual e surras recorrentes, haviam me condicionado a ser hábil em agradar as pessoas, ainda que isso drenasse completamente minha energia. Assim, quando meu corpo enviou os primeiros sinais de estresse, ignorei-os. Preferi me acalmar com uma droga de fácil acesso: comida. Quanto mais minha vida saía do ritmo, mais eu procurava alívio para silenciar os sinais.

Eu percebia, claro, que estava traindo a mim mesma. Sabia que tinha apenas certa quantidade de energia e que ela precisava ser preservada e restaurada. Mas levaria décadas para eu entender como viver de acordo com meu próprio ritmo.

Hoje, quando começo a me sentir sufocada, recuo. Aprendi a dizer não. Se estou perto de alguém que me consome, levanto uma barreira, uma parede não física que mantém longe a energia negativa daquela pessoa.

Também criei um espaço pessoal sagrado, bloqueando os domingos como um momento de renovação, em que me permito ficar comigo mesma e simplesmente ser. Quando esse momento é interrompido ou ameaçado por alguém que invade meu estado de tranquilidade, fico irritada, propensa à ansiedade e aflita por ter que tomar decisões – não exatamente o que eu desejaria naquele momento. A maneira mais rápida e consistente de recuperar meu próprio ritmo é caminhar em meio à natureza. Me concentrar apenas na minha respiração, no meu batimento cardíaco regular, na quietude de uma árvore ou na complexidade de uma folha pode devolver meu equilíbrio.

Música, risada, dança (até mesmo divertir-se sozinho), tricotar, cozinhar – encontrar o que o acalma naturalmente. Isso não apenas equilibra o seu coração e a sua mente, mas também o ajuda a se manter aberto para a sua própria generosidade e para a generosidade do mundo.

– **Oprah**

Oprah: Lembro-me de caminhar pelo campus da OWLAG com você, observando as meninas dançarem, cantarem e rirem juntas enquanto iam de uma aula a outra. Você tinha trabalhado com elas por mais de dez anos, e enquanto olhávamos falou alguma coisa como: "Isso vai ajudá-las a aprender." Terminamos falando sobre por que o ritmo é tão importante.

Dr. Perry: O ritmo é essencial para um corpo e uma mente saudáveis. Qualquer pessoa no mundo pode pensar em alguma coisa rítmica que lhe traga bem-estar: caminhada, natação, música, dança, o som das ondas quebrando em uma praia...

Oprah: É por isso que embalamos os bebês quando eles choram. Tentamos ajudá-los a encontrar o próprio ritmo para então se acalmar.

Dr. Perry: Exatamente, e isso também ajuda a acalmar a nós mesmos. As emoções das pessoas à nossa volta são contagiosas. Quando nosso bebê está irritado, ele pode nos deixar irritados. Então o pegamos no colo e caminhamos com ele. Começamos com um ritmo que seja tranquilizante para nós e, se não funciona, mudamos lentamente para um padrão regulador para o bebê. A resposta dele aos nossos esforços molda o estilo do "tranquilizante rítmico" que usamos.

Ao crescermos, descobrimos nosso próprio conjunto de ritmos e atividades reguladores. Para alguns, é caminhar. Para outros, bordar ou andar de bicicleta. Cada um tem suas opções preferidas quando se sente fora de sincronia, ansioso ou frustrado. O elemento comum é o ritmo. O ritmo é regulador.

Oprah: As pessoas usam a palavra *bem-estar* com o significado de saúde total, ou equilíbrio entre mente, corpo e espírito. Mas você fala em *regulação*. O que quer dizer com isso?

Dr. Perry: A regulação também tem a ver com estar em equilíbrio. Temos muitos sistemas diferentes que monitoram continuamente nosso corpo e o mundo externo, para garantir que estamos seguros e em equilíbrio – que há comida, água e oxigênio suficientes. Quando estamos regulados, esses sistemas têm tudo de que precisam.

O estresse vem quando uma exigência ou um desafio nos tira do equilíbrio, nos leva para longe dos nossos "pontos de ajuste" regulados. Quando saímos do equilíbrio, ficamos desregulados e sentimos desconforto ou aflição. Quando recuperamos o equilíbrio, nos sentimos melhor. O alívio da aflição – a volta ao equilíbrio – ativa as redes de recompensa no cérebro. Sentimos prazer quando recuperamos o equilíbrio: do frio para o quente, da sede e da fome para a saciedade.

Oprah: E a regulação é mais do que um conceito biológico. Em todas as áreas da nossa vida, buscamos o necessário para ficarmos estabilizados, equilibrados e regulados.

Dr. Perry: Sim. O equilíbrio é a base da saúde. Nós nos sentimos melhor e funcionamos melhor quando os sistemas do nosso corpo estão em equilíbrio e quando estamos em equilíbrio com amigos, família, comunidade e natureza.

Oprah: E é realmente importante que os pais percebam o que você acabou de falar: que o aprendizado da autorregulação saudável começa, de fato, na infância. Quando os bebês choram, estão com fome, com sede ou cansados, ou então está na hora de trocar a fralda, ou eles precisam do toque. Como não podem se alimentar sozinhos nem trocar a própria fralda, chorar é a maneira que têm de recuperar o equilíbrio, de fazer com que o cuidador providencie o necessário. O problema é quando o cuidador não responde. Em vez de recuperar o equilíbrio – ou seja, ficar regulado –, o bebê ficará mais irritado.

Dr. Perry: Sim. Se sinto fome, eu me levanto e faço um sanduíche. Eu me autorregulo. Mas, como você disse, o bebê depende dos adultos para ajudá-lo nisso. São os cuidadores que proporcionam uma regulação externa. Com o tempo, esses adultos responsivos ajudam o cérebro da criança a começar a formar suas capacidades autorreguladoras. E, como já mencionamos, uma das ferramentas mais poderosas para regular um bebê incomodado é o ritmo.

Oprah: Por quê?

Dr. Perry: A vida toda é rítmica. Os ritmos do mundo natural estão incorporados em nossos sistemas biológicos. Começa no útero, quando o coração pulsante da mãe cria um som, uma pressão e vibrações rítmicas, sentidas pelo feto em desenvolvimento, e proporciona um estímulo rítmico constante para o cérebro em organização. Essas experiências produzem associações importantes – memórias, essencialmente – que conectam à regulação ritmos de aproximadamente 60 a 80 batimentos por minuto. Essa pulsação corresponde à média de um coração em repouso para um adulto. É o ritmo percebido pelo feto e, para ele, equivale a estar em equilíbrio, a estar aquecido, pleno, saciado e seguro. Após o nascimento, ritmos nessa frequência podem confortar e acalmar, enquanto a perda de ritmo ou padrões de estímulos sensoriais altos, variáveis e imprevisíveis passam a ser associados a ameaças.

Quando embalamos um bebê aflito, o movimento rítmico ativa essa memória de segurança. Ele se sente mais equilibrado e se acalma.

Além disso, ao embalar o bebê, ao mesmo tempo que o alimentam, aquecem e o amam, adultos carinhosos reforçam as associações primárias entre ritmo e regulação. Essas interações amorosas começam a expandir a "memória" complexa de regulação, mesclando-a ao contato humano. O cheiro, o toque, o sorriso e a voz do cuidador também ficam associados a regulação, a segurança. As bases da saúde são o ritmo e a regulação. Quando você incorpora cuidados atentos, reativos e acolhedores, as raízes e o tronco da Árvore da Regulação do nosso cérebro estão sendo organizados (veja Figura 2, p. 54).

Oprah: Então, quando um bebê criado em um ambiente acolhedor, propício e carinhoso chora e alguém atende às suas necessidades, ele está sendo regulado. Em última análise, quando a pessoa cresce recebendo essa atenção amorosa, o que você chama de Árvore da Regulação se desenvolve. Essas redes do cérebro permitem que a pessoa se autorregule e se vincule aos outros em relacionamentos saudáveis.

Dr. Perry: Exatamente. E isso é tão importante que merece uma análise mais profunda. Em primeiro lugar, como já dissemos, temos importantes redes neurais envolvidas nos processos de regulação, inclusive nossos sistemas de resposta ao estresse. Em segundo lugar, temos redes neurais envolvidas em criar e manter relacionamentos. Por fim, temos redes neurais que se ocupam da "recompensa" ou gratificação. Quando estas últimas são ativadas, elas nos dão prazer. Quando os três sistemas começam a se conectar, produzem nossas memórias fundadoras. É por isso que nos sentimos regulados e recompensados quando recebemos sinais de aceitação ou acolhimento vindos de outra pessoa. A capacidade de se conectar, de ser regulador e regulado, de gratificar e ser gratificado é a cola que mantém famílias e comunidades unidas.

Oprah: Regulação, relacionamento e gratificação.

Dr. Perry: Isso. Quando o adulto atento e responsivo se aproxima do bebê que chora, acontecem duas coisas importantes. O bebê sente o prazer de ser regulado depois de sentir incômodo e também tem contato com a visão, o cheiro, o toque, o som e o movimento da interação humana. Começa a associar as sensações amorosas proporcionadas pelo adulto cuidador ao prazer. Em incontáveis momentos, quando os cuidadores atendem às necessidades do bebê, o cérebro está vinculando relacionamento a gratificação e regulação. Um cuidador responsivo, atento e sintonizado com essas criaturinhas está literalmente entrelaçando essa poderosa associação de três partes. Está construindo uma raiz saudável para a Árvore da Regulação.

Figura 2

ÁRVORE DA REGULAÇÃO

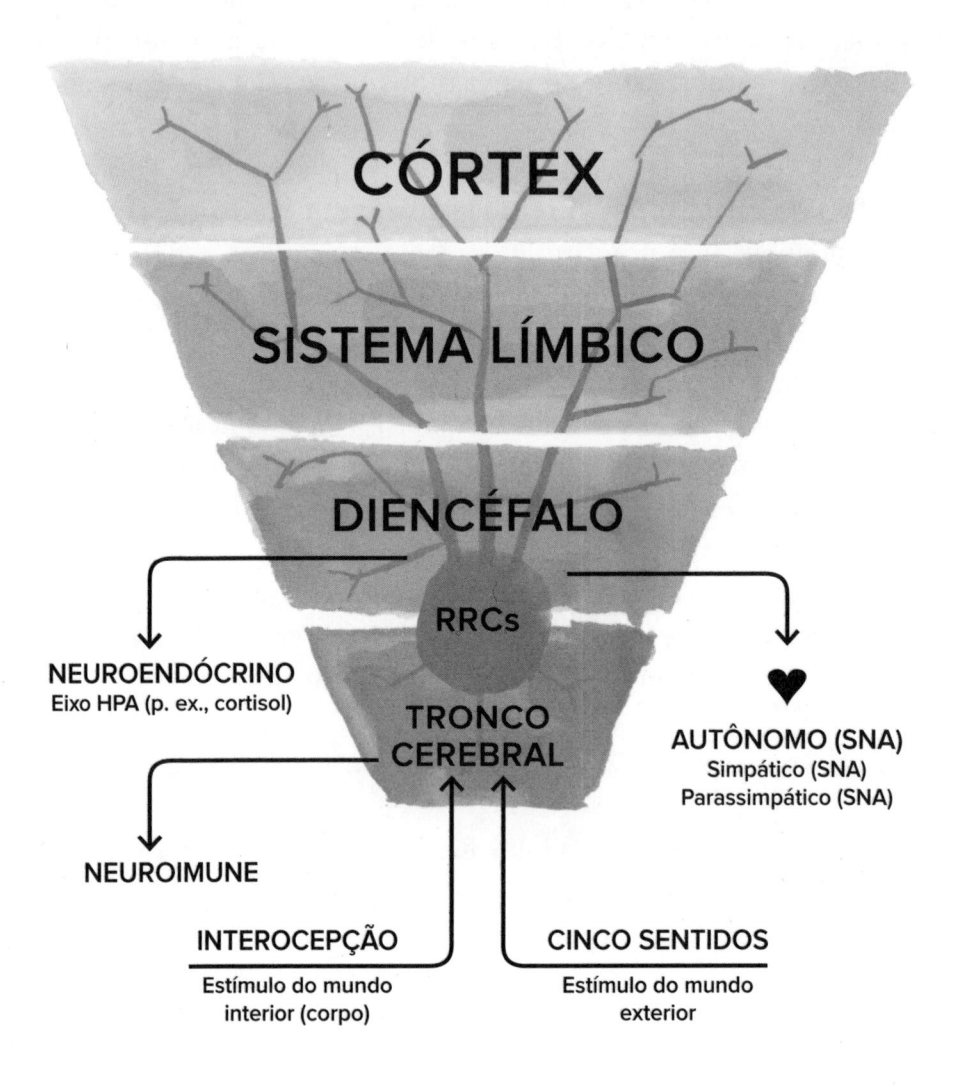

CÓRTEX

SISTEMA LÍMBICO

DIENCÉFALO

RRCs

TRONCO CEREBRAL

NEUROENDÓCRINO
Eixo HPA (p. ex., cortisol)

AUTÔNOMO (SNA)
Simpático (SNA)
Parassimpático (SNA)

NEUROIMUNE

INTEROCEPÇÃO
Estímulo do mundo interior (corpo)

CINCO SENTIDOS
Estímulo do mundo exterior

Nota: Eixo HPA = eixo hipotálamo-pituitária-adrenal
SNA = sistema nervoso autônomo
RRCs = redes regulatórias centrais

A Árvore da Regulação compreende um conjunto de redes neurais que nosso corpo aciona para nos ajudar a processar e responder ao estresse. Tendemos a usar a palavra estresse de maneira negativa, mas, por definição, trata-se apenas de uma demanda em um ou mais dos vários sistemas fisiológicos do nosso corpo. Fome, sede, frio, exercício físico e uma promoção no trabalho, por exemplo, são estressores. O estresse é parte essencial e positiva do desenvolvimento normal – um elemento fundamental no aprendizado, no domínio de novas habilidades e na construção da resiliência. O fator principal para determinar se o estresse é positivo ou destrutivo é o seu padrão, como se demonstra na Figura 3, p. 59.

Temos um grupo de redes regulatórias centrais (RRCs), ou sistemas neurais, que se originam das partes inferiores do cérebro e se espalham por ele, trabalhando em conjunto para nos manter regulados sempre que surge um estressor.

Atuando em conjunto, os ramos dessa Árvore da Regulação dirigem ou influenciam todas as funções do cérebro (como pensar e sentir) e do corpo (com reflexos no coração, no estômago, nos pulmões, no pâncreas e em outros órgãos). Eles trabalham para manter a harmonia, a regulação e o equilíbrio.

Além disso, como já falamos, essas experiências vinculantes moldam a concepção de mundo do bebê em relação aos humanos. Um cuidador consistente e acolhedor gera uma crença interior de que as pessoas são confiáveis, previsíveis e carinhosas.

Oprah: É como se o bebê pensasse: *Os humanos que vêm me regular não são ruins. Quando preciso de alguma coisa, dá certo. As pessoas são confiáveis e solidárias.*

Dr. Perry: Sim, e essa é uma visão de mundo notável e poderosa. Aprendemos que uma ligação com outra pessoa pode ser gratificante e reguladora, o que nos leva a nos envolvermos com nossos professores, treinadores, colegas. Normalmente produz mais e mais interações humanas positivas, que se somam ao nosso catálogo interno de experiências. O cérebro é uma máquina que vive tentando dar sentido ao mundo. Se na nossa visão do mundo as pessoas são boas, esperamos que façam coisas boas. Projetamos nossas expectativas nas interações com os outros e, sendo assim, realmente despertamos o que há de bom neles. Nossa visão interna de mundo torna-se uma profecia autocumprida. Projetamos o que esperamos, e isso ajuda a obter o que esperamos.

Muitos anos atrás, eu estava no aeroporto O'Hare, de Chicago, a caminho de uma conferência acadêmica. Era inverno e houve uma nevasca. Todos os voos foram adiados. A área de embarque estava lotada de pessoas frustradas, inclusive um cavalheiro mais velho, sentado ao meu lado. Ele usava um terno muito caro e um relógio Rolex, e sua frustração era evidente. Cada vez que a funcionária do embarque anunciava um novo atraso, ele resmungava furioso e dava um tapa no jornal, irritado, antes de continuar lendo.

Perto de nós, um casal jovem, de aparência cansada, se revezava cuidando da filha, uma criança que estava dando os primeiros passos, enquanto ela explorava a área de embarque. Por horas, enquanto os passageiros retidos ficavam mais e mais irritados, a criança continuava sorrindo, brincando e tocando em tudo que via.

A certa altura, quando a funcionária do embarque comunicou mais um atraso, o homem ao meu lado se levantou e disparou até a moça. Aos berros, exigiu a presença do supervisor.

– Sou uma pessoa importante e conheço membros do conselho da companhia aérea. Preciso chegar a Cleveland para uma reunião!

A área de embarque ficou em silêncio enquanto ele continuava a esbravejar. A pobre funcionária simplesmente olhou pela janela, apontou a neve forte que caía e disse:

– Sinto muito, senhor, estamos fazendo o possível, mas não podemos controlar o tempo.

O homem voltou bufando para seu assento.

Na minha visão de mundo, homens rudes, arrogantes, que tratam mal as pessoas são idiotas. Então olhei a garotinha. Ela estava com a cabeça inclinada, como se tentasse entender por que todos haviam ficado quietos enquanto aquele homem falava. Na visão de mundo dela, as pessoas são boas. Não havia razão para aquele homem não ser bom, também.

Ela caminhou até o homem, parou diante dele e colocou as mãozinhas grudentas em seus joelhos. Então sorriu. Ele franziu a testa e sacudiu o jornal, erguendo-o para ler, uma barreira entre os dois. Minha visão de mundo se confirmou. Ele era ruim até com crianças pequenas! Mais idiota impossível.

A garotinha fez uma pausa. Depois, claramente pensando que aquilo era uma brincadeira – afinal, as pessoas são boas, certo? –, sorriu e abaixou o jornal, radiante por interagir com aquele novo amigo.

Ai, minha nossa, pensei, *isso vai acabar mal*. Mas eu estava errado. E ela estava certa.

A menina abriu seu enorme sorriso, e ele, sacudindo a cabeça, vencido, sorriu de volta. O "projeto bondade" dela o "contaminou". Ela extraiu o melhor daquele homem, e sua visão de mundo foi reforçada. Na meia hora seguinte, os dois brincaram juntos, enquanto os pais dela assistiam. Ele até ficou de quatro – o terno caro que se danasse –, levando-a para dar uma volta de cavalinho pela área de embarque suja e lotada.

Ela conseguiu o que havia projetado, graças a uma visão de mundo internalizada, resultante de milhares de momentos amorosos em que seus pais, sua família e outros cuidadores estavam presentes, atentos e responsivos de maneira carinhosa.

Oprah: O que acontece quando um bebê não recebe essas respostas positivas e acolhedoras? Digamos, se uma mãe está sozinha, sem ajuda, ou deprimida, ou em um relacionamento violento? Ela até pode querer ser uma mãe amorosa e responsiva, mas é possível nessas circunstâncias?

Dr. Perry: Esse é um dos principais problemas na nossa sociedade: temos muitos pais e mães que cuidam de seus filhos sem o apoio adequado. O resultado é previsível: sobrecarregados, exaustos e desregulados, eles terão dificuldade em regular uma criança com consistência e previsibilidade. Isso pode trazer dois impactos significativos para os filhos.

Em primeiro lugar, afeta o desenvolvimento dos sistemas de resposta ao estresse da criança (veja Figura 3, p. 59). Se o bebê faminto, com frio e assustado é atendido – e regulado – de maneira inconsistente pelo cuidador sobrecarregado, isso cria uma ativação igualmente inconsistente, prolongada e imprevisível dos sistemas de resposta ao estresse da criança. O resultado é uma sensibilização desses importantes sistemas.

Em casos prolongados de trauma, as RRCs da Árvore da Regulação mudam e se adaptam de modo a lidar melhor com a ameaça vigente. O sistema se esforça para manter o equilíbrio, mas pode ser difícil e exaustivo. Nesses casos duradouros, mesmo quando a ameaça passa, a mudança nesses sistemas persiste. A hipervigilância de um menino que convive com violência doméstica e sempre vasculha a casa em busca de algum sinal de ameaça é uma característica que se estende a outros ambientes. Na escola, por exemplo, pode impedir a criança de prestar atenção no professor. Ela então talvez seja classificada como portadora de transtorno de déficit de atenção (TDA), que é um desajuste.

Figura 3

PADRÕES DE ATIVAÇÃO DO ESTRESSE

```
                    PADRÕES
                       DE
                    ESTRESSE
            ↙                    ↘
      Imprevisível            Previsível
         Extremo               Moderado
       Prolongado             Controlável
            ↓                    ↓
     SENSIBILIZAÇÃO          TOLERÂNCIA
      Vulnerabilidade         Resiliência
```

O padrão de ativação determina os efeitos do estresse a longo prazo. Quando os sistemas de resposta ao estresse são ativados de maneira imprevisível, extrema ou prolongada, os sistemas tornam-se hiperativos e hiper-reativos — em outras palavras, sensibilizados. Com o tempo, isso pode levar à vulnerabilidade funcional. Como os sistemas de resposta ao estresse atingem, coletivamente, todas as partes do cérebro e do corpo, há riscos para a saúde emocional, social, mental e física. Por outro lado, uma ativação previsível, moderada e controlável dos sistemas de resposta ao estresse, tal como se vê quando os desafios nas áreas de educação, esporte, música e outras são apropriados ao desenvolvimento, pode levar a uma capacidade mais sólida e flexível de resposta ao estresse, ou seja, resiliência.

O segundo problema importante tem a ver com aquele processo de criar vínculos nos relacionamentos. Se, enquanto a criança está construindo sua visão de mundo, o cuidador reage de maneira imprevisível, ou de modo brusco, frustrado, frio ou ausente, mesmo que ocasionalmente, a criança começa a criar um tipo diferente de visão de mundo.

Tivemos um projeto de trabalho em parceria com uma pré-escola em que observávamos as interações entre professores e alunos. Em uma das turmas, havia uma professora jovem, entusiasmada e muito acolhedora. No início do ano, essa professora recebeu cada criança com afeto, abraçando-a e dando um grande sorriso. Durante o dia todo, ela interagiu com as crianças de modo muito atencioso.

Notamos que uma garotinha evitava o afeto físico dessa professora e nunca fazia contato visual. Quando a professora a abraçava, ela ficava parada e não retribuía o abraço. Soubemos que o único adulto na casa daquela criança era a mãe, uma mulher depressiva e esgotada.

Com o tempo, a professora continuou se mostrando calorosa e efusiva com as outras crianças, mas já não era tão afetuosa com a menina triste e reservada. Dá para imaginar a visão de mundo daquela criança: *Não sou tão importante, não dá mesmo para confiar nas pessoas.*

Quase um mês após o início do ano letivo, a turma estava fazendo uma atividade quando a garotinha levantou a mão pedindo ajuda. Era a primeira vez que ela se manifestava dessa maneira: ergueu a mão bem alto e acenou. Mas a professora estava totalmente envolvida com um grupo em outra mesa, rindo com as crianças, e não percebeu. A garotinha esperou alguns instantes, depois abaixou a mão lentamente. Não voltou a pedir ajuda pelo restante do ano.

Ao final do projeto, mostramos o vídeo para a professora, que começou a chorar. Sentiu uma culpa terrível. Não tinha havido intenção de ignorar a menina, mas todos nós precisamos de alguma reciprocidade para manter o envolvimento. A visão de mundo da garotinha – *eu não tenho importância* – projetou-se na sala de aula e se tornou uma profecia autocumprida. Extraímos do mundo o que projetamos no mundo, mas o que você projeta está baseado no que *aconteceu com você* quando criança.

Oprah: Então, como talvez as necessidades básicas dessa garotinha não tenham sido atendidas nos primeiros anos de vida, porque a mãe estava sobrecarregada, só, exausta e deprimida, portanto incapaz de estar "presente, atenta, sintonizada e responsiva", como você diz, a criança está fora de equilíbrio. Se o modelo de cuidado se desenvolve num cenário de negligência total, no qual as necessidades fundamentais são ignoradas por períodos cada vez mais longos ou os pedidos de ajuda não são atendidos, ou são recebidos com raiva ou castigo, a criança vive numa aflição contínua. Nas duas situações, ela está fora de equilíbrio.

Dr. Perry: Com certeza. Provavelmente, o aspecto mais importante aqui é o padrão de ativação do estresse. Se o pai ou a mãe for consistente, previsível e acolhedor, os sistemas de resposta ao estresse tornam-se resilientes. Se os sistemas de resposta ao estresse forem ativados de maneira prolongada ou caótica, como nos casos de abuso ou negligência, eles se tornam hipersensíveis e disfuncionais.

Embora, em geral, não prestemos atenção nisso, estamos continuamente percebendo e processando informações do mundo externo. Com base nesses impulsos, nosso cérebro e nosso corpo respondem de maneira que nos ajuda a nos manter conectados, vivos e em desenvolvimento. Quando algo nos tira da nossa zona de equilíbrio, podemos contar com um conjunto de sistemas de resposta ao estresse que serão ativados para nos ajudar.

Hoje em dia, muitos de nós estamos familiarizados com a expressão "lute ou fuja", que são respostas ao medo. Diante de uma ameaça, seu cérebro se concentrará no perigo, desligando processos mentais desnecessários (como refletir sobre o significado da vida ou sonhar com a proximidade das férias). Seu sentido de tempo entra em colapso. Os batimentos cardíacos se aceleram, bombeando sangue para os músculos na preparação para lutar ou fugir. A adrenalina dispara pelo seu corpo. É uma resposta de ativação total.

Como discutiremos mais tarde, essa resposta de "ativação" não é a única maneira possível de reagir a uma ameaça. Imagine uma situação em que você é pequeno demais para vencer uma luta, mas é impossível fugir. Nesse caso, o cérebro e o restante do corpo preparam-se para receber os golpes. Seus batimentos cardíacos diminuem e ocorre a liberação de um analgésico natural – opioides. Você se desliga do mundo externo e foge psicologicamente para seu mundo interior. O tempo parece passar mais devagar. É como se estivesse em um filme, ou flutuando e observando as coisas acontecerem com você. Tudo isso é parte de outra capacidade adaptativa, a dissociação. Para os bebês e as crianças muito pequenas, a dissociação é uma estratégia adaptativa muito comum. Lutar ou fugir não vai protegê-los, mas "desaparecer" poderia servir. Eles aprendem a escapar para seu mundo interior, a se dissociar. Com o tempo, aumenta a capacidade de se retirar para aquele mundo interno – seguro, livre, controlado. Um aspecto fundamental da habilidade de se dissociar é ser alguém que gosta de agradar. Você corresponde ao que os outros querem e se vê fazendo coisas para evitar conflitos e garantir que a outra pessoa na interação esteja satisfeita. É atraído para várias atividades reguladoras, mas dissociativas.

Encontrar equilíbrio pode ser um desafio extenuante para qualquer pessoa com sistemas de resposta ao estresse alterados por trauma. A busca para evitar o sofrimento pode levar a métodos de regulação extremos, talvez até destrutivos.

Oprah: Uma das conversas mais significativas que tive sobre o esforço para encontrar alívio diante de um desequilíbrio emocional foi com o ator e comediante britânico Russell Brand. Na época ele estava sóbrio havia 11 anos, mas tinha recentemente publicado um artigo contundente sobre como continuava a pensar em heroína quase todos os dias. "Drogas e álcool não são o meu problema", escreveu ele. "Meu problema é a realidade. As drogas e o álcool são minha solução."

Russell me contou que, quando criança, sentia-se alienado das pessoas a sua volta. Ele foi criado só pela mãe, com muito pouco dinheiro, e descreveu a si mesmo como confuso, solitário, alguém que não sabia lidar com os próprios sentimentos. Houve fases na vida dele em que "não conseguia distinguir entre onde ele terminava e o sofrimento começava", e desenvolveu hábitos perigosos como comer compulsivamente, uma "paixão" por pornografia e, por fim, uma devastadora dependência de drogas. "Eu não conseguia me entender", disse Russell.

No entanto, mesmo em alguns dos seus momentos mais sombrios, ele disse que sempre sentia gratidão pela trégua que as drogas lhe davam daquilo que chamou de uma avassaladora "tempestade interna".

No 16º aniversário da sua sobriedade, Russell foi às redes sociais para agradecer a todos os envolvidos em seu tratamento. Ele escreveu: "Agora eu tenho liberdade, e você também pode ter."

O guia espiritual Gary Zukav disse certa vez: "Quando você descobrir uma dependência, não se envergonhe, fique feliz. Você descobriu um motivo para estar na Terra: se curar. Quando você confronta e cura uma dependência, está fazendo o trabalho espiritual mais profundo que existe neste planeta."

O que quero dizer com tudo isso é que há anos sabemos da correlação entre dependência de drogas e trauma, mas a taxa de mortalidade só cresce. Dr. Perry, em seu trabalho com vítimas de trauma, você descobriu que a maioria das pessoas não se droga pelos motivos que pensamos. Não se trata de autoindulgência e busca de prazer, nem mesmo de um método para escapar da realidade. O que elas querem é evitar o sofrimento e a angústia causada pela desregulação. Certo?

Dr. Perry: Com muita frequência, quando perguntamos "O que aconteceu?", descobrimos uma história de trauma no desenvolvimento. A maioria das pessoas que passou por isso é cronicamente desregulada, tende a ser tensa, ansiosa. Às vezes, elas se sentem apavoradas ou, como Russell Brand descreveu tão bem, atingidas por uma "tempestade interna". As RRCs estão sensibilizadas. Logo falaremos sobre isso.

Se você cresce em uma casa ou comunidade onde há imprevisibilidade, caos e ameaça constantes, é bem provável que ocorra uma alteração nos seus sistemas de resposta ao estresse. Isso é especialmente verdadeiro se o abuso, o caos ou a exposição à violência acontecerem dentro de casa, e os próprios adultos que deveriam estar acolhendo e protegendo forem a origem desses males.

Lembre-se do que dissemos sobre o padrão de ativação do estresse: mesmo quando há falta de importantes acontecimentos traumáticos, o estresse imprevisível e a falta de controle bastam para sensibilizar nossos sistemas de resposta – hiperativo e hiper-reativo –, criando a tempestade interna.

Lembre-se também de que os seres humanos são emocionalmente "contagiosos", ou seja, sentimos a aflição dos outros. Imagine uma criança que convive com um pai frustrado e zangado, sem perspectiva de trabalho, desrespeitado na comunidade por causa da sua situação ou da cor da sua pele e que chega em casa sentindo-se impotente, derrotado. A tempestade interna desse pai torna-se a tempestade do lar. Seu caos torna-se o caos do lar. Ele pode usar álcool ou alguma droga para controlar a angústia, mas um pai ou uma mãe que use droga, ou fique bêbado, esgotado ou frustrado criará um clima de medo para seus filhos. Por mais que eles queiram proteger as crianças de sua angústia, por mais que amem os filhos, o desastre está feito. As crianças crescem internalizando o terror.

Quando essas mesmas crianças ficam mais velhas e entram em contato com drogas e álcool, talvez descubram que podem sentir uma tranquilidade que nunca vivenciaram. O prazer que vem com o alívio da angústia torna-se uma poderosa gratificação. Lembre-se: o alívio da angústia traz prazer. Pela primeira vez na vida elas estão relaxadas. O impulso de voltar a consumir é muito forte, embora seja afetado pelo grau de desregulação individual e pela natureza e pela força das outras fontes de gratificação na sua vida. Diariamente enchemos nosso "balde de recompensas" com várias fontes de gratificação, o que faz com que os dias não sejam todos iguais (veja Figura 4, p. 66). Alguns serão plenos de convívio com amigos e família. Em outros, você pode encher seu balde de recompensas distribuindo alimentos a quem precisa. E, em outros ainda, nos sentimos vazios, frustrados. Muitos acharam mais difícil encontrar essa realização pessoal durante a pandemia de COVID-19. Houve aumento de relatos de ansiedade e depressão e várias pessoas recorreram a "recompensas" insalubres para preencher aquele vazio.

O desafio ao ativar nossos circuitos de gratificação é que o prazer tem vida curta. A sensação de recompensa logo desaparece. Pense em quanto dura o prazer de comer uma batata frita. Alguns segundos. Depois, você quer outra. O mesmo acontece com a dose de nicotina de um cigarro ou com o sorriso da pessoa amada. No momento parece bom demais, e podemos nos lembrar dele e sentir um pouco de prazer, mas a sensação intensa de recompensa diminui. Assim, a cada dia somos empurrados a reabastecer nosso balde de recompensas.

A maneira mais saudável de fazer isso é por meio de relacionamentos. A conectividade nos regula e gratifica. No entanto, o abuso de substâncias pode afastar os entes queridos. E muitas intervenções usadas para lidar com esse abuso são punitivas e aumentam a angústia. O impulso para usar fica mais forte. A desconexão, a marginalização, a demonização e a punição só pioram os problemas do abuso de substâncias. O ciclo de desregulação, automedicação, rompimento de relações e falta de recompensa leva a um maior abuso de substâncias. E a espiral continua.

Mas veja o que é interessante no uso de drogas: para pessoas muito bem reguladas, cujas necessidades básicas foram atendidas, que têm outras formas saudáveis de gratificação, o uso de alguma droga terá impacto, mas o impulso para reincidir no comportamento não é tão forte. Pode provocar uma sensação agradável, mas a pessoa não se tornará necessariamente dependente.

A dependência é complexa, mas acredito que muitas pessoas que lutam contra o abuso de drogas e álcool estão, na verdade, tentando se automedicar por causa das histórias de adversidade e trauma que marcaram seu desenvolvimento.

Oprah: Interessante ouvir você dizer isso, porque conheço muitas pessoas que tomam remédio para ansiedade. Para mim, esse tipo de medicamento dá sono. Como meu referencial interno já é muito calmo, quando tomo alguma coisa só para me fazer relaxar, eu capoto.

Figura 4

ENCHENDO NOSSO BALDE DE RECOMPENSAS

[Diagrama de um balde com camadas, de cima para baixo: CRENÇAS; ALIMENTOS DOCES/SALGADOS/GORDUROSOS; SEXO; RITMO; RELACIONAL]

A

A ativação das redes neurais essenciais do cérebro pode produzir a sensação de prazer ou de recompensa. Os circuitos de recompensa podem ser ativados de várias maneiras, incluindo alívio da angústia (p. ex., usando álcool para se automedicar, ou o ritmo para regular a ansiedade produzida por um sistema de resposta ao estresse alterado por trauma); interações humanas positivas (relacional); ativação direta dos sistemas de recompensa por meio do uso de drogas ilícitas, como cocaína ou heroína (drogas); ingestão de alimentos doces/salgados/gordurosos; e comportamentos consistentes com seus valores ou crenças (crenças).

Precisamos encher nosso balde de recompensas diariamente. A linha tracejada corresponde a um nível mínimo de recompensa necessário para nos sentirmos adequadamente regulados e gratificados. Se nosso conjunto de recompensas diárias cai abaixo dessa linha, nos sentimos angustiados. Acima da linha superior

B

pontilhada, o sentimento é de plenitude e regulação. Esse preenchimento varia de um indivíduo para outro.

Muitas pessoas têm oportunidades de obter recompensas saudáveis: por exemplo, interações humanas positivas no trabalho, na prática religiosa ou no voluntariado, consistente com nossos valores e crenças (A). Mas a falta de relacionamentos e ligações fortes pode deixar um indivíduo mais vulnerável ao abuso de outras formas de recompensa menos saudáveis (B). Uma combinação saudável de recompensas (ou seja, ter muitas interações humanas positivas, realizar um trabalho consistente com seus valores, integrar ritmo e sexualidade saudáveis ao longo do dia, permanecer regulado de modo adequado) pode ajudar a diminuir o impulso para qualquer forma de recompensa prejudicial, como o uso de substâncias ou a compulsão por comida.

Dr. Perry: Entendo. Provavelmente, você tem amigos que tomam a mesma quantidade que faz você dormir.

Oprah: Em alguns casos, eles tomam o dobro. E eu fico pensando: *Como é que eles simplesmente não apagam de vez?* Mas se sua resposta básica ao estresse já está elevada, você precisa de mais medicamento para baixar a ansiedade. Então, ainda que as pessoas não aparentem estar muito alertas ou ansiosas, biologicamente elas estão.

Dr. Perry: Sim, e a droga acalma isso. Mas, quando se trata de encontrar soluções para o abuso de alguma substância, só resolveremos de fato o problema quando nos concentrarmos no que aconteceu com elas.

Oprah: Sim. *O que aconteceu com você?* é sempre a primeira pergunta a ser feita.

Dr. Perry: É por isso que uma perspectiva do trauma que considera o que aconteceu ao longo do desenvolvimento é tão importante para todos os nossos sistemas que lidam com ou são impactados pelo uso de substâncias e pela dependência delas. Me refiro à educação, à saúde mental, à saúde, às forças da lei, à justiça juvenil e criminal, às varas de família.

É impossível achar qualquer segmento da nossa sociedade onde o abuso de drogas não seja um problema. Temos ótimas intenções e boas pessoas, gastamos muito dinheiro, mas somos ineficientes porque não entendemos os mecanismos subjacentes que tornam alguém vulnerável ao uso crônico de substâncias.

Oprah: Precisamos entender que as vítimas de trauma estão mais propensas a todas as formas de dependência porque sua resistência ao estresse é diferente.

Dr. Perry: O que nos leva de volta à desregulação. Sempre há um impulso para regular, buscar conforto, encher aquele balde de recompensas. Mas a forma mais poderosa de recompensa é relacional. Interações positivas com pessoas são compensatórias e reguladoras. Sem vínculo com pessoas que se preocupem com você, sejam presentes na sua vida e o apoiem, é quase impossível manter-se longe de alguma forma insalubre de recompensa e regulação. Isso inclui o uso abusivo de álcool e de drogas, a ingestão de alimentos doces e salgados em excesso, pornografia, mutilação, horas em excesso jogando videogames. A conectividade se contrapõe ao impulso de comportamentos viciantes. É a chave.

CAPÍTULO 3

COMO FOMOS AMADOS

Sentei-me no quarto escuro observando a mãe, Gloria, e sua filha de 3 anos, Tilly, através de um espelho cego. Elas estavam se saindo muito bem juntas. Gloria seguia as sugestões de Tilly, muito mais em sincronia do que nas visitas anteriores. Ambas pareciam mais confortáveis uma com a outra. Já fazia dois anos que eu acompanhava aquelas visitas, e tinha havido muitas mudanças positivas.

À minha esquerda estava a nova assistente social de Tilly, do Child Protective Services (CPS, Serviço de Proteção à Infância), a quinta nos últimos dois anos. À minha direita estava Mama P, a mãe provisória da criança. Fazia anos que eu conhecia Mama P. Era uma mulher amorosa, com uma reserva infinita de energia positiva. Abrigara dezenas de crianças. Cada uma era especial para ela, era amada. Mama P me ensinou mais sobre trauma e cura do que qualquer outra pessoa.

Gloria tinha sido tirada da sua família quando tinha 6 anos. Cresceu no sistema de proteção à infância, vagando por casas provisórias, escolas e comunidades. Gloria tinha múltiplos complexos sociais, emocionais e problemas de saúde, relacionados a inúmeras experiências traumáticas. Infelizmente, ninguém a compreendera: terapeutas, cuidadores provisórios, assistentes sociais, juízes, professores. Vinte anos atrás, não se sabia muita coisa sobre o impacto do trauma.

Aos 18 anos, quando Gloria "ultrapassou a idade do sistema", estava usando várias drogas para automedicar seu sofrimento. Em seu 19º aniversário, estava grávida de oito meses e sem-teto. Aos 20 anos, tinha uma filha bebê, nenhum apoio, nenhuma família, nenhum trabalho. O sistema de proteção à infância retirou Tilly da mãe. Por sorte, ela foi parar na casa de Mama P.

Nos dois anos seguintes, Mama P ajudou Gloria e Tilly. Era atenta e acolhedora, provendo um lar seguro e estável para a criança. E convidou Gloria a estar presente e participar da vida da filha – desde que não estivesse usando drogas ou bebendo. Mama P percebeu que Gloria precisava tanto de acolhimento e de segurança quanto Tilly; era uma criança pequena, desprezada, num corpo de mulher. No início, Gloria não se envolveu muito, mas passados nove meses aceitou nossa sugestão de buscar ajuda clínica para seus problemas relacionados ao trauma.

A essa altura, Tilly e Gloria tinham amadurecido significativamente. Estava chegando a hora em que Gloria teria capacidade de cuidar sozinha de Tilly, mas, para que isso acontecesse, o Serviço de Proteção à Criança precisava fazer essa recomendação à justiça. A visita observada fazia parte do plano de "reunificação" do CPS.

Nós três ficamos em silêncio, observando Tilly e Gloria. Depois de cerca de dez minutos de brincadeiras, Gloria tirou uma bala do bolso do casaco. Senti a tensão da assistente social: "Não é para ela trazer balas nas visitas", disse. Do meu outro lado, percebi a tensão de Mama P em reação às palavras da assistente social. Em silêncio, coloquei minha mão sobre a de Mama P, tentando tranquilizá-la. Ela era muito protetora em relação a Gloria e Tilly.

Tilly era pré-diabética. No primeiro ano de tratamento, notamos que Gloria, que tinha pouca experiência com relacionamentos, levava bala para deixar Tilly "feliz". Entendemos que era assim que os cuidadores provisórios de Gloria tinham lidado com ela quando pequena. Receber bala era o mais perto que Gloria chegava de ser amada. Nosso cérebro se desenvolve como um reflexo do mundo em que vivemos. Amamos como fomos amados. Gloria estava apenas demonstrando amor pela filha, da melhor maneira que sabia.

A assistente social continuou:

– Ela sabe que não é para fazer isso. A criança é pré-diabética. O que ela está fazendo é abusivo.

– Não – respondi. – É bala sem açúcar.

Evidentemente, aquela assistente social, nova no caso de Tilly, e provavelmente lidando com dezenas de outros casos, não havia lido os relatórios mais recentes.

– Como é que você sabe?

– Fui eu que dei para ela antes da visita.

Pude sentir Mama sorrindo.

Um ano antes, em uma reunião de equipe na qual tentávamos imaginar a melhor maneira de equilibrar o estado pré-diabético de Tilly com o impulso de Gloria de oferecer bala para demonstrar amor, um dos membros da minha equipe médica sugeriu que revistássemos Gloria antes das visitas. Se ela desse bala às escondidas para Tilly, o contato seria proibido. Mama P discordou. "Aquela pobre mãe está fazendo o melhor que pode. Deixe ela dar um pouco de bala para a filha. É tudo que ela sabe. Você não vai transformá-la numa mãe melhor punindo-a ou envergonhando-a. Se quisermos que ela seja mais amorosa, precisamos ser mais amorosos com ela."

Assim, em vez de constrangermos Gloria, conversamos com ela sobre nutrição e diabetes e fizemos com que mudasse para balas sem açúcar. Mama P se incumbiu de garantir que ela e Tilly recebessem muito amor.

Explicamos isso à assistente social e juntos criamos um plano transicional de reunificação, com bastante suporte tanto para Gloria quanto para Tilly. Gloria recebeu seu certificado de supletivo e entrou na faculdade comunitária para estudar enfermagem. Mama P permaneceu ativa naquela pequena família. Em vez de fragilizar uma mãe que fazia o seu melhor, continuamos demonstrando amor por Gloria e Tilly, e mostrando como amar.

Uma das propriedades mais notáveis do nosso cérebro é sua capacidade de mudar e se adaptar a nosso mundo individual. Neurônios e redes neurais sofrem mudanças físicas quando estimulados, o que é chamado de neuroplasticidade. O estímulo vem de nossas experiências particulares: o cérebro muda de acordo com o uso que se faz dele. As redes neurais envolvidas ao se tocar piano, por exemplo, sofrerão alterações quando ativadas por uma criança estudando piano, o que se traduzirá em uma melhora na execução. Esse aspecto da neuroplasticidade – a repetição leva à mudança – é bem conhecido, e é o motivo pelo qual a prática de esportes, artes e de estudos acadêmicos pode levar a uma melhora.

Um princípio-chave da neuroplasticidade é a especificidade. Para mudar qualquer área do cérebro, aquela área específica precisa ser ativada. Se você quiser aprender piano, não dá para simplesmente ler sobre o assunto ou assistir a vídeos no YouTube com outras pessoas tocando piano: é preciso pôr as mãos no teclado e tocar. Para mudar as áreas do cérebro envolvidas em tocar piano, o estímulo é fundamental.

O princípio da especificidade se aplica a todas as funções mediadas pelo cérebro, inclusive a capacidade de amar. Se você nunca foi amado, as redes neurais que permitem que os humanos amem estarão subdesenvolvidas, como no caso de Gloria. A boa notícia é que com o uso, com a prática, essas capacidades podem emergir. Recebendo amor, mesmo quem nunca foi amado pode se tornar amoroso.

– Dr. Perry

Oprah: Se eu fosse contar o número de pessoas que entrevistei – e acredite em mim, eu já tentei –, passaria de 50 mil. E em quase 40 anos de conversas, desde os meus primeiros anos trabalhando em Nashville, passando pelo *The Oprah Winfrey Show* e até hoje, sempre houve um denominador comum: todos nós queremos saber que o que fazemos, o que dizemos e quem somos faz diferença.

É tão exato quanto o mecanismo de um relógio. Ao final de qualquer entrevista, seja o presidente dos Estados Unidos, a Beyoncé com todo o seu glamour, uma mãe compartilhando um segredo doloroso ou um criminoso condenado em busca de perdão, a pessoa à minha frente sempre pergunta: "Como eu me saí?", enquanto analisa meu rosto procurando uma reação. O desejo de ser aceito e respeitado em sua verdade é o mesmo para todos. Para além da ciência, sei que se resume a isto: como a pessoa foi amada.

Dr. Perry: Sim, pertencer e ser amado é essencial para a experiência humana. Somos uma espécie social, destinados a viver em comunidade – emocional, social e fisicamente interconectados. Se você refletir sobre a organização fundamental e o funcionamento do corpo humano, incluindo o cérebro, verá que em grande parte ele é planejado para nos ajudar a criar, manter e lidar com interações sociais. Somos criaturas relacionais.

E a capacidade de estar conectado de maneira significativa e saudável é moldada por nossos primeiros relacionamentos. Amor e cuidados amorosos são a base do nosso desenvolvimento. O que aconteceu com você quando bebê tem um profundo impacto na capacidade de amar e ser amado.

Oprah: A palavra *amor* é muito banalizada, mas, de fato, o segredo é como você foi cuidado, como suas necessidades específicas foram atendidas. Estou pensando no que falamos anteriormente sobre regulação. O bebê estará faminto ou com frio, fora de equilíbrio. E quando ele chora, expressando alguma necessidade, o cuidador vem e "regula" a criança.

Dr. Perry: A chegada do cuidador para atender às necessidades do bebê é fundamental. Para o recém-nascido, *amor é ação*. É o cuidado acolhedor, responsivo, atento, que os adultos oferecem. Um pai ou uma mãe pode realmente amar seu filho, mas se está sentado diante do computador postando nas redes sociais o quanto ama aquela criança, enquanto o bebê está em outro quarto acordado, faminto e chorando, esse bebê não vivencia amor. Para ele, o calor da pele com pele, o cheiro do pai ou da mãe, as visões e os sons de seus cuidadores, as ações atentas e responsivas dos cuidadores, isso se torna *amor*.

Esses milhares de interações amorosas e responsivas moldam o cérebro em desenvolvimento do bebê. Os momentos carinhosos constroem, literalmente, os fundamentos do cérebro em formação.

Os padrões de ativação do estresse criados quando o bebê sente fome, sede ou frio, e quando o cuidador atende às suas necessidades, deixando-o novamente em equilíbrio, é o padrão de *construção da resiliência* de que falamos antes (veja Figura 3, p. 59). O bebê sob algum estresse chora, o choro traz o adulto acolhedor responsivo para regulá-lo, e como os adultos estão presentes e atentos, seus comportamentos amorosos passam a ser previsíveis. *Quando tenho fome, choro e eles vêm me alimentar*. O bebê começa a associar essas pessoas responsivas com prazer, sustento, calor; sua visão de mundo está sendo moldada. Lembra-se da nossa garotinha do aeroporto? *As pessoas são boas*. É graças a essas interações que a criança constrói sua visão de mundo. Dependendo da qualidade e do padrão das reações de quem cuida, essa criança pode se tornar resiliente ou, no outro extremo, sensibilizada e vulnerável.

Oprah: Em toda interação há um momento em que nos perguntamos: *Você me vê? Você me escuta?* As crianças sabem, desde o nascimento, se os olhos da pessoa que cuida dela se iluminam quando ela entra no quarto. Elas sentem e reagem à ternura, à descontração, à compaixão e à paciência. Elas conhecem a verdadeira sensação de passar um tempo de qualidade. Sabem que são amadas.

Dr. Perry: Essas interações ajudam a construir a capacidade de amar do bebê. As atitudes atentas e amorosas fomentam as redes neurais que nos permitem sentir amor, e mais tarde agir de maneira carinhosa em relação aos outros. Se você é amado, aprende a amar. Cuidar do bebê de maneira carinhosa também muda o cérebro do adulto que cuida. São interações que regulam e gratificam tanto a criança quanto o cuidador.

A capacidade de amar está no cerne do sucesso da humanidade. Sobrevivemos neste planeta graças à nossa capacidade de formar e manter grupos efetivos. Isolados e desconectados, somos vulneráveis. Em comunidade, podemos proteger uns aos outros, caçar e colher cooperativamente, compartilhar com os dependentes da nossa família, do nosso clã. Os relacionamentos mantêm nossa espécie viva, e o amor é uma supercola relacional.

Oprah: A maneira como uma criança é tratada desde o nascimento define se ela terá sucesso ou não. O que você está dizendo é: a maneira como se é amado determina a formação de importantes redes neurais, especialmente as redes regulatórias centrais sobre as quais já falamos.

Dr. Perry: É isso mesmo. Existe uma enorme complexidade nesse processo, mas interações atentas e amorosas organizam e formam as RRCs. Isso cria uma base para a saúde ao longo do crescimento.

Pense na construção de uma casa. Em primeiro lugar, vem o alicerce, depois a estrutura, em seguida o piso, a eletricidade e o encanamento. Tudo antes de a casa ser ocupada. Como já dissemos, o cérebro também se desenvolve de baixo para cima. As redes situadas nas áreas inferiores, que formam as RRCs, desenvolvem-se primeiro, desde o útero, e as funções que elas mediam e modulam surgem em primeiro lugar durante nosso desenvolvimento. O recém-nascido saudável, por exemplo, pode regular a temperatura corporal e a respiração básica, mas é incapaz de ter um raciocínio abstrato. Nem o sono ainda é bem organizado, e o movimento motor é descoordenado. No entanto, com o tempo, o bebê conseguirá se levantar, a criança pequena falará, mais tarde começará a planejar, e assim por diante. As funções relacionadas às áreas intermediárias e superiores do cérebro começam a se organizar por completo (veja Figura 1, p. 27).

O processo de desenvolvimento é muito concentrado na fase inicial. Isso significa que a maior parte do crescimento e da organização cerebral acontece nos primeiros anos de vida. Não quer dizer que o cérebro permanecerá inalterado depois da primeira infância, mas as experiências no início da vida têm, sim, um impacto muito forte em como nos desenvolvemos.

Vejamos novamente a Árvore da Regulação (veja Figura 2, p. 54). Coletivamente, as RRCs podem alcançar qualquer parte do cérebro em desenvolvimento. Na verdade, os sinais que o cérebro recebe das RRCs desempenham um papel importante em como cada uma das suas áreas se desenvolve. Se as RRCs estão bem organizadas e reguladas, seus sinais resultarão em um desenvolvimento saudável das importantes áreas superiores (ou seja, sistema límbico e córtex). No entanto, se algo perturba ou altera as RRCs, todos os sistemas do cérebro e do corpo que elas influenciam podem ser afetados de maneira negativa.

Existem três tipos de "adversidade de desenvolvimento" que previsivelmente alterarão as RRCs e causarão problemas abrangentes. O primeiro ocorre antes do nascimento: exposição pré-natal a drogas, álcool ou extremo desconforto materno (quando a grávida é vítima de violência doméstica, por exemplo). O segundo é alguma perturbação nas primeiras interações entre o bebê e o cuidador: se forem caóticas, inconsistente, bruscas, agressivas ou ausentes, os sistemas de resposta ao estresse se desenvolverão de maneira anormal. O terceiro é qualquer padrão sensibilizador de estresse. Pode resultar de um conjunto de circunstâncias, muitas das quais abordaremos logo mais em detalhes. A ideia básica é esta: qualquer elemento que possa causar ativações imprevisíveis, incontroláveis ou extremas e prolongadas da resposta ao estresse resultará numa resposta ao estresse hiperativa e hiper-reativa (veja Figura 5, p. 82).

Oprah: Então a maneira como uma pessoa foi amada significa algo muito mais complexo do que dizer simplesmente: "Você não foi tratado com afeto quando criança. Sendo assim, você será triste." O que você está dizendo, de fato, é que, se a pessoa foi tratada com agressividade, ou se os cuidados foram caóticos ou negligentes, ou ainda se ela não foi acalentada quando criança, seu cérebro pode ser biologicamente afetado.

Dr. Perry: Exatamente. As experiências infantis impactam literalmente a biologia do cérebro.

Oprah: E isso afetará pelo resto da vida o comportamento daquela pessoa.

Dr. Perry: É possível. Nossas primeiras experiências de desenvolvimento – em especial o toque e outras atitudes sensoriais de base relacional, incluindo o cheiro de quem cuida, a maneira como a criança é embalada, as músicas que o cuidador canta enquanto alimenta o bebê, qualquer reação a uma necessidade – são experiências organizadoras que ajudam a criar a "visão de mundo" do lactente, o "livro de códigos" do qual já falamos.

Pense, novamente, na construção de uma casa. O cérebro fetal está se desenvolvendo muito rápido: é como se estivesse erguendo as fundações. Nos primeiros dois meses de vida, coloca-se a estrutura. No primeiro ano, todas as interações são como o acréscimo da fiação e do encanamento. Cada etapa é muito importante na obra. Ela ainda não está totalmente pronta, mas a maior parte das características relevantes já está posta. Uma criança de 2 anos não está integralmente desenvolvida, mas as estruturas e os sistemas básicos estão lá, e serão a base para um futuro desenvolvimento.

Em uma casa, se você fizer um mau serviço com as fundações, instalar fiação e encanamento de baixa qualidade, mas decorá-la com um belo assoalho e móveis elegantes, talvez os defeitos essenciais não sejam visíveis quando alguém entrar. Mas esses primeiros defeitos da constru-

Figura 5

CURVA DE REATIVIDADE DE ESTADO

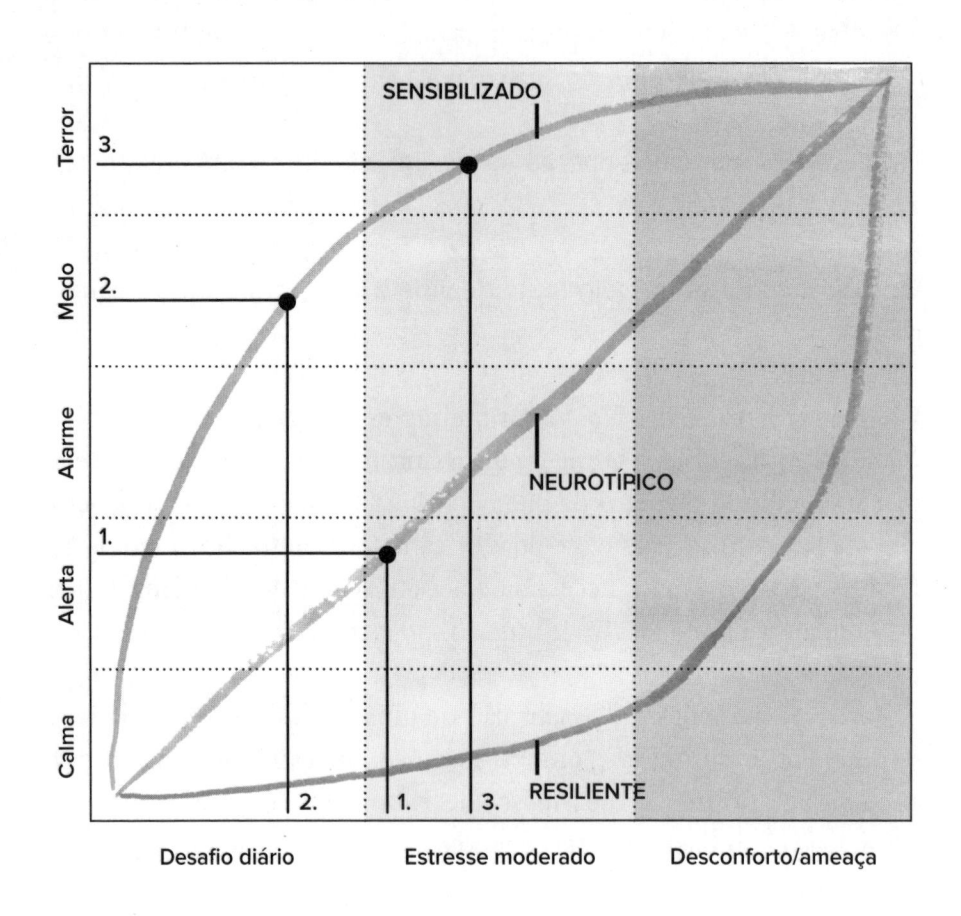

		SENSIBILIZADO		
Terror	3.			
Medo	2.		NEUROTÍPICO	
Alarme				
Alerta	1.			
Calma			RESILIENTE	
	2.	1. 3.		
Desafio diário		Estresse moderado		Desconforto/ameaça

Quando ocorre uma ameaça ou surge um fator estressor, saímos do estado de equilíbrio e uma resposta interna ao estresse é ativada para que possamos recuperá-lo. Sem estressores significativos – ou seja, sem necessidades internas (fome, sede, etc.) não atendidas, complexidade nem ameaças externas –, estaremos em estado de calma. À medida que as ameaças e o estresse aumentam, nosso estado interno muda de alerta para terror (veja Figura 6, p. 94).

Em alguém com sistemas de resposta ao estresse *neurotípicos*, há uma relação linear entre o grau de estresse e a mudança no estado interno (linha reta diagonal). Por exemplo, diante de um estressor moderado (1), uma ativação proporcional colocará o indivíduo em estado de alerta ativo. Se a pessoa tiver uma resposta sensibilizada ao estresse (curva de cima) causada pelo seu histórico de trauma, até as ameaças diárias mais básicas (2) induzirão a um estado de medo. Alguém com uma resposta sensibilizada ao estresse (3) responderá até a um estresse moderado com uma reação de terror. Esta hiperatividade contribui para seus problemas de saúde emocional, comportamental e física.

ção trarão problemas mais tarde. O mesmo acontece com uma criança pequena. Todo o funcionamento humano é influenciado pelas experiências do início do desenvolvimento, tanto quando há interações consistentes, previsíveis e amorosas, quanto em situações de caos, ameaça, imprevisibilidade ou falta de amor.

Oprah: Sim! *Como fomos amados* faz toda a diferença. Em todas as conversas que tive, percebi uma relação direta entre a disfunção e ter sido ou não amado. Você recebeu o necessário para se desenvolver bem?

Dr. Perry: O amor, oferecido e sentido, depende da capacidade de se estar presente, atento, sintonizado e responsivo em relação a outro ser humano. Essa cola da humanidade tem sido essencial para a sobrevivência da nossa espécie e para a saúde e felicidade do indivíduo. É uma capacidade que se baseia no que aconteceu com você, fundamentalmente, quando criança.

Oprah: Isso me fez lembrar de quando me pediram para listar meus momentos preferidos do *The Oprah Winfrey Show*. Não foram tanto os grandes programas, as surpresas ou os convidados famosos, e sim as conversas tranquilas. E a menina dos cereais é sempre uma das primeiras que me vêm à mente.

Uma menina de 11 anos chamada Kate, e seu irmão mais velho, Zach, participaram do programa alguns meses depois de perder a mãe, Kathleen. Eles me contaram que, antes da morte dela, os pais decidiram passar os últimos meses de Kathleen viajando juntos, como uma família. Perguntei a Kate qual era sua melhor lembrança daquele período. A resposta foi, para mim, uma enorme descoberta.

– Um dia, quando voltei depois de nadar – contou Kate –, minha mãe estava na cama. Ela disse: "Kate, você poderia me trazer um prato de cereal?" Eu respondi: "Claro." Então, uma semana antes de ela morrer, eu estava no quarto dos meus pais e disse: "Mãe, você me acorda se for descer para buscar um prato de cereal?" Ela disse que sim. Então, no meio da madrugada, comemos cereal juntas.

O que ficou para Kate foi um momento íntimo e cotidiano entre mãe e filha.

Dr. Perry: Este é um exemplo maravilhoso da cola do amor. É nos pequenos momentos, quando sentimos que a outra pessoa está totalmente presente, comprometida, conectada e receptiva, que criamos os vínculos mais fortes e duradouros.

Oprah: Vinte anos depois, voltamos a entrevistar Kate. Ela nos contou que, embora tivesse enfrentado dificuldades, ainda acredita fortemente no profundo poder do vínculo durante os pequenos, mas transcendentes, momentos da vida. São esses momentos seguros, acolhedores e totalmente presentes dos quais você fala.

Dr. Perry: Adoro essa história porque ela comprova algo realmente importante sobre esses momentos especiais: as interações humanas mais profundas e duradouras são, com frequência, muito breves. Você pode passar horas com uma pessoa, mas, se não estiver presente e atenta, essas horas são menos importantes do que aqueles breves momentos do cereal.

Oprah: E quando você não tem seus "momentos do cereal", se for uma criança nascida em um ambiente de caos, confusão, violência ou perturbação, sem normalidade ou regularidade, está fadada a falhar. Porque as redes no seu cérebro não se organizam como deveriam.

Dr. Perry: Correto. Isso pode resultar em uma fundação mais fraca ou uma fiação incorreta, criando riscos para o resto da vida. Uma grande parte da vulnerabilidade virá da influência dos cuidados caóticos e imprevisíveis sobre os sistemas de resposta ao estresse, que estão em desenvolvimento e podem ficar sensibilizados.

Oprah: Como isso acontece?

Dr. Perry: Bom, falemos um pouco mais sobre neuroplasticidade, que é basicamente a capacidade de mutação do cérebro. Um dos princípios fundamentais da neuroplasticidade é que o *padrão de ativação* faz uma grande diferença em como uma rede neural se altera.

Por exemplo, uma ativação moderada, previsível e controlada dos nossos sistemas de resposta ao estresse leva a uma capacidade de resposta ao estresse mais flexível e mais forte (veja Figura 3, p. 59), que permite que uma pessoa demonstre resiliência mesmo diante dos estressores mais extremos. É mais ou menos como o levantamento de peso para nossos sistemas de resposta ao estresse: exercitamos o sistema para deixá-lo mais forte. Quanto mais enfrentamos desafios moderados e nos saímos bem, mais capacitados ficamos para superar desafios maiores. É algo que vemos em esportes, artes cênicas, prática médica, combate a incêndios, prática de ensino, em quase todo esforço humano. A experiência pode melhorar o desempenho. É por isso que o estresse não deve ser temido nem evitado. O que causa problemas é o padrão e a intensidade do estresse, bem como nosso controle sobre ele.

Infelizmente, para uma quantidade enorme de pessoas, o padrão de ativação do estresse é imprevisível, incontrolável, prolongado ou extremo.

Muitos anos atrás, fui chamado para atender uma criança no hospital, um menino de 13 anos chamado Jesse. Ele estava em coma após um ferimento na cabeça resultante de uma briga com seu pai temporário.

Jesse nasceu em uma família com um histórico multigeracional de abuso e exploração sexual, envolvimento com tráfico e prostituição infantil. Quando tinha 5 anos, uma investigação policial descobriu que seus pais já o expunham à prostituição.

Ele foi retirado de casa e entregue a uma família de acolhimento. Rodou pelo sistema e, depois de três tentativas fracassadas, acabou num lar provisório especializado em crianças altamente necessitadas. Os pais adotivos cuidavam de outras nove crianças. Muitas tinham sérios problemas de desenvolvimento: atraso no desenvolvimento da fala, comportamentos agressivos e explosivos, espalhavam fezes pela casa. Todas tinham sido mandadas para aquele lugar por comportamentos "incontroláveis". A família tinha um bom histórico com crianças "difíceis".

Acontece que aquela família "tratava" as crianças com terror e abuso. À menor "infração", elas eram privadas de comida. O castigo físico abusivo era rotina. Exercícios forçados eram uma estratégia para exaurir as crianças. Quem se "comportasse mal" era obrigado a dormir do lado de fora, numa espécie de galinheiro. A geladeira vivia trancada para que as crianças não conseguissem "roubar" comida. Os filhos adolescentes biológicos da família eram incentivados a participar da humilhação e do abuso físico das crianças acolhidas.

Por diversas vezes, Jesse tentou fugir daquele inferno. À noite, tiravam seus sapatos e suas roupas para tentar impedi-lo. Ele fugia, mas era sempre capturado e levado de volta. Uma vez, no inverno, correndo descalço por uma estrada do interior, apenas de cueca, foi encontrado por um assistente do xerife do condado. Jesse contou-lhe sobre o abuso. O assistente lhe disse para parar de mentir sobre as boas pessoas que tinham a generosidade de acolhê-lo na própria casa. Naquela noite, ele foi obrigado a dormir no galinheiro. O registro daquele dia em seu diário secreto é: "Por que Deus me odeia?"

Esta é uma história de sofrimento profundo, então vamos deixar de lado a experiência de Jesse, por um momento, e falemos sobre como nossos sistemas de resposta ao estresse nos ajudam durante esse tipo de trauma persistente. Já mencionamos a resposta "luta ou fuga". O termo foi cunhado em 1915 por Walter B. Cannon, pesquisador pioneiro em estresse. Ele usou a frase para descrever a resposta extrema diante da percepção de uma ameaça, bem como as respostas fisiológicas que a acompanham. Vamos chamá-la de resposta de ativação.

Na resposta de ativação, como observamos anteriormente, o cérebro se concentrará na ameaça, desligando qualquer impulso dispensável do corpo e do mundo externo. No preparo para a "luta ou fuga", nossos batimentos cardíacos se aceleram, a adrenalina e os hormônios relacionados ao estresse, como o cortisol, são liberados, bem como o açúcar armazenado nos músculos, para onde o sangue é desviado. O foco geral da resposta é externo.

Quase todo mundo já se sentiu ameaçado e experimentou alguma versão dessa resposta ativadora. Pode ter sido durante uma visita ao dentista, uma colisão do carro, uma prova iminente, uma discussão acalorada ou a perspectiva de falar em público. Pode ser que você sinta a palma das mãos suando, o coração disparado. Estava ansioso ou nervoso. Tudo isso se deve à resposta de ativação.

Se você for como a maioria das pessoas, obviamente não irá da calma para a luta em poucos segundos (veja Figuras 5 e 6, p. 82 e 94). Quando encontramos uma ameaça em potencial, nosso comportamento padrão inicial é se agrupar.

Oprah: Espere. Por favor, explique *se agrupar*.

Dr. Perry: Lembre-se que nós, humanos, somos criaturas muito sociais. Somos contagiados pelas emoções dos outros e estamos continuamente em busca de sinais de aprovação e pertencimento. Você mesma observou a reação de "Como me saí?".

Então, quando há um sinal inesperado, confuso ou potencialmente ameaçador, procuramos outras pessoas que nos ajudem a determinar o que está acontecendo. Observamos especialmente suas expressões faciais, em busca de indícios sobre como interpretar a situação. Pense naquele olhar que transmite uma mensagem como: "Ele disse mesmo isso?", que você e Gayle podem compartilhar ao ouvir algo chocante ou impróprio.

Se não houver ninguém mais presente, ou se você receber a confirmação de que a situação é de fato ameaçadora, você extrapola os limites do grupo e esquadrinha o ambiente para tentar contextualizar a ameaça.

A seguir, é possível que você fique paralisada. Imagine um estacionamento escuro. Você ouve um barulho estranho e para. Pausa. Seu pensamento trava momentaneamente. Esse tipo de paralisia também pode acontecer quando a pessoa está em uma interação tensa, em que há opiniões conflitantes. Talvez você não se sinta participando da discussão, até alguém perguntar: "Então, qual é a sua opinião? O que deveríamos fazer?" Antes de conseguir processar e responder, é possível que você simplesmente mantenha o olhar fixo, paralisado. Com frequência sua reação não parecerá muito "inteligente". Lembre-se: quanto mais ameaçados ou estressados nos sentimos, menos acesso temos à parte racional do nosso cérebro, o córtex (veja Figura 6, p. 94).

Conforme nossa percepção da ameaça se intensifica, entramos em um estado de "luta ou fuga". Para resumir a sequência completa da resposta de ativação, pense no que acontece quando você encontra um veado na mata. Os veados são superatentos e vivem em bando. Se ouvem alguma coisa, ou se o comportamento de algum deles muda, eles "congelam". Isso os ajuda a localizar a ameaça em potencial e dificulta que sejam vistos por predadores cujo sentido mais forte é a visão. Se a ameaça persiste, eles fogem. Mas se você encurralou o veado, ele lutará. Bando, paralisação, fuga, luta.

Então, voltemos a Jesse. Durante o tempo que passou na casa de acolhimento, sua resposta dominante ao estresse era de ativação. E ele resistia e ia embora – fugindo. E por fim lutava.

Um dos métodos preferidos daquela família para subjugar as crianças era exauri-las. O exercício obrigatório era rotina – exigiam, por exemplo, que subissem e descessem correndo um lance de escadas. Um dia Jesse deu um basta: chegando no alto da escada, recusou-se a continuar. O pai provisório ficou furioso, mas Jesse não se mexeu. Houve uma luta corporal. Jesse caiu, ou foi empurrado escada abaixo. Sofreu o sério ferimento na cabeça que o deixou em coma no hospital.

Já dissemos que o nosso cérebro usa duas estratégias básicas para nos ajudar a dar sentido ao mundo. Em primeiro lugar, ele associa padrões de informações sensoriais concomitantes, criando "memórias" de nossas experiências. Em segundo lugar, usa essas lembranças armazenadas para classificar e interpretar novas experiências. Se a nova informação for bastante semelhante à experiência anterior, ele a classifica como semelhante ou igual à experiência passada.

Jesse tinha dois conjuntos de memórias traumáticas: do abuso na primeira infância e dos maus-tratos na casa de acolhimento. Quando ele era uma criança pequena vítima de abusos, uma resposta do tipo "luta ou fuga" – resistir, chorar, chutar, até mesmo tentar lutar –

simplesmente não seria adequada; pelo contrário, teria levado a mais sofrimento e dano. Por sorte, como mencionamos antes, nosso cérebro também pode contar com uma resposta bem diferente ao estresse: a resposta dissociativa.

A dissociação é uma capacidade mental complexa que usamos no cotidiano. Envolve desligar-se do mundo externo e focar no nosso mundo interior. Permitir que a nossa mente divague é uma forma de dissociação. E, assim como a resposta de ativação, a resposta dissociativa tem uma continuidade. Com a piora do estresse ou da ameaça, a resposta dissociativa leva a pessoa cada vez mais a um modo de proteção.

Enquanto a fisiologia da resposta de ativação consiste em otimizar o modo "luta ou fuga", a fisiologia da dissociação nos impele a descansar, a nos reabastecer, a sobreviver ao dano e tolerar a dor. Enquanto a ativação aumenta a frequência cardíaca, a dissociação desacelera o coração. Enquanto a ativação envia sangue para os músculos, a dissociação mantém o sangue no tronco, para minimizar a perda sanguínea em caso de ferimento. A ativação libera adrenalina, a dissociação libera substâncias analgésicas próprias do organismo, encefalina e endorfina. A única opção adaptativa disponível para Jesse aos 4 anos, quando sofria abusos, era a dissociação – a capacidade de fugir emocionalmente para seu mundo interior.

Como parte da minha avaliação quando Jesse estava em coma, submeti a ele, mesmo inconsciente, peças de roupas não lavadas do pai biológico e do pai provisório. Jesse teve uma resposta fisiológica notável quando novamente exposto ao cheiro daqueles dois homens. Quando coloquei roupas do pai provisório sob seu nariz, ele começou a se debater e a gemer. A frequência cardíaca subiu de 90 para 162 batimentos por minuto. Acredito que essa resposta de ativação intensa se deveu a um conjunto de lembranças traumáticas dos abusos nas mãos do pai provisório. (Assim como aconteceu com o Mike, no Capítulo 1, essas lembranças ficam armazenadas em áreas inferiores do cérebro.) Ele também reagiu às roupas do pai biológico, porém com menos movimentos. A frequência cardíaca, que aumentou inicialmente, despencou para menos de 60 batimentos por minuto. Isso era consistente com uma resposta dissociativa a partir da ativação da lembrança de abuso nas mãos do pai. Mesmo que o córtex estivesse indisponível (em outras palavras, adormecido ou em coma), essas sugestões evocativas dispararam emoções, respostas fisiológicas e comportamentos complexos decorrentes da memória armazenada em sistemas inferiores do cérebro.

A conclusão até aqui é a seguinte: nossas respostas específicas relacionadas a trauma dependerão da resposta de estresse que foi dominante em qualquer experiência específica. Uma pessoa pode ter múltiplos gatilhos evocativos que despertem respostas comportamentais muito diferentes. Alguns gatilhos relacionados a trauma podem deixá-la evasiva e fechada; outros podem enfurecê-la e mobilizá-la. A impressão digital complexa de uma experiência traumática será diferente para cada pessoa. O momento, a natureza, o padrão e a intensidade de uma experiência traumática podem influenciar a maneira como uma pessoa será impactada.

A história não parou aí. Ele saiu do coma, mas, infelizmente, teve sequelas. Mudou-se para uma casa de repouso, onde viveu e trabalhou como auxiliar de locomoção. O processo de sua recuperação tem muito a nos contar sobre o poder curativo do vínculo. Quando falarmos sobre cura e recuperação, voltaremos a Jesse. Por enquanto, pensemos na história dele como uma mostra da incrível maleabilidade do cérebro e do poder da esperança.

Oprah: Acho que é isso que as pessoas que lerem este livro estarão procurando acima de tudo: a esperança de que, não importa o que tenha acontecido, existe uma fresta de luz que poderá levá-las adiante. As histórias que você está contando podem ajudá-las a perceber que não estão sós com seus traumas. Com isso em mente, podemos falar um pouco sobre trauma e medo? Conheço inúmeras pessoas que sofreram abusos quando criança e parecem viver em um constante estado de medo, ainda que não haja mais ameaça. Você pode explicar o que acontece com o cérebro quando a pessoa cresce com medo?

Dr. Perry: Sim. Esse ponto é essencial para entender crianças como Jesse. Elas estão sempre em estado de medo. Uma pessoa pensará, aprenderá, sentirá e se comportará de um jeito diferente quando estiver com medo, em comparação aos momentos em que estiver segura.

O funcionamento do cérebro é "estado-dependente". A qualquer momento, o status coletivo dos nossos sistemas físicos e da atenção da mente determina o nosso estado, que pode mudar com muita rapidez.

As duas maiores categorias de estado são acordado ou adormecido. No sono há estágios diferentes (por exemplo, REM, sigla inglesa para "rápido movimento dos olhos", dormindo). Da mesma forma, quando estamos despertos temos diferentes "estágios" ou estados de ativação (veja a Figura 6, p. 94). Há uma grande quantidade de informação aqui, e só chegaremos a algumas delas mais tarde no livro, então vamos caminhar juntos.

Comecemos pelo lado esquerdo da Figura 6, com a coluna "Calma". Nesse estado, podemos estar relaxados e deixar nossa mente vagar. Também temos acesso à parte mais racional do nosso cérebro, o córtex. A coluna seguinte, "Alerta", indica situações em que nos concentramos em algum aspecto do mundo externo, uma conversa, por exemplo. Quando estamos bem regulados, em equilíbrio, conseguimos nos manter nos estados ativos de alerta e calma a maior parte do dia.

Algumas vezes seremos desafiados, surpreendidos ou ameaçados, e mudaremos para o estado "Alarme". Quando isso acontece, começamos a pensar de um jeito mais emocional, uma vez que os sistemas inferiores do cérebro assumem o comando. Nossas conversas regridem para discussões, e a lógica dos nossos argumentos se desgasta em ataques emocionais ou personalizados. Agimos com menos maturidade e com frequência dizemos ou fazemos coisas das quais nos arrependemos.

Se estivermos realmente diante de uma ameaça, avançaremos para o estado de "Medo". Nesse ponto, as áreas inferiores do cérebro estão no controle. Nossa capacidade de resolver problemas se deteriora e ficamos focados no momento. Logicamente, no momento isso é adaptativo. Os problemas surgem quando o indivíduo fica paralisado nesse estado. É isso que um padrão de estresse extremo e prolongado pode fazer. Pense em Jesse. A imprevisibilidade era contínua. O sofrimento, a ameaça e o medo eram incontroláveis e, às vezes, extremos. Os sistemas de resposta ao estresse adaptaram-se e se tornaram sensibilizados. Jesse ficou imobilizado num estado permanente de medo.

Ora, como já sugerimos, o que é adaptativo para crianças que vivem em ambientes caóticos, violentos e permeados por trauma torna-se inadequado em outros ambientes, sobretudo na escola. A hipervigilância do estado "Alerta" é confundida com transtorno do déficit de atenção com hiperatividade. A resistência e o desafio do "Alarme" e do "Medo" são rotulados como transtorno desafiador de oposição. O comportamento de fuga faz com que sejam suspensas da escola. O comportamento belicoso leva a acusações de agressão. O mal-entendido generalizado do comportamento relacionado a trauma tem um efeito profundo em nossos sistemas educacional, de saúde mental e de justiça de menores.

Oprah: E é por isso que precisamos de sistemas que levem em conta o trauma e se informem sobre ele. E precisamos mudar a pergunta de "Qual é o seu problema?" para "O que aconteceu com você?".

Figura 6

FUNCIONAMENTO ESTADO-DEPENDENTE

"ESTADO"	CALMA	ALERTA
ÁREAS DOMINANTES DO CÉREBRO	Córtex (RMP)	Córtex (sistema límbico)
"Opção" ADAPTATIVA *Estímulo*	Refletir (criar)	Grupo (hipervigilante)
"Opção" ADAPTATIVA *Dissociação*	Refletir (devanear)	Evitar
COGNIÇÃO	Abstrair (criativo)	Concreto (rotina)
QI FUNCIONAL	120-100	110-90

O funcionamento do cérebro depende do nosso estado a cada momento. Conforme passamos de um estado interno para outro, haverá uma alteração nas partes do cérebro que estão "no controle" (dominantes). Quando você está calmo, por exemplo, consegue acionar as áreas "mais inteligentes" do seu cérebro (o córtex), para refletir e criar. Quando se sente ameaçado, os sistemas corticais tornam-se menos dominantes, e áreas mais reativas do cérebro assumem o comando. Podemos ir da calma ao terror.

As alterações estado-dependentes resultam em mudanças correspondentes em um conjunto de funções mediadas pelo cérebro, incluindo a capacidade de resolver problemas, o pensar (ou cognição) e a esfera de preocupação. Em geral, quanto mais ameaçada uma pessoa se sente, mais o controle de funcionamento

ALARME	MEDO	TERROR
Sistema límbico (diencéfalo)	Diencéfalo (tronco cerebral)	Tronco cerebral
Paralisia (resistência)	Fuga (desafio)	Luta
Concordar	Dissociar (paralisia/catatonia)	Desfalecimento (colapso)
Emocional	Reativo	Reflexivo
100-80	90-70	80-60

muda dos sistemas superiores (córtex) para os inferiores (diencéfalo e tronco cerebral). O medo desliga vários sistemas corticais.

Comportamentos adaptativos observados durante alterações estado-dependentes em funcionamento podem ser muito diferentes. Isso dependerá de qual dos dois principais padrões de resposta adaptativa (ativação e dissociação) estiver dominante para um indivíduo específico, durante um acontecimento estressante ou traumático.

A Rede de Modo Padrão, RMP, é um termo para uma rede amplamente distribuída, sobretudo no córtex, que fica ativa quando um indivíduo pensa em outras pessoas ou nele mesmo, lembrando o passado e planejando o futuro.

CAPÍTULO 4

O ESPECTRO
DO TRAUMA

"Ela usava cinza, como o cinza das nuvens de chuva."

Essas palavras densas e verdadeiras me atraíram imediatamente para o romance de sucesso *Ruby*, de Cynthia Bond. Ao escrever a lancinante história de uma garota corajosa, nascida de uma tragédia, aprisionada em uma batalha contra o horror que suportava e refém de seus demônios pessoais, Cynthia se inspirou nos anos em que trabalhou com os sem-teto e com jovens em situação de risco. Também recorreu à própria experiência como sobrevivente de abuso sexual.

Depois de se juntar a mim para uma conversa no Clube do Livro, Cynthia escreveu um artigo para a revista *O Magazine* detalhando seus problemas de saúde mental. Ela contou que durante muito tempo não entendia o que estava errado. Só sabia que via o mundo por um "prisma de dor".

"Por muitos anos", escreveu Cynthia, "eu pouco dormia. Mantinha vigílias noturnas contra as minhas lembranças. Em algumas manhãs, eu não conseguia me levantar da cama. Sentia uma vergonha profunda: por que eu não conseguia 'me animar', 'superar aquilo'? Eu via as pessoas se reerguerem após separações, recuperar-se da perda de um trabalho, de execuções hipotecárias e coisas piores. Eu não conseguia me reerguer. Comecei a achar que havia alguma coisa errada com o meu caráter".

Cynthia rezava para que o que ela chamava de "sofrimento" fosse embora. E assim como muitas pessoas, sobretudo mulheres, aprendeu a suportar, a aguentar firme, usando uma máscara de força. No entanto, em seus momentos sombrios, pensava em tirar a própria vida.

Quando enfim foi diagnosticada com depressão e estresse pós-traumático, nem todos a apoiaram. "Minha voz tornou-se suspeita. Minhas decisões, minha carreira, minha capacidade como mãe foi questionada. Alguns nunca mais me viram do mesmo jeito." Com o tempo, Cynthia encontrou o apoio necessário. "Aprendi que eu podia ter sentimentos sem que eles afetassem minha capacidade. Que eu não tinha feito nada errado. Que não havia motivo para ter vergonha."

A história de Cynthia me faz perceber, mais uma vez, como pode ser intimidante lidar com traumas passados. Muitas pessoas, quando começam a pensar na maneira como o trauma afetou a própria vida, têm dificuldade em reconhecer a relação entre suas primeiras experiências e os padrões de decisão quando adultas. Racionalizam seu comportamento, dizendo para elas próprias que "é assim mesmo". Ou, em um esforço para se livrar logo de qualquer desconforto, fazem pouco caso dele, encontram maneiras (saudáveis e não saudáveis) de amenizá-lo ou simplesmente o abafam. É difícil reparar um trauma.

Em essência, podemos definir trauma como os efeitos duradouros de um choque emocional. Se ele for menosprezado, pode ter consequências físicas, emocionais e sociais a longo prazo. Passei minha vida adulta escutando e absorvendo histórias dessas consequências, da devastação causada por traumas não resolvidos.

Para mim, é possível enxergar "o que aconteceu com você" através de duas lentes. Existe a explicação baseada na ciência sobre o efeito que o trauma nos primeiros anos tem sobre o cérebro. E há a miríade de ações diárias que cada um de nós toma durante a vida. Elas são reflexos do trauma e também o alimentam: más escolhas, maus hábitos, autossabotagem, autodestruição, atos que levam outras pessoas a julgar.

É por isso que acredito tanto na abordagem "O que aconteceu com você?". Ela evita o julgamento embutido em "Qual é o seu problema?".

Dependências de todo tipo, ansiedade, depressão, raiva, dificuldade em manter um emprego, um ciclo de relações nocivas: o que eu sei, com certeza, é que todo sofrimento é igual. E acredito que o desespero que está presente em quase todo comportamento destrutivo é um sentimento profundamente enraizado de desvalorização. Existe uma diferença entre achar que você tem o direito de ser feliz e saber que você merece ser feliz. Com muita frequência, bloqueamos nossas bênçãos porque, no fundo, não nos sentimos à altura delas. Mesmo que você tenha uma casa linda e uma vida satisfatória, se passou por trauma mas não se aprofundou nas consequências dele, suas feridas afetarão tudo que você conseguiu construir.

Este capítulo pretende ajudar você a identificar as pistas de que talvez tenha vivido um trauma. Minha esperança é que, usando as ferramentas desenvolvidas por especialistas como o Dr. Perry, você comece a perceber os momentos que contribuíram para moldar a pessoa que você é hoje.

Ao revisitar seu passado, saiba que, independentemente do que aconteceu, só o fato de você estar aqui, vivo, já o faz merecedor. E saiba que existe esperança. Como Cynthia escreveu: "O bem-estar é possível. Ele virá em algum momento, um passo de cada vez."

— **Oprah**

Oprah: Você e eu falamos sobre trauma há mais de 30 anos. A certa altura, você me contou que quase 40% das crianças com menos de 18 anos sofreram algum tipo de trauma. É um número espantoso.

Dr. Perry: Infelizmente, eu estava errado. Desde então, ficou evidente que os números são ainda piores. Um estudo recente da National Survey of Children Health (Pesquisa Nacional de Saúde Infantil) descobriu que quase 50% das crianças nos Estados Unidos tiveram, no mínimo, uma experiência significativa de trauma. Mais recentemente, em 2019, um estudo conduzido pelo Centers for Disease Control and Prevention (CDC, Centros para Controle e Prevenção de Doenças) dos Estados Unidos revelou que 60% dos adultos norte-americanos relatam ter tido pelo menos uma experiência infantil negativa (EIN), e quase um quarto relatou três ou mais EINs. Os pesquisadores do CDC acreditam que esses números estão subestimados, o que torna o quadro ainda mais preocupante.

Oprah: Vamos esmiuçar o que você quer dizer quando usa a palavra trauma. Ainda que seja uma palavra muito ouvida, várias pessoas ainda não têm uma compreensão clara de sua verdadeira definição. Uma experiência infantil negativa é a mesma coisa que um trauma?

Dr. Perry: Você tocou em um ponto realmente importante e desafiador para todos nós que estudamos esses assuntos. Como você diz, trauma é uma palavra usada com muita naturalidade hoje em dia. Para a maioria das pessoas, significa um acontecimento ou uma experiência muito ruim, geralmente uma que "gruda", que você não esquece e que pode ter um impacto duradouro na sua vida.

Sempre soubemos que as pessoas podem mudar depois de presenciar a morte e a carnificina de uma guerra. Durante séculos, observadores perspicazes do comportamento humano relataram significativos problemas emocionais e comportamentais em decorrência de combates. Em 800 a.C., na *Ilíada*, Homero descreveu a deterioração emocional de Ajax, relacionada a trauma. Quatrocentos anos depois, o historiador grego Heródoto mencionou sintomas semelhantes a trauma, incluindo cegueira histérica e fadiga emocional, em combatentes após a batalha de Maratona. Os efeitos relacionados a trauma sobre a saúde mental ficaram conhecidos nos Estados Unidos como o *irritable heart* (coração irritável), após a Guerra Civil Americana, e *shell shock* (choque de bomba), após a Primeira Guerra Mundial.

Nossa literatura e cinematografia estão repletas de histórias de "trauma". Quase todas as histórias da origem dos super-heróis envolvem perdas traumáticas, por exemplo. Tenho certeza de que o romance *Ruby*, de Cynthia Bond, não foi o único escolhido pelo Clube do Livro da Oprah que tinha o trauma como principal elemento narrativo. Eu apostaria que 80% dos livros escolhidos tratam disso. *A Leste do Éden*, por exemplo, é uma aula magistral sobre trauma que atravessa gerações.

No entanto, é difícil para o mundo acadêmico definir trauma e assim entender todo o seu escopo. Parte da dificuldade está no fato de "acontecimento ruim" ser um conceito subjetivo.

Vamos ver um exemplo. Pense em um incêndio em uma escola. Um bombeiro veterano pode atravessar as chamas e resgatar as crianças. É o trabalho dele. Por outro lado, uma criança pequena que está assistindo à aula e de repente vê sua sala irromper em chamas vivenciará momentos de medo intenso, confusão e desamparo. Isso ilustra um dos principais problemas para se entender um acontecimento potencialmente traumático. Como o *indivíduo* vivencia o acontecimento? O que acontece internamente? A resposta ao estresse está ativada ao máximo ou de forma prolongada?

Oprah: Em outras palavras, a experiência interna envolvendo um determinado acontecimento varia de pessoa para pessoa, e o impacto a longo prazo também.

Dr. Perry: Exatamente. Qualquer efeito a longo prazo está relacionado a vários fatores, inclusive à natureza da resposta daquela pessoa ao estresse (por exemplo, ativação versus dissociação versus uma mistura dos dois), bem como à intensidade e ao padrão dessa resposta.

Imagine que naquela escola, enquanto o aluno do primeiro ano reagia ao fogo na sua classe com pavor, outro, do quinto ano, em outra parte do prédio, talvez não se sentisse tão ameaçado. Para ele, o fogo era quase excitante. Como ele estava mais longe da ameaça direta, sentiu-se seguro o tempo todo.

Portanto, temos três pessoas em um mesmo acontecimento, cada uma vivenciando-o de modo diverso. E como cada experiência é diferente, cada pessoa tem uma resposta diferente ao estresse. Graças a anos de experiência e prática, o bombeiro teve uma ativação moderada dos seus sistemas de resposta ao estresse. Para ele, um incêndio é uma ocorrência previsível e que pode ser controlada. Uma experiência de fortalecimento de resiliência, não um trauma.

Para o aluno do quinto ano, houve uma ativação temporária de sua resposta ao estresse. Em cerca de uma semana, os efeitos agudos dessa ativação sumiram e ele voltou ao seu patamar "equilibrado", não traumatizado. No entanto, os sistemas de resposta ao estresse do aluno do primeiro ano foram altamente ativados. Ele desenvolverá um sistema sensibilizado de resposta ao estresse (veja Figuras 3 e 5, p. 59 e 82).

Oprah: Então, podemos dizer que o incêndio foi um trauma?

Dr. Perry: Para o aluno do primeiro ano sim, mas não para o do quinto. O aluno mais velho teve uma "reação aguda ao estresse" e em semanas retornará ao seu patamar. Quanto ao bombeiro, como dissemos, foi uma experiência de fortalecimento da resiliência.

Aí é que está o desafio de estudar "estresse traumático". Como podemos estudar o impacto do trauma se não conseguimos encontrar uma definição padronizada?

O Substance Abuse and Mental Health Services Administration (SAMHSA, Administração de Serviços de Saúde Mental e Abuso de Substâncias) reuniu um grupo de cientistas e médicos para fazer frente a esse desafio. Eles surgiram com a definição de trauma dos "três Es", que articula o que acabamos de falar: um trauma tem três aspectos-chave – o evento, a experiência e os efeitos. As complexidades desses três componentes inter-relacionados são o que deve ser considerado no trabalho clínico e estudado em pesquisa.

Sei que não é muito simples nem satisfatório. O dilema de se definir trauma não está completamente resolvido, o que leva a uma confusão permanente no uso do termo.

Enquanto nós dois conversamos, por exemplo, estamos no meio de uma pandemia global. Alguns disseram que para um formando do ensino médio ou da faculdade será traumático não ter uma cerimônia de formatura. Ou que o uso de máscara na escola traumatizará uma criança. Ou que a pandemia será um trauma para todos.

Outros, como eu, disseram: "Esperem um pouco, essas coisas podem ser inconvenientes e difíceis, até trágicas, mas não são necessariamente traumáticas, e com certeza não são traumáticas para todos." Uma pandemia é, sob vários aspectos, um acontecimento compartilhado, mas representa uma experiência peculiar para cada um de nós. Muitos de nós não ficamos doentes, não perdemos o emprego, não fomos desalojados de nossa casa nem passamos pela morte de membros da família ou de amigos. O privilégio de alguns, como eu, será desmascarado, enquanto a vulnerabilidade de outros será exposta. As desigualdades e falhas em nossos sistemas públicos aumentarão. Os que têm menos serão os mais propensos a ficar traumatizados. Mas, para muitos, a experiência, embora estressante, não será traumática.

Para mim, entender trauma esteve sempre ligado a estudar mudanças nos sistemas de resposta ao estresse diante de um evento específico. Esses eventos podem ser importantes e óbvios para todos, como no caso de abuso físico por um genitor. Mas acredito que o trauma também pode resultar de experiências menos óbvias, mais discretas, como humilhação, rebaixamento ou outro abuso emocional por parte dos pais. Talvez ainda da marginalização de uma criança de minoria numa comunidade de maioria. Crescer com experiências em grupos com os quais a pessoa não se identifica pode sensibilizar os sistemas de resposta ao estresse (veja Figura 3, p. 59). Isso pode produzir efeitos pós-traumáticos de longo prazo no cérebro e no restante do corpo.

Os efeitos específicos na saúde de cada um serão determinados por uma variedade de outros fatores, inclusive vulnerabilidade genética, o estágio de desenvolvimento quando o acontecimento traumático ocorreu, histórico de traumas anteriores, histórico familiar de trauma e a capacidade protetora de relacionamentos, família e comunidade. Mas entender como os padrões de estresse podem influenciar a regulação, ou equilíbrio, é a chave para entender como *o que aconteceu com você* está associado a sua saúde, em todas as áreas, mental, física e social.

Estima-se que a adversidade na infância desempenhe um papel significativo em 45% de todos os transtornos de saúde mental infantil e em 30% dos transtornos de saúde mental entre adultos. Essas estimativas são consistentes com outros estudos que apontam um risco elevado para transtorno depressivo maior, ansiedade, esquizofrenia e outros transtornos psicóticos que se seguem a traumas infantis ou experiências adversas na infância.

Oprah: Vamos falar mais sobre experiências adversas na infância, ou EAIs, como são chamadas. Explique o que é uma EAI e como o estudo dela tem nos ajudado a entender melhor o impacto do trauma na saúde.

Dr. Perry: O estudo original sobre experiências adversas na infância foi publicado em 1998. Os autores criaram um questionário simples com dez itens retratando "adversidades" que podem ter acontecido durante os primeiros 18 anos de vida (veja Figura 7, p. 108). No estudo original, 17 mil adultos preencheram o questionário e obtiveram uma pontuação de EAI que ia de 0 a 10. Os autores, então, analisaram a saúde física, mental e social desses adultos.

O primeiro estudo epidemiológico de EAI encontrou uma correlação entre a pontuação EAI e as nove causas principais de morte na vida adulta. Ou seja: quanto mais adversidades você teve na infância, maior seu risco de problemas de saúde. Estudos subsequentes, usando os mesmos dados, demonstraram correlações semelhantes entre um adulto com pontuação EAI e o risco de suicídio, problemas de saúde mental, uso e dependência de substâncias, entre outros males.

Essas pesquisas de EAI estão entre os mais importantes estudos epidemiológicos da nossa época. Eles foram replicados múltiplas vezes. No começo, eram praticamente ignorados pela comunidade médica e pelo público em geral. No entanto, nos últimos dez anos, eles se tornaram bem conhecidos, apesar de terem sido mal interpretados em diversas ocasiões.

Oprah: Em que sentido?

Dr. Perry: Originalmente, houve certo retrocesso devido ao desenho do estudo. Como o questionário era aplicado em uma amostra predominantemente branca e de classe média, houve questionamentos sobre a validade das descobertas para outros grupos demográficos. Outro problema foi que o questionário EAI incluía apenas dez adversidades, deixando de fora uma série de outras experiências potencialmente traumáticas.

O principal mal-entendido do estudo, no entanto, é que as pessoas confundem correlação com causalidade. O fato de ter uma alta pontuação EAI não significa que você *terá* doença coronariana; significa, apenas, que seu risco para doença coronariana é maior.

Oprah: Dá para ver como isso pode ser mal interpretado.

Dr. Perry: Nem toda pessoa alta é um bom jogador de basquete nem todo bom jogador de basquete é alto. Mas, em geral, um time de atletas de 1,95 metro está propenso a atuar melhor no basquete da faculdade do que um time de atletas de 1,65 metro. Da mesma maneira, ter uma pontuação 5 em EAI apenas significa que é *provável* que você passe por mais dificuldades do que alguém com uma pontuação 1.

Vamos analisar isso. Se você for ao campus de uma faculdade e conversar com todos os estudantes de 1,95 metro, descobrirá que apenas alguns fazem parte do time de basquete universitário. Muitos são descoordenados e não gostam de esporte. O mesmo acontece com a pontuação EAI. Muitas pessoas com pontuação 5 em EAI são saudáveis, produtivas, positivas e não passam por dificuldades. E algumas pessoas com pontuação 1 em EAI terão problemas sérios.

Figura 7

PESQUISA DE EXPERIÊNCIA ADVERSA NA INFÂNCIA (EAI)

Antes do seu 18º aniversário...

1. Seu pai, sua mãe ou outro adulto na casa, com frequência, ou com bastante frequência, xingou, insultou, menosprezou ou humilhou você? Ou agiu de maneira a deixá-lo com medo de que pudesse ser ferido fisicamente?

    Não____ Se sim, coloque 1 ____

2. Seu pai, sua mãe ou outro adulto na casa, com frequência, ou com bastante frequência, empurrou, agarrou, bateu ou atirou algum objeto em você? Ou já o agrediu com tanta força que deixou marcas ou ferimentos?

    Não____ Se sim, coloque 1 ____

3. Algum adulto, ou uma pessoa com pelo menos cinco anos a mais do que você, alguma vez o tocou ou acariciou, ou obrigou-o a tocar no corpo dele de maneira sexual? Ou tentou, ou de fato praticou sexo oral, anal ou vaginal com você?

    Não____ Se sim, coloque 1 ____

4. Com frequência, ou com bastante frequência, você sente que ninguém em sua família amou você, ou o considerou importante ou especial? Ou na sua família as pessoas não prestavam atenção umas nas outras, não se sentiam próximas nem se apoiavam mutuamente?

    Não____ Se sim, coloque 1 ____

5. Com frequência, ou com bastante frequência, você sente que não teve o suficiente para comer, teve que usar roupas sujas e não havia ninguém para protegê-lo? Ou seus pais estavam bêbados ou drogados demais para cuidar de você, ou levá-lo ao médico, caso você precisasse?

    Não____ Se sim, coloque 1 ____

6. Seus pais eram separados ou divorciados?

   Não____ Se sim, coloque 1____

7. Sua mãe ou madrasta, com frequência, ou com bastante frequência, era empurrada, agarrada, estapeada ou atingida por objetos atirados nela? Ou às vezes, com frequência, ou com bastante frequência, era chutada, mordida, esmurrada ou golpeada com algo duro? Ou alguma vez foi agredida por pelo menos alguns minutos, ou ameaçada com arma de fogo ou faca?

   Não____ Se sim, coloque 1____

8. Você morou com alguém que tinha problemas com bebida, ou era alcoólatra, ou usava drogas ilícitas?

   Não____ Se sim, coloque 1____

9. Algum morador da sua casa era deprimido, ou tinha doença mental, ou tentou suicídio?

   Não____ Se sim, coloque 1____

10. Algum morador da sua casa foi preso?

    Não____ Se sim, coloque 1____

Agora some suas respostas "Sim" ____ Esta é sua pontuação EAI.

Repito, os estudos de EAI são *extremamente* importantes, mas a pontuação EAI não tem um poder real de previsão sob o ponto de vista individual, ou como ferramenta clínica. É apenas um olhar muito superficial sobre "o que aconteceu com você", não a exploração profunda e prolongada que se requer para entender de verdade a nossa jornada pessoal. Pense em como suas entrevistas seriam superficiais se você apenas entregasse um formulário com dez perguntas aos seus convidados e isso lhe fornecesse um número sobre eles. A pontuação EAI não conta a história deles. O número não pode *ser* a história deles.

O que a pontuação EAI não conta é o momento, o padrão e a intensidade do estresse e da perturbação, ou a presença de fatores protetivos ou curativos. Ela ignora algumas das variáveis mais importantes que influenciam a previsão de saúde e risco.

Vou lhe dar dois exemplos do nosso trabalho. Ao longo dos anos, reunimos dados sobre o desenvolvimento de mais de 70 mil casos individuais em 25 países. O estudo incluiu crianças pequenas ou maiores, jovens e adultos. Anotamos histórias detalhadas de trauma e adversidade, bem como de "saúde relacional" (sobretudo de vinculação, ou seja, a natureza, a qualidade e a quantidade de vínculos com família, comunidade e cultura).

Nossa descoberta mais importante é que a história de saúde relacional – o vínculo com a família, a comunidade e a cultura – diz mais sobre a saúde mental do indivíduo do que sua história de adversidade (veja Figura 8, p. 111). Isso é semelhante aos achados de outros pesquisadores que investigaram o poder de relações positivas na saúde. A vinculação tem o poder de contrabalançar a adversidade.

Nossa segunda descoberta importante é que o momento em que ocorreu a adversidade faz uma enorme diferença na determinação do risco geral. Simplificando, se você passa por uma experiência de trauma aos 2 anos, ela terá mais impacto na sua saúde do que o mesmo trauma vivido com 17 anos. Infelizmente, a pesquisa de EAI não faz essa distinção: apenas pergunta se alguma dessas dez adversidades aconteceu durante os primeiros 18 anos da sua vida.

Quando analisamos com um pouco mais de profundidade o risco de acordo com o momento de desenvolvimento, surge uma observação

Figura 8
O IMPACTO DA EXPERIÊNCIA NO DESENVOLVIMENTO
O EQUILÍBRIO ENTRE ADVERSIDADE E VÍNCULO

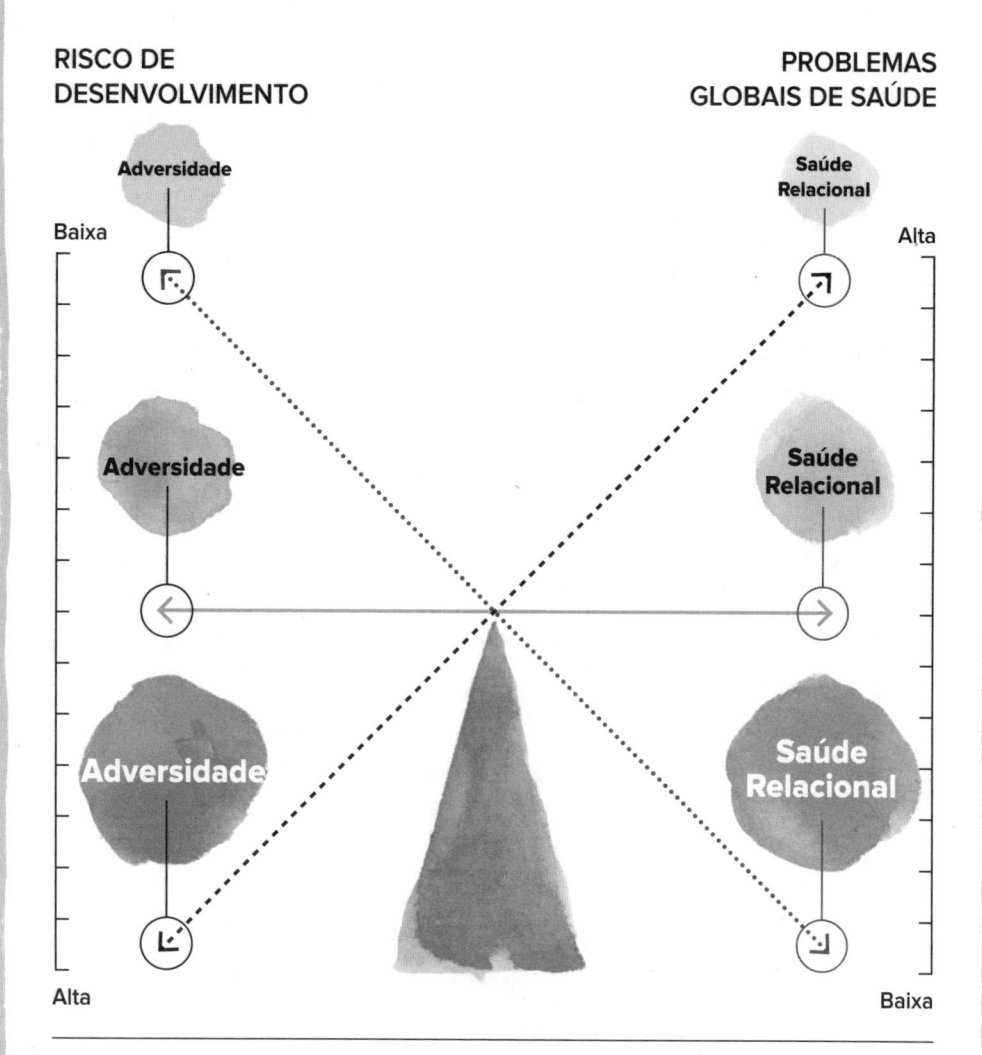

RISCO DE DESENVOLVIMENTO

PROBLEMAS GLOBAIS DE SAÚDE

Baixa — Alta

Adversidade

Adversidade

Adversidade

Saúde Relacional

Saúde Relacional

Saúde Relacional

Alta — Baixa

Com forte vínculo e baixa adversidade durante o desenvolvimento (linha pontilhada), menor é a inclinação a problemas de saúde mental, social e física. Em contraste, alta adversidade e baixo vínculo (linha tracejada) aumentam o risco de desenvolvimento e a probabilidade de significativos problemas na saúde em geral.

importante: as experiências dos primeiros dois meses de vida têm um impacto desproporcionalmente importante na saúde e no desenvolvimento a longo prazo. Isso tem a ver com o crescimento muito acelerado do cérebro no começo da vida e com a organização daquelas redes regulatórias básicas tão importantes (veja Figura 2, p. 54).

Imagine uma criança que vivenciou uma grande adversidade com um mínimo de proteção nos dois primeiros meses de vida, mas passou os 12 anos seguintes em um ambiente mais saudável. Agora, imagine outra que teve poucos eventos adversos nos primeiros dois meses de vida e um vínculo positivo, mas enfrentou grandes dificuldades nos 12 anos depois disso. Quem tem o pior prognóstico? A primeira.

Pense nisto: a criança exposta a apenas dois meses de experiências realmente ruins sofre mais prejuízos do que outra com 12 anos de experiências negativas, tudo por causa do momento de vida.

É desanimador. No entanto, acreditamos que os prognósticos ruins não sejam inevitáveis. Na verdade, acreditamos que esse exemplo das crianças seja perfeito para entendermos por que precisamos de sistemas atentos a traumas.

Repense as nossas conversas anteriores sobre como um cuidado atento e responsivo é importante para proporcionar as experiências de organização dos sistemas de resposta ao estresse do bebê. Lembre-se de que, se nos dois primeiros meses houve estresse inconsistente ou imprevisível, esse padrão de ativação cria uma resposta sensibilizada ao estresse (veja Figuras 3 e 5, p. 59 e 82). Isso causa muitos problemas relacionados ao trauma. Mesmo que essas crianças já estejam distantes dos ambientes de alto risco, seus problemas têm que ser abordados por cuidadores, pediatras, profissionais de saúde mental e educadores. Se essas pessoas confundem o que está acontecendo e os sistemas se concentram na pergunta "Qual é o seu problema?", como quase sempre acontece, as crianças não melhorarão, continuarão em dificuldades. Seus problemas de reatividade emocional e comportamento serão vistos sem as lentes do trauma, o que pode levar a intervenções ineficientes.

Acreditamos que essas crianças poderiam ter vidas mais felizes e saudáveis se as casas, as escolas, os sistemas de assistência médica e de saúde mental onde cresceram substituíssem a pergunta "Qual é o seu problema?" por "O que aconteceu com você?".

Reconhecemos a força e o potencial dos primórdios da infância. Pense no impacto que apenas dois meses de apoio consistente e previsível para jovens pais poderia fazer. Para a criança, seria um primeiro impulso positivo na vida, que levaria ao desenvolvimento de sistemas de resposta ao estresse mais resilientes. E, por outro lado, esses sistemas regulados de resposta ao estresse ajudariam a garantir um desenvolvimento saudável das partes superiores do cérebro.

Oprah: Fica claro o quanto a prevenção é importante. Se pudéssemos apoiar jovens pais naqueles primeiros meses, seria como dar a seus filhos supervitaminas de reforço de resiliência.

Dr. Perry: Para mim, o mais fascinante é o poder das interações de cuidados breves, mas positivas. Algumas crianças que observamos tiveram cuidados responsivos e atentos apenas nos dois primeiros meses de vida, e depois o mundo delas implodiu: vieram anos de caos, ameaça, instabilidade e trauma. No entanto, elas se saíram muito melhor do que crianças que viveram situações de trauma e negligência no início, seguidas por anos de cuidado atento e estimulante. O momento da vida é muito importante. O valor de programas de intervenção prematura, mesmo com apenas breves "doses" de interação positiva, não pode ser subestimado.

Oprah: O timing é crucial. Mas o que acontece se uma criança não obtém esses cuidados logo no início? Dá para compensar depois? É possível se curar do trauma?

Dr. Perry: É claro. Essa é a boa notícia que exploraremos mais nas nossas próximas conversas. Por enquanto, porém, vamos nos ater à questão do tempo. As redes neurais envolvidas em conexão relacional e regulação são muito responsivas a *momentos*. Isso significa que uma dose expressiva de interação terapêutica não é 45 minutos, uma vez por semana. Quando se está lidando com um trauma intenso, descobrimos que a dose "tolerável" é de apenas segundos.

Oprah: É mesmo?

Dr. Perry: Uma pessoa consegue suportar a intensidade emocional de visitar os escombros de sua vida fraturada pelo trauma por apenas alguns segundos. Então, o cérebro entra em ação para protegê-la da dor. Vi esse comportamento em um menino de 3 anos com quem trabalhei algum tempo atrás.

O menino estava ao lado da mãe quando a casa foi invadida por bandidos e ela foi assassinada. Ele presenciou tudo. Começamos a trabalhar com o menino e seu pai logo depois. Cerca de seis semanas depois, o pai me telefonou. "Meu filho tentou se matar", disse ele.

Ora, é muito raro alguém com 3 anos tentar se matar, mas pedi ao pai que me contasse o que havia acontecido. "Ele correu para o meio do trânsito, com carros passando, depois de termos conversado sobre a falta da mãe." Então, tentei explorar os detalhes. Ele me contou que os dois estavam num mercadinho, o menino sentado no carrinho. Quando o pai estava pagando, o menino olhou para a mulher do caixa e disse: "Minha mãe está morta. Mataram ela."

A mulher disse: "Ah, querido, sinto muito." E foi isso. Mas o pai ficou preocupado, achando que o menino precisava se abrir mais. Pensou: *Temos que pôr isso para fora. Temos que tocar no trauma.* E então, a caminho do estacionamento, ele perguntou ao filho: "Você está pensando na mamãe?"

O menino não respondeu. O pai continuou: "Sabe, sinto falta da mamãe, e tudo bem falar sobre esse assunto."

O pai falou com delicadeza, relembrando os momentos amorosos do menino com a mãe, mas "revisitar" aqueles momentos emocionais foi avassalador para a criança. Enquanto o pai falava, ele começou a se embalar, depois gemer, então cobriu os ouvidos e se balançou freneticamente, tudo num esforço para se equilibrar.

O pai tentou consolá-lo com palavras. "Tudo bem falar sobre a mamãe", disse. Foi quando o menino saltou do carrinho e, segundo o pai, correu para a rua.

O comportamento do garoto reflete uma sequência previsível diante de uma resposta de ativação. Quando os sistemas de ativação são acionados, eles bloqueiam a área superior do cérebro (veja Figura 6, p. 94), e a região inferior, a mais primitiva, assume o controle. A parte racional do cérebro desse pobre garotinho estava desligada. Ele não estava planejando se matar. Não estava planejando coisa alguma. Estava, simplesmente, tentando "fugir", escapar das imagens dolorosas do assassinato da mãe que seu pai evocava com aquele questionamento.

O pai tinha boas intenções, mas não era a dose certa para um momento terapêutico. Então, voltemos ao problema do tempo. O garotinho olha para a mulher do caixa e vê uma pessoa mais ou menos da idade da mãe, com a mesma cor de cabelo: é uma sugestão evocativa. Por um momento, ele resgata a lembrança da mãe, do assassinato. Ele olha para a mulher, faz um breve comentário – cinco segundos, no máximo – e recebe um conforto. Era o suficiente – apenas um pequeno fragmento do desastre, uma dose terapêutica de memórias sobre as quais ele ainda tinha controle. Porque é através dessas visitas breves e controláveis ao passado que o sistema sensibilizado pode lenta e dolorosamente ser "reconfigurado". No mundo ideal, milhares desses momentos terapêuticos podem ser oferecidos pela rede de pessoas sensíveis e amorosas que fazem parte da nossa vida.

Pense em como você lidou com a dificuldade em sua própria vida. Quando são coisas muito difíceis de lidar, você não quer falar sobre a dor, a perda ou o medo durante 45 minutos ininterruptos. Você conversa sobre algum aspecto daquilo, com um amigo muito próximo por, talvez, dois ou três minutos. Quando fica doloroso demais, você recua, quer mudar de assunto. E talvez, mais tarde, queira falar mais. O que de fato leva à cura é a dosagem terapêutica. Momentos. Uma presença intensa, total, mas breve.

Oprah: O que você está dizendo me deixa muito agradecida pelo meu relacionamento com Gayle King. Ela tem sido uma constante na minha vida desde que nos conhecemos, em 1976, quando nós duas trabalhávamos num canal de noticiário de Baltimore. Ainda que hoje estejamos cada uma em um lado do país, com fusos horários diferentes, e tenhamos vidas muito agitadas, conversamos todos os dias. Tenho sido a terapeuta dela, e ela a minha. Nunca fui a um terapeuta de verdade, mas na nossa relação falamos sobre tudo que está acontecendo, reviramos o que passa pela minha cabeça e pela dela. E assim vamos dosando nossos momentos terapêuticos.

Dr. Perry: Vocês recuam e depois retomam os assuntos.

Oprah: Isso. Damos risada de alguma outra coisa, e isso desencadeia uma lembrança nova. Podemos, ou não, falar sobre aquela lembrança. É exatamente o que acontece quando você conversa com suas amigas.

Dr. Perry: Certo. Isso é curativo. É a essência de uma experiência terapêutica.

Oprah: Você acaba se sentindo melhor, fortalecido, porque pôs para fora. Exatamente como o garotinho foi "escutado" e confortado pela moça do caixa.

Dr. Perry: Sim! Houve aquela interação humana positiva que é acolhedora. É gratificante, reguladora e gera vínculo.

Oprah: Acabei de ter um insight! O que realmente procuramos nessa interação é alguém que reforce a ideia de "Ei, eu não sou louca. Estou pensando ou sentindo isso porque algo aconteceu comigo, e a minha reação é razoável". Aquela pessoa valida isso.

Dr. Perry: Exatamente e, ao "enxergar" você dessa forma, ela regula você. Voltando ao garotinho, ao longo dos anos ele viveu milhares e milhares de pequenas interações positivas com o pai, os avós, vizinhos, amigos e professores, que proporcionaram experiências gratificantes, reguladoras e curativas. Isso o ajudou. Hoje ele é um rapaz saudável e positivo. A perda da mãe ainda pode trazer tristeza e saudades, mas passa. Ele é aberto, curioso e generoso. Não se tornou uma pessoa desregulada, triste ou prejudicada. A terapia formal durou cerca de um ano. Foram esses outros momentos terapêuticos, todos os dias durante 20 anos, que de fato o ajudaram a recriar um mundo interno saudável a partir dos destroços da sua individualidade de 3 anos, destruída pelo trauma.

Oprah: Esse garotinho teve Transtorno do Estresse Pós-Traumático? Tanta gente fica sabendo de TEPT no contexto de veteranos de guerra, como o Mike do Capítulo 1, mas eu sei que um trauma em qualquer idade pode causar TEPT, correto?

Dr. Perry: Sim, o trauma em qualquer idade pode causar um conjunto de sintomas que chamamos de Transtorno do Estresse Pós-Traumático (TEPT). E esse menino teve, sim, TEPT. Você se lembra daqueles três "componentes" do trauma, os três E – o evento, a experiência e os efeitos? O TEPT diz respeito aos efeitos. É um transtorno específico – ou conjunto de sintomas – que pode ocorrer no rastro de um ou mais eventos traumáticos. Está descrito entre os transtornos mentais no *Manual Diagnóstico e Estatístico* (DSM na sigla em inglês), um guia que a maioria dos médicos usa para classificar problemas de saúde mental.

Uma pessoa diagnosticada com TEPT tem quatro principais conjuntos de sintomas logo após um evento ou eventos traumáticos. Como você mencionou, Mike Roseman, o veterano da Guerra da Coreia, que reagiu ao barulho do cano de escapamento da motocicleta, tinha TEPT.

O primeiro conjunto são sintomas "intrusivos". Isso inclui imagens e pensamentos recorrentes e indesejados do evento traumático, além de sonhos ou pesadelos sobre aquilo. Podemos pensar nesses sintomas como um esforço do cérebro para dar um sentido ao mundo. Com frequência, quando acontece um evento traumático, ele é tão ameaçador e tão distante da nossa experiência comum que não se insere no nosso modelo de mundo. Como dissemos em nossas conversas anteriores, nossa mente está sempre trabalhando para preservar a visão de mundo que criamos no início da vida. *As pessoas são boas. Os pais estão aqui para nos proteger. As escolas são seguras.* A mente quer ver o que acreditamos, então se agarra a elementos que respaldam nossas crenças – aquela visão de mundo – e ignora os que não o fazem. Mas o trauma danifica esse cenário interno. A visão de mundo de uma pessoa que vive um trauma se despedaça. *As pessoas não são confiáveis. Tenho pavor do meu pai, ele me machuca. A escola é o lugar onde meus amigos foram mortos.*

O trauma faz a pessoa naufragar. Ela terá que reconstruir seu mundo interno. Parte da reconstrução, do processo de cura, consiste em revisitar o casco estilhaçado da sua velha visão de mundo. Ela vasculha os destroços, procurando o que sobrou, buscando seus cacos. Sonhos, imagens intrusivas do trauma e o jogo de reconstituição são sua mente lutando para dar sentido à nova realidade. Enquanto a pessoa revisita o naufrágio, descobre um fragmento e o desloca para um novo lugar mais seguro, no cenário agora alterado. Com o tempo e muitas visitas ao naufrágio, ela constrói uma nova visão de mundo. Esse processo envolve procedimentos repetitivos de "reconstituição", conscientes ou não, escritas, desenhos, esculturas ou encenações. Inúmeras vezes a pessoa revisita o local do terremoto, examina o naufrágio, pega alguma coisa e a transporta para um refúgio seguro. Faz parte do processo de cura. Estou simplificando processos muito complexos, sobre os quais falaremos mais tarde, quando nos concentrarmos na cura.

No segundo grupo estão os sintomas de "evitação". Acreditamos que eles surgem quando alguém se sente angustiado depois de ser novamente exposto a pessoas, lugares ou outras lembranças dos acontecimentos originais traumáticos. Lembra-se do Mike dizendo que detestava o 4 de Julho? Como ele tinha consciência de que os fogos de artifício eram sugestões evocativas, evitava comemorações em que haveria queima de fogos. Sob certos aspectos, comportamentos de evitação são uma tentativa de recuperar o controle sobre a aparente incontrolabilidade da experiência traumática. Você também pode se lembrar que a evitação é parte de uma resposta dissociativa a uma ameaça (veja Figura 6, p. 94). Diante de uma situação inevitável, perturbadora, atitudes de evitação podem ser protetivas.

Uma pessoa também pode desenvolver atitudes de evitação sem fazer a conexão direta com um trauma do passado. É frequente quando o abuso ou trauma ocorreu dentro do contexto das primeiras relações de cuidado. Se uma criança foi abusada no contexto de um relacionamento íntimo (por um pai ou uma mãe, por exemplo), ela vai achar que a intimidade – proximidade física e emocional – representa uma ameaça. Com frequência, essas crianças querem criar vínculos, mas se sentem ansiosas, confusas ou oprimidas quando ficam próximas de alguém. Evitarão intimidade num relacionamento. Se não puderem evitar, vão sabotar ou minar a relação. Esse é um dos efeitos do trauma no desenvolvimento mais comuns, porém menos valorizados.

Oprah: Então, uma pessoa que tem TEPT reage porque a "lembrança" do trauma é ativada. E a resposta varia porque a reação ao TEPT tem uma relação direta com a forma como ela foi afetada pelo acontecimento traumático.

Dr. Perry: Você se lembra da nossa conversa anterior sobre estabelecer associações? A experiência traumática cria um conjunto de "memórias" relacionadas ao trauma. Essas memórias passam a estar "conectadas" ao tipo de resposta ao estresse que a pessoa apresentou no acontecimento traumático específico.

Jesse, o menino em coma, teve duas respostas bem distintas a diferentes sugestões evocativas. Para Mike, a sugestão evocativa do estrondo do cano de escapamento da motocicleta ativou a mesma resposta impulsiva que era ativada quando ele estava em combate. O som de tiro – ou do cano de escapamento da moto – produziu aceleração dos batimentos cardíacos, instinto de se abaixar e se proteger, etc.

Em outro paciente, um som como o de um tiro poderia provocar uma resposta totalmente diferente. Certa vez, tive uma paciente, Bisa, uma jovem refugiada da Somália, que tinha vivido em meio a uma guerra tribal violenta. Ela tinha presenciado, impotente, seu irmão ser obrigado a atirar nos pais. Houve muito mais traumas antes de ela conseguir chegar ao Canadá. Para Bisa, assim como para Mike Roseman, um tiro tornou-se uma sugestão evocativa. Mas enquanto esse som provocava uma resposta de ativação em Mike, em Bisa ele produzia um desligamento dissociativo. O trauma da jovem tinha momentos de dor inescapável e insuportável. Sua resposta era fugir para dentro de si mesma (veja Figura 6, p. 94). Seus batimentos cardíacos ficavam mais lentos. No limite, ela desmaiava. Com o tempo, quando ouvia um barulho inesperado e alto, a associação com tiro fazia com que ela realmente perdesse a consciência.

Um colega meu, fotojornalista, visitou um dos primeiros campos de refugiados criados para abrigar vítimas da guerra civil de Ruanda. Havia pessoas vagando por lá como zumbis, sem expressão, em silêncio. No exato momento em que meu colega perguntava por que algumas usavam capacetes, ouviu-se um disparo na selva perto do campo, e várias pessoas desmaiaram na mesma hora. Elas usavam capacetes para não machucar a cabeça quando caíssem.

Oprah: Então, isso corresponde ao que você descreveu como uma resposta de dissociação hiperativa e hiper-reativa, certo?

Dr. Perry: Com certeza. O que nos leva de volta aos nossos sintomas do TEPT. Discutimos os dois primeiros grupos, os sintomas intrusivos e os de evitação, e agora chegamos ao terceiro: mudanças de humor e pensamento. Esse grupo pode incluir sintomas depressivos: tristeza, perda de prazer por qualquer coisa, sentimento de culpa, excesso de foco em coisas negativas, exaustão emocional e física.

Por fim, no quarto grupo estão as alterações na ativação e na reatividade. Esses são sintomas relacionados a redes sensibilizadas de resposta ao estresse, sendo hiperativos e hiper-reativos. Incluem ansiedade, hipervigilância, aumento de reação de sobressalto, batimentos cardíacos acelerados e variados, e problemas de sono.

Quando uma pessoa tem sintomas de cada uma dessas quatro categorias, o rótulo do DSM, o manual dos diagnósticos, é TEPT. É muito importante lembrar, no entanto, que o TEPT não é a única maneira de o trauma impactar nossa saúde mental e física. Os efeitos adversos do trauma, que discutimos no início deste capítulo, podem ter uma influência igualmente significativa na vida de alguém. Na verdade, a maioria dos efeitos de longo prazo do trauma não se manifesta como TEPT.

Oprah: Enquanto você fala, penso no seguinte: a depressão, a ansiedade e o TEPT talvez sejam os três protagonistas quando se trata de efeitos mentais e emocionais a longo prazo do trauma. Então, se sabemos que existem *50 milhões* de crianças que sofreram trauma, há um número incomensurável de adultos carregando essa dor em suas vidas, carreiras, em seus relacionamentos e depois transferindo-a para seus filhos. E esses adultos podem não ter percebido o que aconteceu com eles.

Dr. Perry: Eles não apenas não se dão conta do que aconteceu, como seus companheiros, médicos e colegas de trabalho também não sabem. Isso leva a muitos mal-entendidos, às vezes com consequências trágicas.

Falamos bastante sobre como as atitudes dos cuidadores influenciam a criança, mas é importante lembrar que esses cuidadores também foram crianças influenciadas pelos cuidadores *deles*. Os efeitos do trauma se estendem por gerações e afetam comunidades, e é importante sempre voltar à nossa questão central com um olhar compassivo, perguntando: o que aconteceu com você?

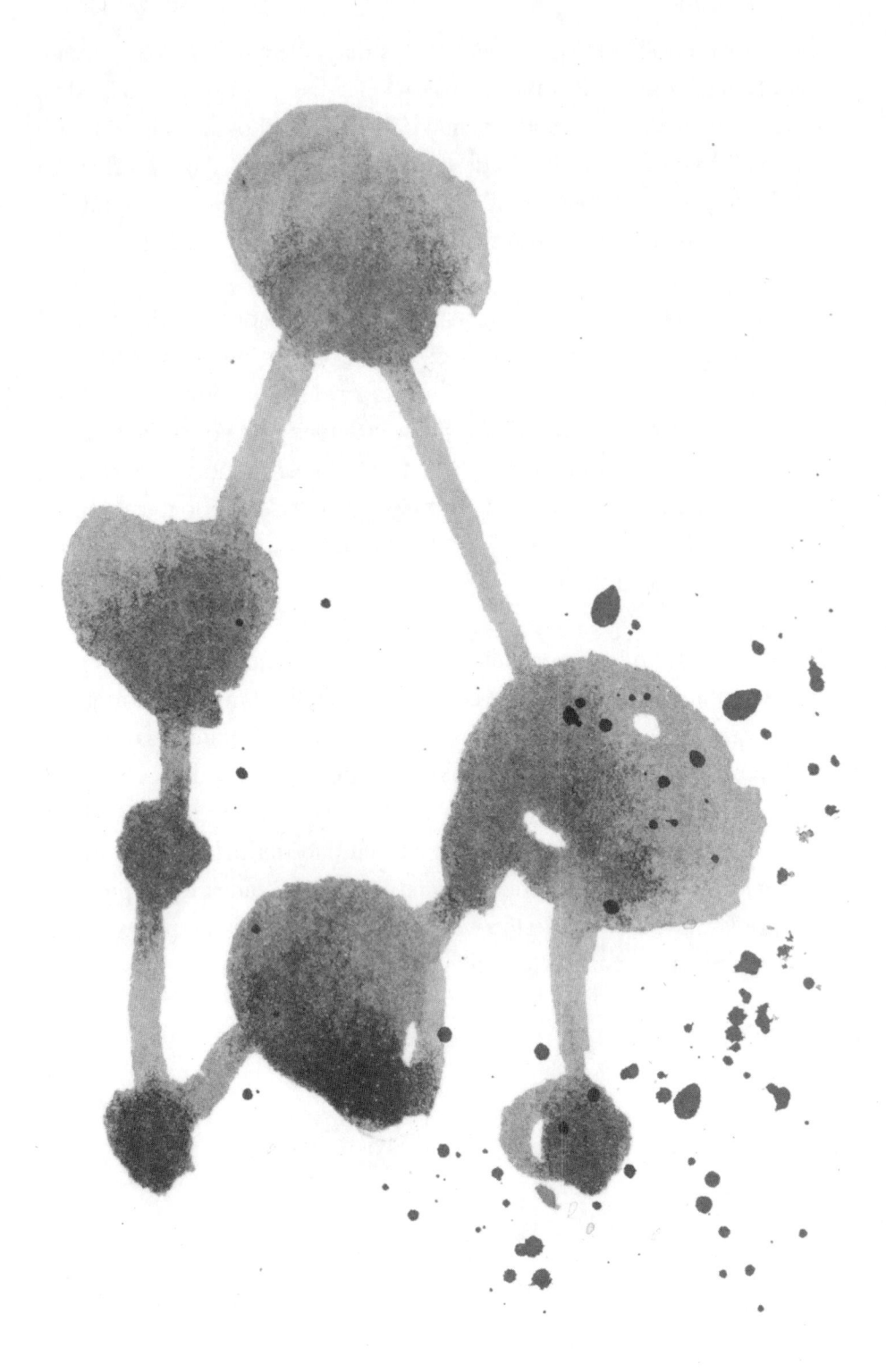

CAPÍTULO 5

LIGANDO OS PONTOS

Durante grande parte da minha vida adulta, ficar sozinha à noite era extremamente estressante. Nem em Chicago, onde morava no 57º andar de um prédio com segurança e porteiro, eu me sentia segura. Uma noite, depois de morar naquele condomínio por alguns anos, senti um medo tão intenso que me convenci de que, se eu não fosse embora, alguma coisa ruim iria me acontecer. Me levantei da cama, saí de casa e me hospedei em um hotel vizinho. Senti-me mais segura no hotel, porque ninguém saberia que eu estava lá. Meus medos não faziam sentido para mim e estavam piorando. Eu sabia que precisava entender o que estava acontecendo, mas não fazia ideia de por onde começar.

Naquela época, Chicago estava se recuperando de um dos primeiros tiroteios em escola do país. Em 20 de maio de 1988, Laurie Dann entrou em uma sala do segundo ano em North Shore, subúrbio de Winnetka, e abriu fogo. Seis crianças foram baleadas, e Nick Corwin, de 8 anos, foi morto.

Depois do tiroteio, pais efurecidos e angustiados começaram a pedir que a escola mantivesse as portas trancadas e acorrentadas, protegidas por seguranças. Um dia, li uma matéria que explicava por que o diretor da escola se recusou a implementar essas mudanças: ele disse que pôr correntes nas portas enviaria às crianças a mensagem de que elas não estavam seguras.

De repente, do nada, enquanto lia o artigo, comecei a chorar.

Não apenas pelas crianças e suas famílias que estavam recolhendo os cacos após uma tragédia, mas porque as palavras do diretor que se recusou a aprisionar os alunos acionaram uma lembrança esquecida havia muitos anos.

Na minha infância no Mississippi, eu sempre dormia com a minha avó. Meu avô, que tinha demência, ficava em um quarto ao lado. Uma noite, despertei com meu avô parado ao lado da cama. Mesmo antes de abrir os olhos, eu podia sentir o medo da minha avó. Ela estava em alerta máximo, enquanto repetia: "Earlest, volte para a cama. Earlest, volte para a cama." Ele não se mexia. Estava tentando sufocá-la, lutando para pôr as mãos ao redor do seu pescoço. Quando finalmente conseguiu empurrá-lo para longe, minha avó correu para a porta gritando para um dos nossos vizinhos a quem chamávamos de Primo Henry, que vivia na mesma rua. "Henry! Henry! Henry!" Henry era cego, mas veio sem hesitação, no meio da noite, ajudar minha avó a levar meu avô de volta ao seu quarto. Minha avó encaixou uma cadeira sob a maçaneta da porta do nosso quarto e dispôs algumas latas em volta da cama. Na manhã seguinte, ela amarrou as latas e pendurou-as na porta. E toda noite, pelo restante dos dias que vivi com a minha avó, as latas estiveram na porta e a cadeira sob a maçaneta. Eu tentava dormir atenta a qualquer possível barulho das latas.

Quando li sobre o diretor que não colocaria correntes nas portas, tive um insight: as latas na porta do quarto da minha avó mandavam exatamente a mensagem que o diretor tentara evitar. As correntes talvez protegessem as crianças, mas, na cabeça do diretor, era muito pior lembrá-las constantemente de um incidente traumático e levá-las a acreditar que não estavam seguras.

Finalmente, juntei os pontos sobre por que tinha medo de ficar sozinha à noite. O ataque à minha avó enquanto estávamos dormindo, em nosso estado mais vulnerável, tinha sido traumatizante e deixou profundas cicatrizes emocionais. Mesmo quando adulta, enquanto eu tentava dormir, minha mente estava condicionada a permanecer em estado de ativação, preparada para atacar.

Estabelecer essa ligação e entender, por fim, tanto a causa quanto o efeito do meu problema para dormir foi um divisor de águas para mim. Embora eu ainda possa reagir às marcas de profundo estresse que surgiram tantos anos atrás no quarto da minha avó, hoje tenho as ferramentas e o entendimento para recuar, observar o que estou sentindo e escolher como enfrentar o medo.

Quando você faz uma reflexão sobre seus padrões individuais de resposta, sabe que, ao interpor um pequeno espaço de tempo entre a sensação imediata e sua reação instintiva, estará se permitindo permanecer presente e acabará recuperando o controle.

– **Oprah**

Oprah: É possível herdar uma intensa sensação de medo?

Dr. Perry: Bom, vamos ampliar a pergunta.

Oprah: Eu deveria ter imaginado! Você não vai simplesmente responder "sim" ou "não", vai? Aposto que pretende deixar tudo mais complicado!

Dr. Perry: Isso mesmo. Porque você está chegando ao "O que aconteceu *conosco*?", e isso influencia de maneiras complicadas quem nos tornamos. Absorvemos elementos de gerações anteriores e os transmitimos para a próxima geração. Nossos genes, nossa família, comunidade, sociedade e cultura, tudo faz parte disso. Então, sua pergunta sobre o medo herdado é central para a compreensão do trauma, especialmente o "trauma histórico".

Tomemos como exemplo o medo de cachorros. Esse medo pode se basear em experiência pessoais, como ter sido mordido por um cachorro na infância. O cérebro da criança criou associações entre cães e ameaça, semelhante ao que aconteceu com Mike e suas experiências na guerra. No entanto, algumas pessoas têm um medo intenso de cachorros, apesar de não terem um histórico pessoal de ataque. De onde vem isso? Eu diria que esse medo deve vir de transmissão transgeracional (veja Figura 9, p. 129). Imagine, por exemplo, crescer em um mundo onde os cães são treinados para caçar, rastrear e atacar pessoas. Tyler Parry, um dos principais estudiosos da colonização e da escravidão, descreveu os cães farejadores de escravos como a "ferramenta mais eficiente e aterrorizante para disciplinar pretos e dominar seu espaço". Algumas gerações mais tarde, cachorros foram usados da mesma maneira para intimidar e aterrorizar participantes de marchas pelos direitos civis no Sul, reforçando para muitos um medo transgeracional desses animais. Você se lembra das nossas conversas sobre contágio emocional? Não é difícil imaginar uma criança "sentindo" medo perto de um cachorro, quando seu pai, ou sua mãe, segura a mão dela com mais força ou corre para atravessar a rua e assim evitar alguém

Figura 9
MECANISMOS DE TRANSMISSÃO TRANSGERACIONAL

Genética
- DNA

Epigenética (modificação e controle da expressão genética)
- Modificação das histonas
- Metilação do DNA

Vida intrauterina
- Meio maternal (estresse, por exemplo)
- Toxinas ambientais
- Outros fatores (álcool, drogas, etc.)

Experiência perinatal
- Vínculo e apego (formação do núcleo básico regulatório e relacional)

Experiência pós-natal
- Mediação da família (linguagem, valores e crenças, por exemplo)
- Mediação da educação, da comunidade e da cultura

que esteja passeando com o cachorro. O medo do avô torna-se o medo do pai, que se torna o medo da criança.

Se desejamos fazer uma mudança intencional – mudança em nível individual (como a cura após um trauma) *e* em nível cultural (como identificar e mudar políticas destrutivas que incorporam racismo, por exemplo), entender *o que* "herdamos" e *como* "herdamos" é necessário para o insight que pode trazer a mudança.

Oprah: Ao longo dos anos, tenho tido conversas com a autora e mestre espiritual Iyanla Vanzant sobre como, de várias maneiras, somos um produto de nossos antepassados. Iyanla diz: "Toda família tem padrões e patologias de pensamento, crença e comportamento que são transmitidos de uma geração a outra da mesma maneira que se transmite uma característica física." E ainda que a gente goste de celebrar as potencialidades e os sucessos dos que vieram antes de nós, Iyanla afirma: "Muitas dessas características conscientes e inconscientes são poderosas e produtivas. Outras não."

Então, estou curiosa para saber o que a ciência diz. De uma perspectiva biológica, certos traços psicológicos, características emocionais e padrões de comportamento podem ser transmitidos de um membro da família a outro em grandes intervalos de tempo?

Dr. Perry: Sem dúvida, geração após geração. E usamos múltiplos caminhos para "transmitir" essas características (veja Figura 9, p. 129). Voltemos à sua questão sobre medo, por exemplo. Estritamente falando, quando você pergunta se nós *herdamos* uma sensação de medo, quer saber se esse traço está codificado na nossa genética e nos é transmitido por nossos pais. A resposta é um pouco vaga.

Mas se fizermos uma pergunta ligeiramente diferente – *O medo é transmissível de geração a geração? O medo de um pai ou uma mãe pode se tornar um legado para a criança?* –, a resposta é um enfático sim.

Como dissemos, em nossa essência somos seres relacionais, criaturas sociais. Por isso, estamos neurobiologicamente sintonizados com outras pessoas. Parte do nosso cérebro está em constante monitoramento de quem está à nossa volta, tentando entender as intenções e os sentimentos dos outros. Faz parte do nosso esforço para dar sentido ao mundo. Sentimos e absorvemos as emoções dos que nos rodeiam. Isso é mais verdadeiro ainda quando se trata das pessoas com quem passamos a maior parte do tempo e das quais dependemos. As crianças, em especial, são muito contaminadas pelas emoções das pessoas com quem convivem. Pense em você e na sua avó na história que acabou de contar. Você sentiu medo. O medo dela passou para você, você o "pegou" e o carregou para a sua geração.

Oprah: É, eu podia sentir o medo dela. E minha avó era uma mulher forte, que tomava conta da casa. O medo era uma reação incomum para ela. Então, eu sabia que era uma situação perigosa, e acho que provocou alterações em mim num nível celular.

Quando penso na comunidade afro-americana, vejo como o trauma pode remontar a gerações, até a escravidão. Foram centenas de anos internalizando o trauma do racismo, da segregação, da brutalidade, do medo, além do desmonte da família nuclear. Tudo isso se repetiu vezes sem conta no nível micro do indivíduo, e mais tarde foi visto e sentido no nível macro da sociedade. É por isso que os protestos do Black Lives Matter (Vidas Pretas Importam) de 2020 foram tão poderosos. O indivíduo no nível micro e a sociedade no nível macro tinham ambos atingido o ápice do sofrimento.

Dr. Perry: E eu diria que, se entendermos melhor como esse sofrimento – esse trauma – é transmitido de geração para geração, teremos mais chance de detê-lo com sucesso e de modo intencional.

Isso nos leva de volta à *transmissibilidade* – ou seja, ao contágio emocional. A palavra *transmissível* é usada para descrever a capacidade de um traço (ou habilidade, crença, etc.) ser transmitido de uma pessoa a outra. Quando crianças que vivem em uma casa onde só se fala espanhol crescem e falam espanhol, elas não "herdaram" o espanhol. A capacidade de fazer associações entre som e imagem é fundamentalmente genética, mas as maneiras específicas com que transformamos essa capacidade genética em linguagem não é. Não existem genes para chinês, inglês ou espanhol.

A linguagem, no entanto, é transmissível. No começo da vida, os sistemas relacionados à linguagem no córtex cerebral são tão "esponjosos" que mudam quando interagimos com pessoas por meio da fala. Ao falar com o bebê, mudamos o cérebro dele. Isso permite que ele aprenda o idioma da família.

São processos vinculados à experiência que se aplicam a muitos outros traços, bem como a valores e crenças. Eles não são geneticamente codificados: são aprendidos, absorvidos, às vezes modificados, e depois ensinados à próxima geração por meio de exemplo, instrução intencional e inércia. Existem características complexas, tais como altruísmo, que requerem uma superestrutura genética, mas a forma como incorporamos esse traço nas crenças e práticas complexas do budismo, do cristianismo ou do islamismo não é algo genético. Pode haver elementos genéticos que nos tornem mais cautelosos ou defensivos na interação com alguém muito diferente da nossa família ou do nosso clã de origem, mas o racismo é um conjunto de crenças aprendido sobre a superioridade de um povo. Na prática, racismo tem a ver com poder, dominação e opressão.

A língua que falamos, as crenças que temos, tanto boas quanto ruins, são passadas de geração a geração por meio da experiência. E muitos aspectos da experiência humana são invenções – não brotaram simplesmente dos nossos genes. Dez mil anos atrás, a humanidade já tinha o potencial genético para ler um livro, mas não havia um único ser humano no planeta que pudesse ler. O potencial genético para tocar piano existia, mas ninguém tocava. O potencial genético para enterrar uma bola de basquete, digitar uma frase, andar de bicicleta... Todos esses potenciais existiam, mas não eram manifestados.

A humanidade, mais do que qualquer outra espécie, é capaz de se apropriar das experiências acumuladas, destiladas de gerações anteriores, e transmitir essas invenções, crenças e habilidades para a próxima geração. Isso é uma evolução sociocultural. Aprendemos com os mais velhos, inventamos e passamos adiante o que aprendemos e criamos.

O órgão que permite que isso aconteça é o cérebro humano, especificamente o córtex. Como já dissemos, o córtex é o que nós, humanos, temos de mais extraordinário no nosso corpo, e não é de se surpreender que ele dê origem às capacidades humanas mais fascinantes: fala, linguagem, pensamento abstrato, reflexão sobre o passado, planejamento para o futuro. Nossas esperanças, nossos sonhos e uma parte importante da nossa visão de mundo são mediados pelo córtex.

Oprah: Então, como lidar com gerações de experiências que contribuem para que a nossa visão de mundo seja negativa?

Dr. Perry: Para começar, temos que estar atentos às maneiras como cada aspecto do nosso mundo pode nos influenciar de maneira intensa e, com frequência, desconhecida.

Nossa mídia, nossas instituições e sistemas, nossas comunidades são impregnadas com alguns elementos de parcialidade. Em muitas circunstâncias, transmitimos a linguagem de superioridade, dominação e opressão de maneira silenciosa e invisível, mas poderosa.

O córtex, que faz a mediação da leitura, da escrita, da matemática, da história, bem como de nossas crenças e nossos valores, é incrivelmente maleável. Todos sabemos que, se você receber repetidamente instruções para olhar para as letras, proferir palavras e escutar outros lendo, acabará criando sua própria capacidade neurobiológica de ler. Nós *aprendemos* a ler. O estímulo padronizado e repetitivo de redes neurais específicas muda o cérebro. Nesse caso, estamos diante da transmissão de uma habilidade baseada em experiência, de uma geração para a próxima: ensinar uma criança muda o cérebro dela. Graças a esse cérebro modificado, a criança pode crescer e ensinar o que aprendeu a alguém da geração seguinte. Existe transmissão transgeracional.

O mesmo acontece com nossas crenças, tanto as humanas e compassivas quanto as abomináveis, opressivas e desumanizadoras. A mesma maleabilidade do cérebro, a qualidade esponjosa que permite aos bebês absorver e aprender a língua dos seus pais, também permite às crianças internalizar as crenças boas e ruins de adultos influentes.

Assim, é importante entender a maneira como transmitimos coisas para a próxima geração. Se quisermos enriquecer a transmissão de práticas, crenças e valores humanos e compassivos, bem como minimizar a transmissão de crenças abomináveis e destrutivas, precisamos estar muito atentos às situações a que expomos nossas crianças. Elas convivem com pessoas diferentes delas? Presenciam a celebração da diversidade? Ou estão sendo criadas para temer e julgar qualquer um que não pense, pareça ou fale como elas? A transmissão geracional de preconceitos pode ser rompida. Podemos parar de transmitir crenças abomináveis, destrutivas e falsas para a próxima geração, mas isso requer força de vontade em todas as formas de influenciar nossos bebês e crianças pequenas. Temos que pensar nas imagens que eles veem nas revistas que lemos, nas pessoas que recebemos em nossa casa, na maneira com que tratamos quem parece diferente de nós. E isso é apenas o comecinho: muitos aspectos do nosso mundo precisam mudar. Mas todas essas circunstâncias podem influenciar o processo de transmissão transgeracional.

Oprah: O que me leva a algo que eu soube naturalmente por toda a minha vida, e com o tempo vim a entender com mais profundidade: tudo tem importância. Tudo que já aconteceu com você, que já aconteceu com a sua mãe, que já aconteceu com a mãe da sua mãe, com o pai da sua mãe, e assim por diante, tudo importa.

Dr. Perry: Suas próprias experiências e os ecos das experiências dos seus antepassados influenciam a sua maneira de pensar, sentir e se comportar. Eles são grandes determinantes da sua saúde. Essa consciência pode nos ajudar a lembrar que tudo que fazemos agora vai ecoar no futuro. Nossas ações fazem diferença, pois estamos impactando as próximas gerações. Será que estamos atentos ao máximo?

Oprah: Nossos atos têm um tremendo efeito cascata, o que torna ainda mais crucial para nossa evolução que entendamos o que aconteceu conosco.

Dr. Perry: O que nos traz de volta à sua pergunta simples: "É possível herdar uma intensa sensação de medo?" Vamos concluir a resposta.

Uma das maneiras mais importantes de transmitir "informação" para a próxima geração é através dos nossos genes. E alguns aspectos dos nossos sistemas de resposta ao estresse são "herdáveis". Existem mecanismos genéticos que desempenham um papel no funcionamento das nossas redes regulatórias centrais (RRCs) (veja Figura 2, p. 54).

Algumas pessoas parecem ter uma capacidade geneticamente influenciada para suportar dificuldades. Elas conseguem tolerar uma gama mais ampla de complexidade sensorial e de estressores. É preciso mais para desregular essas pessoas. Em contraste, outras parecem ter nascido com uma resposta "sensível" ao estresse. São mais facilmente oprimidas por mudanças de pouca importância na complexidade sensorial. Às vezes, essas pessoas têm o que é chamado de um temperamento "difícil de acalmar", observado desde o nascimento.

Além de uma genética hereditária relacionada à regulação do estresse, também existem fatores hereditários "epigenéticos". A epigenética é outro desses termos amplamente usados – e mal compreendidos – na nossa área, então vou dar uma breve visão geral.

Toda célula no nosso corpo tem os mesmos genes, mas nem toda célula tem os mesmos genes "ativados". Isso ocorre porque há genes específicos para os ossos, para o sangue, para os neurônios e assim por diante. Durante o desenvolvimento, os genes envolvidos na engenharia, digamos assim, da célula muscular são ativados nas células musculares, enquanto os genes para sangue, ossos e cérebro são desligados. À medida que as células se tornam "especializadas", muitos dos seus genes são desativados.

No entanto, há situações – em casos de inanição, por exemplo – em que o corpo manda mensagens químicas para os genes que foram desligados, dizendo a eles para voltarem a se ligar. *Ei, em geral não precisamos de vocês, mas como estamos morrendo de fome, temos que usar açúcar e gorduras com mais eficiência, então precisamos acionar vocês para fazer esse trabalho.* Essas alterações são chamadas de mudanças epigenéticas. "Epi" vem do grego "acima", porque os verdadeiros genes não estão mudando, mas mecanismos celulares "acima" do gene podem acionar genes fundamentais e desligar outros. Esses processos regulatórios genéticos estão continuamente em funcionamento em nosso organismo, tentando nos manter "equilibrados", bem regulados e o mais saudáveis possível.

Ora, como já comentamos, padrões diferentes de estresse podem levar à sensibilização ou à resiliência. Em ambos os casos, mudanças epigenéticas estão envolvidas na alteração da sensibilidade das RRCs. É outro exemplo da notável flexibilidade do corpo para produzir mudanças que nos mantenham em equilíbrio.

Em alguns casos, essas mudanças epigenéticas ficarão armazenadas no óvulo ou no esperma e serão passadas para a próxima geração. Volte alguns séculos e imagine um jovem capturado na África, brutalmente escravizado, acorrentado, faminto, transportado em navio negreiro para uma vida de servidão que será cheia de perdas, violência e múltiplas formas de trauma. Sobreviver a traumas tão extremos, numerosos e contínuos, como aconteceu com milhões de seres humanos extraordinários, provavelmente produziria mudanças adaptativas até chegar à regulação da expressão genética. Para deixar claro, os próprios genes não mudariam, mas poderiam, como foi dito, ser acionados ou desligados. Os filhos desse jovem, e os netos, ainda escravizados e suportando outros traumas, se beneficiariam dessas adaptações moleculares epigenéticas. No entanto, construir uma rede de resposta ao estresse persistentemente sensibilizada tem um custo. É provável que, através de gerações, em diferentes cenários, mudanças que já foram adaptativas se tornassem inadequadas.

Imagine um bebê nascido com o aparato de resposta ao estresse já preparado para lidar com trauma, pronto para um mundo imprevisível, caótico e ameaçador. Se o mundo já não for tão extremamente caótico, ameaçador e imprevisível, as mudanças epigenéticas que preparam esse bebê para o caos podem levá-lo a criar uma visão de mundo um tanto distorcida. O estudo da epigenética ainda é muito novo, e há muito mais a aprender, mas é concebível que as experiências dos nossos avós, bisavós e antepassados ainda mais distantes tenham uma influência significativa na maneira como expressamos nosso DNA. E, retomando sua questão original, uma influência relevante na nossa sensação de medo.

A boa notícia é que o cérebro permanece mutável. Como é de se esperar, os mecanismos epigenéticos que regulam os genes são reversíveis. Eles não ofereceriam muita vantagem adaptativa se não fossem. Assim como ameaça e trauma podem levar a mudanças epigenéticas, as interações acolhedoras também podem revertê-las. Os ambientes e ameaças mudam, e, se devemos permanecer em equilíbrio, o mesmo acontece com a nossa fisiologia.

Oprah: Falamos anteriormente sobre como a adversidade na infância pode nos impactar. E agora discutimos como os padrões emocionais e comportamentais, as experiências e crenças podem ser transmitidos de uma geração a outra. Fica claro para mim, em um nível bem mais profundo, que nossa prioridade deveria ser compreender "o que aconteceu" em oposição a "qual é o problema" das pessoas. No entanto, muitas não tiveram a oportunidade de explorar o que aconteceu com elas, ou de entender que o que aconteceu ainda faz parte delas e que elas não têm culpa dessas experiências.

Estamos aprendendo a conectar a nossa história com a nossa saúde emocional e física atual. Sendo assim, que áreas potencialmente problemáticas devemos ter em mente?

Dr. Perry: Uma das mais importantes é a maneira como nos vinculamos aos outros. O trauma no desenvolvimento pode perturbar nossa capacidade de criar e manter relacionamentos. Sempre que acontece um trauma ou uma negligência no contexto de nossos relacionamentos com os cuidadores, existe um grande risco de que as redes neurais envolvidas em "ler" outras pessoas e reagir a elas seja alterada. Quando essas capacidades de vínculo são prejudicadas, haverá dificuldade com amizades, escola, emprego, intimidade e família. Existe até risco de se repetir padrões de abuso transgeracionais.

Oprah: Para algumas pessoas, é quase impossível seguir o fluxo, ou se dar bem. Elas gritam com o chefe, não são confiáveis como amigas, sabotam novos relacionamentos.

Dr. Perry: No entanto, tudo o que essas pessoas querem é estabelecer um vínculo. Elas até podem ser boas em começar relacionamentos, só são terríveis para mantê-los. Como somos em essência criaturas relacionais, essa dificuldade é fisiológica e psicologicamente devastadora. Ela leva ao isolamento, à desconexão, à solidão e está ligada a muitos e variados problemas, incluindo risco para adoecimento físico.

Oprah: É por isso que a pergunta "o que aconteceu com você" não deveria ser somente uma preocupação da comunidade de saúde mental. Médicos de família e profissionais de saúde de todas as especialidades precisam ir além da saúde física.

Dr. Perry: Sim. E a saúde física é outra importante área potencialmente problemática em relação ao trauma. Já dissemos que a adversidade no desenvolvimento aumenta o risco para todos os tipos de problema de saúde, incluindo doenças cardíacas, asma, problemas gastrointestinais e doenças autoimunes. Entender as correlações pode mudar a maneira como diagnosticamos e tratamos esses males físicos.

A diabetes é um grande exemplo. No mundo todo há 415 milhões de diabéticos. Nos Estados Unidos, o número fica perto de 34 milhões, mais de uma em cada dez pessoas. Outros 88 milhões de americanos adultos têm risco pré-diabético e cardiometabólico. Se o trauma alterou as RRCs (veja Figura 2, p. 54), haverá problemas generalizados de regulação, incluindo regulação do açúcar no sangue e da liberação de insulina. Tanto o risco para diabetes quanto o controle da doença estão relacionados com uma história de adversidade.

Oprah: Preciso fazer uma interrupção aqui. Sei que haverá pessoas dizendo: "A diabete é estritamente biológica." Mas o que esta conversa revela, e o que seus estudos nos últimos 30 anos têm provado, é que o bem-estar físico e a saúde emocional estão profundamente conectados.

Dr. Perry: Com certeza. Sei que a maioria das pessoas, inclusive muitos médicos, faz uma distinção entre "biológico" e "psicológico", quando se trata de doença. E é muito comum, por exemplo, a comunidade médica descartar sintomas físicos relacionados a trauma, tais como dores de cabeça ou abdominais, que quase sempre afligem pessoas com uma resposta sensibilizada dissociativa. Eu trouxe o exemplo de um material sobre dor abdominal distribuído em 2020 por um centro médico acadêmico, uma instituição que diariamente prepara novos médicos. Veja o que eles ainda ensinam: *"A grande maioria de crianças e adolescentes com dor abdominal recorrente tem dor abdominal funcional ou 'não orgânica', o que significa que não é causada por anormalidades físicas."*

Isso sugere que a dor é "psicossomática" ou "coisa da sua cabeça". Equivale a desconsiderar o problema. E, de fato, muitos problemas de saúde relacionados a trauma são desconsiderados, abstraídos e confundidos com outros. Uma vez que você conheça melhor a neurociência, e como nossos sentidos e nosso cérebro traduzem experiência em atividade "biológica", as distinções artificiais desaparecem. Se você entende a neurobiologia do trauma, sabe que a "anormalidade" física que está causando a dor abdominal pode ser vista como dissociação sensibilizada. Você começa a entender que a "visão de mundo" de uma pessoa pode mudar seu sistema imunológico, e que uma conversa positiva com um amigo pode influenciar o funcionamento do coração ou dos pulmões de um paciente naquele dia. A interconectividade fica clara. Como você disse, Oprah, *tudo tem importância*.

Acima de tudo, você passa a entender que o pertencimento é biologia, e que a desconexão destrói a nossa saúde. O trauma leva à desconexão, impactando todos os sistemas do nosso corpo.

Veja um exemplo. Atendi uma menina de 16 anos, Tyra, com diabetes *mellitus* tipo 1, dependente de insulina, às vezes chamada de diabetes juvenil. Para deixar claro, essa forma de diabetes envolve tanto um componente genético quanto algumas experiências agravadoras no começo da vida (por exemplo, infecção ou reação autoimune). Não estou sugerindo que a diabetes de Tyra fosse causado por trauma. O diagnóstico foi feito quando ela era muito mais nova, e até ser hospitalizada ela tinha mantido um bom controle. Sabia aferir a própria taxa de açúcar no sangue e se aplicar injeções de insulina.

Tyra foi admitida no hospital em coma diabético. A taxa de açúcar no sangue tinha subido tanto que ela estava inconsciente. A equipe médica cuidou da crise e ela se estabilizou. Os dias seguintes no hospital foram gastos na tentativa de calcular a dosagem correta de insulina, mas a equipe médica não conseguia acertar. Uma dose que parecia funcionar pela manhã acabava se revelando alta demais (fazendo o açúcar no sangue de Tyra despencar) ou baixa demais (mantendo a taxa de açúcar no sangue perigosamente alta). A equipe chegou a pensar que Tyra estivesse manipulando de propósito sua insulina ou comendo doces em segredo. Eles não conseguiam entender as oscilações malucas do açúcar no sangue da jovem, em face do que consideravam ser doses apropriadas de insulina. Como suspeitavam de comportamento "autodestrutivo", pediram uma avaliação psiquiatra.

Encontrei Tyra no quarto do hospital. Estava positiva, agradável, cooperativa e intrigada pela incapacidade da equipe médica de calcular sua insulina. Durante anos, ela tinha calculado bem a sua dosagem.

Estávamos conversando fazia uns dez minutos quando Tyra parou de falar e ficou visivelmente tensa. Pensei que eu tivesse feito algo para deixá-la nervosa. Então, percebi que ela olhava pela janela, atenta à sirene de uma ambulância que chegava ao pronto-socorro do hospital. Ora, quem trabalha em um ambiente hospitalar ouve sirenes o tempo todo e não presta atenção. Eu nem tinha reparado. Mas Tyra tinha.

– Posso tirar sua pulsação? – perguntei.

A pergunta interrompeu seu olhar fixo.

– Claro.

Aproximei-me, peguei seu pulso e verifiquei a pulsação: 128 batimentos por minuto. Muito alta para uma jovem em repouso.

– Não pude deixar de notar que você pareceu nervosa com a sirene.

– Ah, acho que sim. Me faz imaginar quem poderia estar ferido.

– Você conhece alguém que precisou de uma ambulância? Além de você mesma, é claro. – A pergunta fez com que ela ficasse com o olhar fixo de novo. Deixei os minutos passarem.

Por fim, ela piscou e começou a falar baixinho:

– Umas duas semanas atrás, eu estava com algumas amigas no parque. Estávamos sentadas numa mesa de piquenique, sem fazer nada. – Ela parou.

– Você não precisa falar sobre isso.

– Não, tudo bem. – Eu não tinha tanta certeza, mas deixei que ela continuasse.

– Eu nem ouvi tiros. Keisha diz que ouviu. Eu estava sentada ao lado da Nina, e de repente ela olhou direto para mim, com os olhos grandes, assim... – Tyra arregalou os olhos para me mostrar. – Ela parecia muito surpresa, soltou um leve chiado e caiu para a frente. As costas dela estavam cobertas de sangue. – Tyra estava revisitando o momento. Seu medo e sua confusão eram óbvios.

Conforme a sirene lá fora parou, ela voltou a falar:

– A polícia chegou, havia muitas sirenes. A ambulância levou um tempão para vir. Levaram ela embora. Era o meio do dia. A gente só estava sentada ali.

Segurei novamente seu pulso: a pulsação estava em 160 batimentos por minuto. Ela respirava rápido, claramente em estado de medo (veja Figura 6, p. 94).

– Seus médicos sabem que isso aconteceu?

– Acho que não. Por que saberiam?

– É, acho que você tem razão. Eu não imaginaria que eles fossem perguntar coisas assim. Então, Tyra, vou te contar o que acho que está acontecendo com a sua insulina. – Desenhei o triângulo de ponta-cabeça e falei sobre a resposta ao estresse, sobre como o corpo se prepara para fugir ou lutar quando temos medo.

Tyra sabia bastante sobre como a insulina ajuda a levar o açúcar do sangue para dentro das células do corpo, mas não estava ciente de como a adrenalina, liberada durante uma situação de perigo, "mobiliza" reservas de açúcar para auxiliar em comportamentos de "luta ou fuga".

A adrenalina aumenta a quantidade de açúcar no sangue. A resposta de Tyra ao estresse, hiperativada pelo trauma recente, aumentava sua adrenalina, e a consequência era muito mais açúcar circulando. A dosagem de insulina que tinha funcionado no passado já não era adequada. Além disso, quando ela ficava exposta a alguma sugestão evocativa, tal como as sirenes, seu sistema sensibilizado tinha uma hiper-reação, liberando doses muito altas de adrenalina e, por sua vez, levando a picos de açúcar. E lá estava ela, num quarto onde o som eventual de sirenes causava picos eventuais de açúcar no sangue. Ela não estava manipulando a insulina nem comendo escondido. Perguntar a Tyra o que aconteceu mudou a regulação dinâmica do açúcar no sangue dela.

Mudamos a jovem para outra ala do hospital, onde ela não ouviria sirenes o dia todo, e Tyra começou uma terapia. Em poucos dias foi possível definir um esquema de insulina estável e ela foi para casa.

Oprah: Os médicos não conseguiam explicar o que estava acontecendo "biologicamente", então deduziram que a culpa fosse dela. Eles não levaram em conta que um trauma poderia estar influenciando a biologia.

Dr. Perry: Nem passou pela cabeça deles perguntar. Vinte anos atrás, o trauma nunca era considerado um fator na saúde de alguém. Sinceramente, era raro até que fosse cogitado como fator na saúde mental. Até hoje, o papel que o trauma e a adversidade no desenvolvimento desempenham na saúde física e mental permanece subestimado.

Crianças e adultos com trauma no desenvolvimento frequentemente sentem dor abdominal crônica, dores de cabeça, dor no peito e vivenciam episódios com desmaios e algo semelhante a convulsões. Todos esses sintomas são muito comuns se há uma resposta sensibilizada ao estresse. A maioria dos médicos, quando não consegue chegar a um diagnóstico comum, rotula esses sintomas como "funcionais" ou "psicológicos". Esse tipo de atitude negligente só piora as coisas.

Oprah: Sei que você se debruçou sobre isso ao longo dos anos. Um dos termos que escuto você usar quando ensina sobre cérebro e trauma é *sequencial*. Já mencionamos isso antes, mas poderia explicar novamente o que significa e por que é importante ao pensar sobre "o que aconteceu" conosco?

Dr. Perry: Claro. Tudo que é sequencial acontece numa *sequência*, um conjunto de passos, primeiro a, depois b, depois c. E, como dissemos, nosso cérebro processa nossas experiências de maneira sequencial. Todo estímulo sensorial (sensações físicas, cheiros, sabores, visões, sons) é primeiro processado nas áreas inferiores do cérebro – o cérebro inferior tem prioridade. Isso significa que, antes que qualquer experiência tenha a chance de ser avaliada pela parte superior, a parte "pensante", o cérebro inferior já interpretou e reagiu a ela. Ele comparou o estímulo sensorial da nova experiência com o catálogo de memórias armazenadas de experiências passadas – *antes* que a parte inteligente do cérebro tivesse qualquer chance de participar.

Mas assim como vimos com Mike Roseman, a parte inferior do cérebro não consegue identificar o tempo em que as coisas aconteceram. Então, às vezes, interpreta o estímulo que entra de maneira imprecisa. Se algum estímulo combina com a memória armazenada de uma experiência passada, o cérebro inferior reage como se a experiência passada estivesse acontecendo no momento. Isso é um problema quando a experiência passada foi um trauma. O cérebro de Mike equiparou o som de uma explosão de escapamento de motocicleta ao terror da guerra. O cérebro de Tyra equiparou o som de sirenes ao horror da morte da amiga. Para você, Oprah, estar sozinha à noite evocou a memória sensorial do ataque do seu avô, naquela noite de tantos anos atrás.

Oprah: Ou seja, o cérebro interpreta duas experiências de maneira semelhante, mesmo que elas tenham acontecido com décadas de diferença. A pessoa poderia vê-las como acontecimentos separados, mas o cérebro dela as classifica como se fossem a mesma. Você descreve isso como uma espécie de falha de comunicação dentro do cérebro.

Figura 10
SEQUÊNCIA DE INTERAÇÃO

CÓRTEX
RACIOCINAR

SISTEMA LÍMBICO
RELACIONAR

DIENCÉFALO
REGULAR

TRONCO CEREBRAL

INTEROCEPÇÃO | CINCO SENTIDOS
Estímulo do mundo interior (corpo) | Estímulo do mundo exterior

Nosso cérebro está continuamente recebendo estímulos do nosso corpo (interocepção) e do mundo (cinco sentidos). Esses sinais que chegam são processados de maneira sequencial, e a primeira classificação acontece no cérebro inferior (tronco cerebral, diencéfalo). Para argumentar com outra pessoa, precisamos passar pelas áreas inferiores do cérebro dela e chegar ao seu córtex, a parte responsável pelo raciocínio, incluindo a resolução de problemas e a cognição reflexiva. Se a pessoa estiver irritada, frustrada ou desregulada, o estímulo que entra sofrerá um curto-circuito, resultando num estímulo ineficiente e distorcido para o córtex. É então que a sequência de interação se inicia. Sem algum nível de regulação, é difícil se conectar com outra pessoa, e, sem conexão, o raciocínio é mínimo. Tentar argumentar com alguém antes de essa pessoa estar regulada não dará certo e só aumentará a frustração (desregulação) para ambos os lados. Comunicação, ensino, treinamento, parentalidade e contribuição terapêutica eficientes requerem atenção e aderência à sequência de interação.

Dr. Perry: Sim. E entender que nosso cérebro processa cada experiência sequencialmente também ajuda a explicar a falta de comunicação *entre* cérebros – em outras palavras, entre pessoas. Afinal de contas, a comunicação tem a ver com levar uma ideia, um conceito ou uma história do seu córtex para o córtex de outra pessoa. Da parte inteligente do seu cérebro para a parte inteligente do cérebro do outro. O problema é que nós não nos comunicamos diretamente de córtex para córtex. A comunicação passa pelas partes inferiores do cérebro. Todos os pensamentos racionais do nosso córtex precisam passar pelos filtros emocionais do cérebro inferior. Os sentidos da outra pessoa transformam nossa expressão facial, nosso tom de voz e nossas palavras em atividade neural, e então acontece o processo sequencial de equiparar, interpretar e passar a mensagem para o córtex dela. Ao longo do percurso há muitas oportunidades para que o sentido de qualquer comunicação seja destilado, distorcido, ampliado, minimizado ou perdido.

Vamos pensar no que acontece quando a resposta ao estresse é ativada. Frustração, raiva e medo podem desligar partes do córtex. Quando uma pessoa está desregulada, ela simplesmente não consegue usar a parte mais inteligente do cérebro. Reveja a Figura 6 (p. 94), que ilustra o funcionamento estado-dependente. Quanto mais a ativação perdura, mais as partes inferiores do cérebro dominam o seu funcionamento.

No meu trabalho, falamos sobre "atingir o córtex", o que significa chegar ao lugar onde é possível se comunicar racionalmente com alguém. Se a pessoa estiver regulada, você pode se conectar com ela de maneiras que facilitarão uma comunicação racional. Mas se estiver desregulada, nada do que você disser chegará de fato ao córtex dela, e ela terá dificuldade para acessar mesmo o que já está lá. Se você for professor, é essencial entender isso, porque a criança regulada consegue aprender, porém a desregulada não consegue. O mesmo acontece na supervisão de pessoas em um ambiente de trabalho, ou na comunicação com colegas, com seu companheiro ou sua companheira, com seus filhos, com qualquer pessoa. A regulação é a chave para a criação de uma conexão segura. E estar conectado é a maneira mais eficiente e efetiva de levar informação ao córtex. Um professor, um treinador, um orientador, um terapeuta, todos dependem de que o relacionamento seja a via expressa para o córtex.

Usamos o termo *sequência de interação* para descrever as etapas que envolvem a chegada até o córtex. Vou dar um exemplo de uma aplicação dessa sequência na vida real.

Ao longo dos anos, tive a oportunidade de trabalhar com forças policiais, inclusive com o FBI, em grande parte ensinando os efeitos do trauma. Durante um tempo, fui consultor para o Child Abduction (Rapto de Crianças) do FBI e para a Serial Killer Task Force (Força--Tarefa de Serial Killers). Nessa função, ocasionalmente me pediam para entrevistar crianças – vítimas e testemunhas.

Joseph era um menino de 3 anos que tinha testemunhado o rapto de sua irmã de 11, várias semanas antes. No momento do rapto, os dois estavam brincando na rua, no meio da tarde. Quando Joseph correu para casa, só conseguiu dizer para a mãe que "o homem levou Sissy". Uma semana depois, acharam o corpo.

A força policial local e o FBI tinham entrevistado Joseph, mas aquele menino pequeno e abalado não conseguiu dar muitos detalhes sobre "o homem" ou sobre o rapto.

Entrevistar crianças de 3 anos é um desafio em qualquer circunstância, e eu era um completo estranho me intrometendo na experiência mais dolorosa da vida de Joseph. Eu sabia que qualquer informação útil seria armazenada sob a forma de memória "narrativa", ou seja, a reconstrução mental que Joseph faria do acontecimento. Elementos fundamentais de memória narrativa são armazenados nas áreas superiores do cérebro, especialmente no córtex.

Eu também sabia que o medo inibe muitos sistemas corticais, desligando-os, na verdade. Incluem-se aí os sistemas envolvidos na memória narrativa (veja Figura 11, p. 148). Joseph jamais conseguiria me dar qualquer informação útil se não se sentisse seguro.

Ciente do poder do contágio social (lembra-se do agrupamento?), concluí que, se a mãe de Joseph pudesse demonstrar sinais de aceitação e familiaridade quando eu estivesse por perto, ele se sentiria mais seguro comigo. É a versão cerebral de "qualquer amigo seu é meu amigo".

Outro elemento que contribui para o sentimento de segurança em relação a outra pessoa é um histórico de experiências positivas com ela. Quanto mais tempo de qualidade você passa com alguém, mais o seu cérebro classifica essa pessoa como segura e familiar. É por isso que, em terapia, leva-se, em geral, de dez a vinte sessões até o paciente começar a se sentir seguro o suficiente para compartilhar algumas das suas experiências emocionais mais difíceis. Com uma "dose" semanal de 50 minutos, pelo processo terapêutico tradicional, Joseph precisaria de dez semanas para se sentir seguro comigo. Nada prático para aquele tipo de entrevista.

Então, como me tornar, rapidamente, uma presença segura e familiar para Joseph? Como fazer as redes cerebrais dele me classificarem como seguro? Como no caso do garotinho que tinha testemunhado a morte da mãe num assalto a sua casa, uma "dose" significativa – ou período de ativação – para as redes neurais seria de apenas alguns segundos. Então, em vez de dez sessões de terapia de 50 minutos, para permitir que Joseph formasse um conjunto de memórias sobre mim, eu teria dez ou 12 interações de cinco minutos. Envolver-se, conectar-se, esclarecer, desligar: cinco minutos. Envolver-se, conectar-se, esclarecer, desligar: cinco minutos. Entrar e sair do campo visual do garoto, do seu espaço, tendo em mente todos os fatores que podem impactar o sentimento de segurança de alguém em qualquer interação. Minhas breves interações teriam que minimizar quaisquer elementos desreguladores e maximizar elementos reguladores e de ligação.

Parte do problema ali era o "diferencial de poder" natural que existe entre um adulto e uma criança. Em toda interação entre duas pessoas, o cérebro de cada uma delas faz cálculos complexos: *Esta pessoa é segura? É um aliado ou um inimigo? Vai me machucar ou me ajudar? O que ela está planejando? O que ela quer?* Esse cálculo relacional ajuda a definir onde estamos em uma escala de poder. *Somos iguais: não me sinto ameaçado. Sou dominante: estou seguro. Ele é dominante: estou vulnerável.* Se nos sentimos vulneráveis, haverá uma mudança

Figura 11

ESTADO-DEPENDÊNCIA E MEMÓRIA

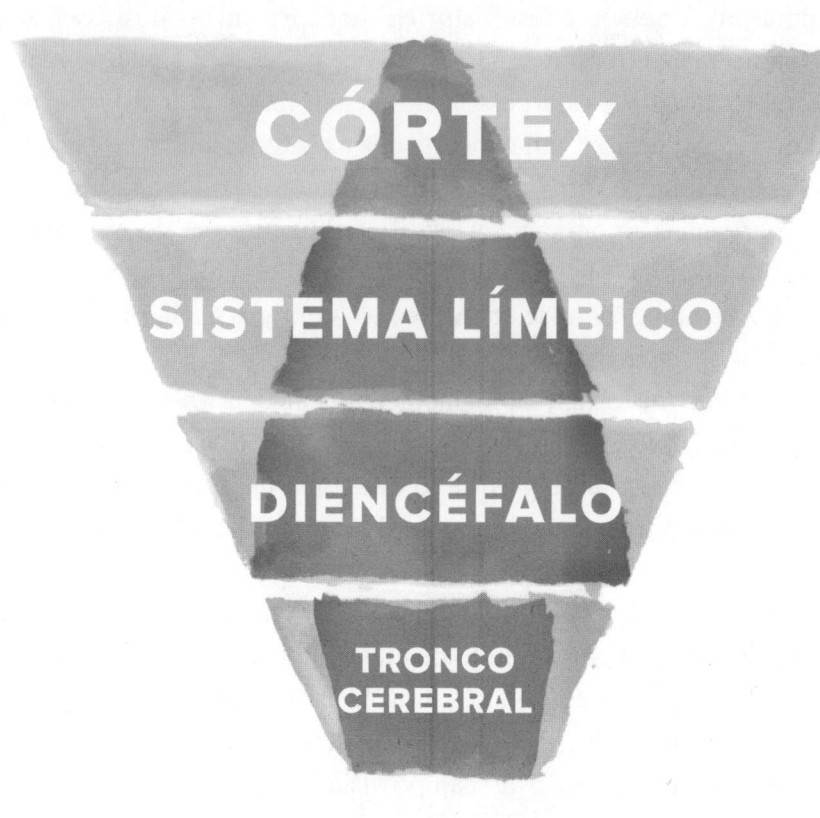

CÓRTEX

SISTEMA LÍMBICO

DIENCÉFALO

TRONCO CEREBRAL

DESREGULADO
Acesso ineficiente a memórias armazenadas no córtex

ESTADO-DEPENDÊNCIA E ACESSO À MEMÓRIA NARRATIVA

Em um estado de medo (desregulado), ocorre a desativação de alguns sistemas nas áreas superiores do cérebro (no córtex, por exemplo). Isso torna ineficiente a recuperação de uma memória narrativa linear anterior. Um exemplo comum dessa situação é a ansiedade diante de uma prova: o conteúdo foi armazenado, mas, durante a prova, a recuperação é impossível. Quando a pessoa está regulada, sentindo-se conectada e segura, o conteúdo armazenado fica acessível e mais fácil de recuperar.

CÓRTEX
SISTEMA LÍMBICO
DIENCÉFALO
TRONCO CEREBRAL

1. Regular
2. Relacionar
3. Raciocinar

→ **REGULADO**
Memórias corticais acessíveis

estado-dependente em nossos sistemas de resposta ao estresse e, consequentemente, na forma como nos sentimos, pensamos e interpretamos a interação.

Esse cálculo relacional serve para nos manter seguros e vivos. Se não nos sentimos seguros, nos tornamos desregulados. As implicações disso são profundas, aliás: essas dinâmicas de poder estão entranhadas em nossos sistemas sociopolíticos e desempenham um papel essencial, por exemplo, no racismo sistêmico.

Oprah: Eu me lembro de você explicar o diferencial de poder em termos da pessoa cuja voz é interpretada de maneira diversa. Para mim, especificamente, enquanto estávamos falando sobre desafios de liderança na OWLAG, você disse: "Seu sussurro é ouvido como um grito." Foi uma revelação.

Dr. Perry: Bom, nesse caso estamos diante do efeito Oprah. Quando a pessoa está no topo de um diferencial de poder, às vezes ela não percebe o poder que tem, ou o impacto que sua simples presença pode causar nos outros. Falaremos bastante disso quando conversarmos sobre cura.

No caso de Joseph, imagine um homem de 1,87 metro falando com uma criança de 91 centímetros sobre um homem que matou sua irmã. O diferencial de poder seria imenso. Para "chegar ao córtex dele", eu teria que me esforçar para diminuir esse diferencial.

Depois de conversar com os agentes do FBI, com a mãe e com membros da minha equipe, decidimos que a entrevista aconteceria na casa de Joseph, onde ele se sentia mais seguro. No início, a mãe e eu nos sentamos à mesa da cozinha, conversando, enquanto Joseph, cauteloso, andava de um lado para o outro, entrando e saindo do cômodo. Eu tinha pedido à mãe para me apresentar.

– Joseph, venha aqui, querido – disse ela. – Quero que conheça meu amigo, o Dr. Perry.

Joseph aproximou-se, receoso. Saí da minha cadeira e me agachei até a altura dele. Estava tentando minimizar a óbvia diferença física, tornar-me menor e conseguir uma interação olho no olho.

– Oi, Joseph. Sou o Dr. Perry. Vim visitar a sua mãe e você. – Ele olhou para mim. Como o que é desconhecido alimenta o medo, eu queria que ele soubesse quem, o que, por quê. – Sou um médico que trabalha com crianças de famílias que passaram por coisas difíceis. Sua mãe me contou sobre a sua irmã. Sinto muito. – Joseph parou de se mexer e olhou para o nada. – Hoje, eu e você vamos brincar. Mais tarde, quando você estiver pronto, vou te fazer algumas perguntas sobre a sua irmã. – E me levantei. – Vou pegar um café – eu disse. – Você quer alguma coisa?

Joseph não olhou para mim e não disse uma palavra.

Perguntei para sua mãe.

– Claro – ela disse. – Eu aceito um café.

Essa cena levou cerca de três minutos. Saí pela porta da frente. Dez minutos depois, eu estava de volta. Sentei-me e conversei com a mãe por mais dez minutos, enquanto Joseph, novamente, entrava e saía da cozinha, a cada vez chegando mais perto da mesa. No chão da sala de visitas havia alguns caminhões de brinquedo. Sentei-me no chão e comecei a brincar com um deles. De início, Joseph me ignorou, mas depois se aproximou e, com cuidado, tirou o brinquedo de mim.

– Me desculpe, Joseph, eu devia ter pedido antes de pegar seu caminhão. – Ele se sentou a alguns metros de distância e fingiu brincar com o caminhão. Então, eu me levantei e disse: – Vou ter que resolver algumas coisas, mas eu volto. – Saí outra vez.

Depois de uns dez minutos, voltei, agora com giz de cera e papel. Sentei-me à mesa da cozinha, colorindo em silêncio. A mãe de Joseph sentou-se comigo, tomando seu café. Curioso, ele se aproximou e olhou. Não olhei para ele, mas lentamente estendi a mão com um giz e uma folha de papel. Ele não pegou.

Sentei-me no chão da sala de visitas, levando os gizes e o papel. Joseph trouxe o caminhão e estendeu-o para mim. Peguei o brinquedo e lhe dei umas folhas e um giz de cera. Ele se deitou de bruços, ao meu lado, e ficamos colorindo em silêncio por cerca de cinco minutos. Então, me levantei e ele olhou diretamente para mim, como que para perguntar aonde eu ia.

– Eu volto. Você pode tomar conta desses gizes de cera para mim?

– Posso. – A primeira palavra dele.

Houve mais umas três sessões breves. A certa altura, Joseph disse:

– Aqui estão meus brinquedos mais legais. – Ele me pegou pela mão e me levou até seu quarto. Repassamos toda a sua coleção. Ele enunciava frases completas, estava falante, confortável. Eu tinha conseguido deixá-lo regulado por meio da brincadeira, de um método repetitivo de colorir, do aval relacional da mãe, andando e falando pela casa. Graças às interações, os sistemas de reconhecimento facial do seu cérebro me classificaram como familiar. Tinha havido uns 12 "episódios" de interação; os sistemas cerebrais de Joseph não registraram que eram todos parte da mesma visita de quatro horas.

Joseph e eu estávamos conectados. Àquela altura, ele tinha me percebido como seguro e familiar. Suas redes corticais e sua memória narrativa estavam acessíveis. Ele conseguiria falar sobre o rapto da irmã sem se fechar?

Entreguei a ele o controle da situação.

– Você se lembra do que eu disse sobre falar da sua irmã?

– Lembro. – Joseph acenou com a cabeça e parou de brincar.

– Não precisamos falar sobre isso se você não quiser.

– Tudo bem – disse Joseph, mas não voltou a brincar.

Perguntei se ele se lembrava de como era o homem. Ele deu alguns detalhes. Eu precisava de mais: cabelo comprido, curto, bigode, roupas, magro, gordo? Peguei um jornal velho para usar fotos de homens como exemplo, sem saber que havia fotos relacionadas ao rapto da irmã.

Ele viu uma imagem dela.

– Essa é a Sissy. Ela está morta.

Mostrei algumas propagandas diferentes.

– Ele tinha cabelo assim? – Tentei conseguir mais detalhes. Então, virei a página, e a postura de Joseph mudou.

Olhando a foto de um suspeito, ele se inclinou para a frente.

– É esse – disse ele. – Esse é o cara mau. Ele tem óculos.

Quando mostramos a ele fotos de outros homens com traços parecidos, Joseph praticamente as ignorou. Mais tarde, identificou de imediato o suspeito, em uma fileira virtual de homens, todos fisicamente semelhantes.

No final da entrevista, eu disse:
– Joseph, você se lembra de onde o homem pegou a sua irmã?
– Lembro.
– Você pode me levar lá?

Enquanto andávamos pelo bairro, Joseph contou o que tinha acontecido. Sua irmã estava brincando com uma bola. A bola tinha caído em uma vala funda, ao lado da rua. Quando ele foi buscá-la, um caminhão vermelho apareceu, um homem saiu da boleia, pegou a irmã, o caminhão partiu. O homem não viu Joseph.

Ao reviver a experiência, Joseph ficou visivelmente nervoso. Tinha chegado ao limite. Paramos, mas a identificação e a descrição que fez do rapto levaram diretamente à prisão do assassino da irmã.

Oprah: Você chegou ao córtex dele.

Dr. Perry: Cheguei. A história de Joseph é um bom exemplo da sequência de interação. Para se comunicar de maneira racional e bem-sucedida com alguém, é preciso ter certeza de que a pessoa está *regulada*, ter certeza de que ela criou um *vínculo* com você e só então tentar argumentar com ela. Vinte anos atrás, eu tinha conhecimento suficiente disso – e do impacto do estresse e do trauma no cérebro em geral – para conseguir me comunicar com Joseph sem levar seu córtex a se desligar. No entanto, ao sair daquela casa, deixei uma família destroçada. A dor da perda traumática de uma filha jamais abandonou a mãe. Para Joseph, a irmã mais velha estaria perdida para sempre. Todo ano, há um aniversário silencioso para Sissy. Nas comemorações, há sempre um lugar vazio à mesa da família. O Dia das Mães é doloroso e agridoce.

Ainda não sabíamos o suficiente sobre cura. Embora trabalhássemos com centenas de famílias, e ainda que eu pudesse dar uma explicação muito boa sobre o que eu achava que era a causa da dor deles, da exaustão, da depressão, da ansiedade, das imagens intrusivas, até da saúde desregulada, eu simplesmente não sabia como melhorar nada daquilo. Mas continuamos escutando e aprendendo.

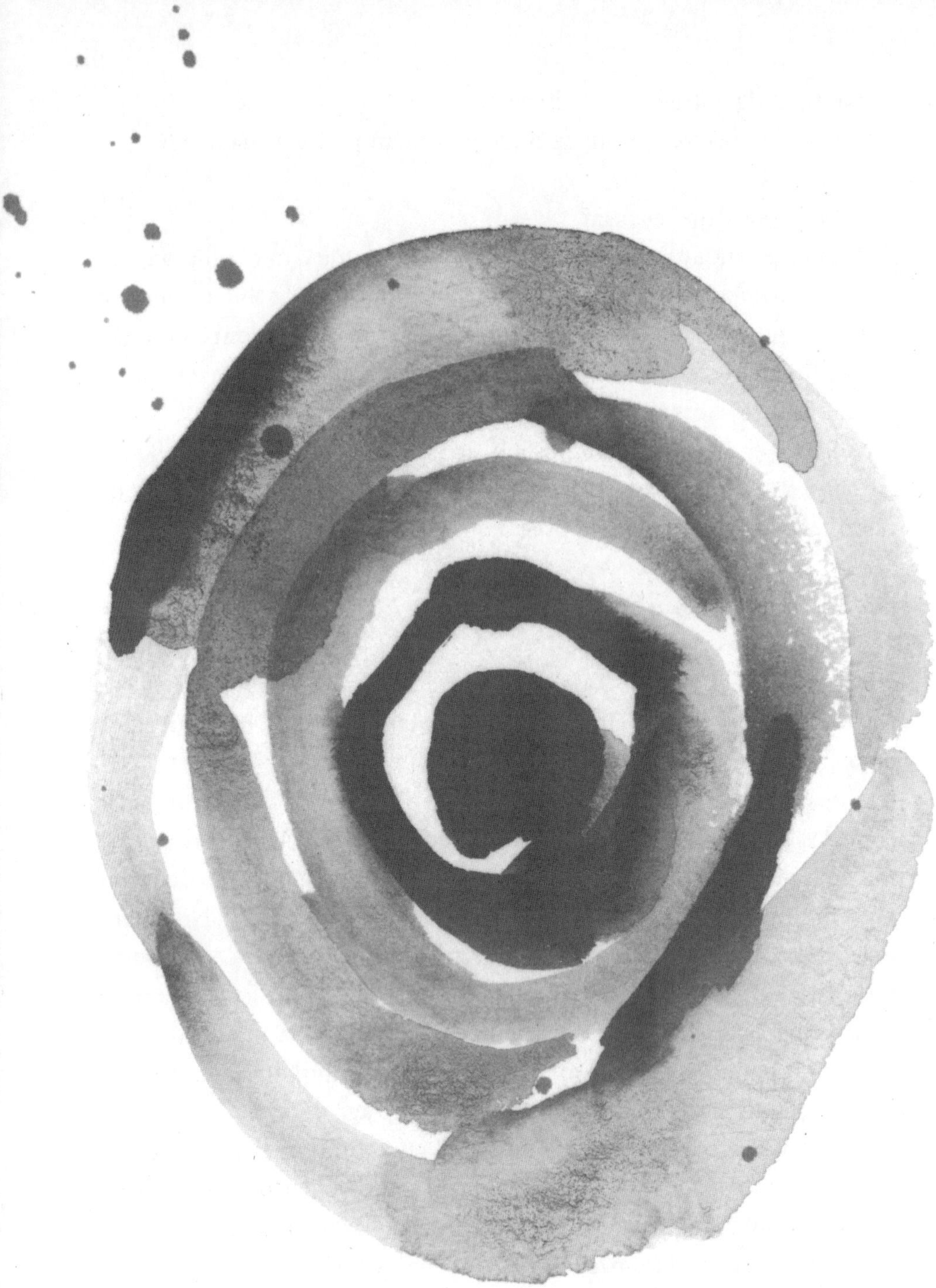

CAPÍTULO 6

DO ENFRENTAMENTO À CURA

Passei a maior parte da minha carreira tentando entender como o estresse e o trauma provocam mudanças em nós. No entanto, no início, me concentrei demais em acontecimentos extremamente traumáticos. Centenas e, com o tempo, milhares de crianças, jovens e adultos compartilharam suas histórias de vida comigo. Escutei e refleti sobre como o que eu ouvia se encaixava na extensa pesquisa neurocientífica sobre o estresse em animais. Muitas vezes, pensei: *Ah, agora eu entendo. É assim que o trauma funciona. É assim que o trauma influencia o cérebro e o comportamento.* Mas eu estava enganado. Aprendia coisas importantes, mas não entendia, não inteiramente.

Aprofundei minhas reflexões sobre a cura após o trauma. Acreditava que, se o histórico de trauma de uma pessoa fosse extremo, a cura seria mais difícil. Mas havia peças no quebra-cabeça que eu não estava vendo.

Isso ficou evidente para mim trinta anos atrás, quando eu tentava entender dois meninos, ambos de 12 anos, que viviam num centro residencial de tratamento. Estavam lá por terem apresentado comportamentos "descontrolados" nas várias casas de acolhimento e internatos por onde passaram. Os dois cursavam a 6ª série, mas tinham dificuldade na escola, com um nível de leitura de 4ª série. Quando revi seus prontuários, ambos tinham os mesmos rótulos do DSM, o manual dos diagnósticos: Transtorno de Déficit de Atenção e Hiperatividade, depressão profunda, transtorno explosivo intermitente e transtorno de conduta. Tomavam vários medicamentos, prescritos numa tentativa de refrear seus sintomas prejudiciais. E os dois estavam no programa residencial havia cerca de um ano.

Quando os conheci, me "senti" diferente ao me sentar com cada um em separado. Ambos criaram um clima na sala, mas a partir de estados emocionais muito diversos. Thomas havia sofrido abuso físico nas mãos de um pai furioso e explosivo. Aos 6 anos, foi retirado de casa. Tinha passado por 12 lares de acolhimento e três hospitalizações antes de chegar àquele centro residencial. Aquele ano no centro representava o período mais longo morando no mesmo lugar ao longo de toda a sua vida. Continuava a receber visitas da mãe e, ocasionalmente, do pai. Apesar do seu histórico, gostava de interagir, sorria e tentava me ajudar a conhecê-lo. Mas era fácil perceber nele a hipervigilância, o desassossego e mudanças extremas de humor. Quando nos conhecemos, sua frequência cardíaca, em repouso, era de 128 batimentos por minuto. Suas atitudes desatentas, contraditórias, desafiadoras e agressivas eram manifestações de uma resposta de ativação hiperativa e hiper-reativa (veja Figuras 5 e 6, p. 82 e 94). Ele vivia num persistente estado de medo. Não achei que tivesse quatro transtornos diferentes do DSM; ele tinha um, uma versão infantil de Transtorno do Estresse Pós-Traumático.

James produziu uma "sensação" completamente diferente. Na verdade, não havia sensação alguma: era como se eu estivesse sentado com um fantasma, como se ele fosse oco. Quando eu estava com ele, me sentia sozinho. Seus registros não indicavam nenhum dos acontecimentos traumáticos mais "tradicionais", comuns em crianças de acolhimento. A mãe, provavelmente sofrendo de depressão, desaparecera com um namorado quando James tinha 3 meses. Ele passou seis semanas em um abrigo até a avó materna, que morava sozinha, concordar em acolhê-lo. Parece que ela não ficou feliz em ter que criar James. Revendo os antigos registros, a imagem que surgiu foi de uma cuidadora desmotivada e amarga. Mas ela fez o possível. Não havia histórico de abuso físico, abuso sexual, exposição a consumo de drogas ou outras formas de trauma. Havia muitas descrições de um estilo descompromissado, "exaurido", não interativo de criar uma criança, e mínimas interações físicas ou verbais. Sob os cuidados da avó, James tornou-se desatento e desobediente. As recompensas não pareciam surtir efeito, e as consequências não pareciam afetá-lo. Ele furtava objetos aparentemente insignificantes, um lápis, uma pulseira, um brinquedinho. Quando confrontado, negava, mesmo sendo óbvio. Muitas vezes, tinha ameaçado esfaquear outros alunos e era descrito como agressivo e explosivo. Uma análise mais profunda, porém, deixava claro que nunca tinha realmente acertado, empurrado ou atacado alguém. Só ameaçava.

Aos 8 anos, a avó de James perdeu a paciência e simplesmente desistiu. Entregou-o ao "sistema" porque ele estava "mentindo, roubando e era ingrato", e ela começava a ter medo dele. James ameaçara matá-la enquanto ela dormia. Ele entrou no sistema de proteção à infância e pulou de uma casa de acolhimento a outra antes de terminar naquele ambiente residencial. A desatenção que levou a seu diagnóstico de TDAH não era do tipo vigilante, como a de Thomas. James era desatento porque era desmotivado e sonhador. Em contraste com Thomas, que tinha a frequência cardíaca de 128 batimentos em repouso, a de James era de 60 batimentos por minuto.

Apesar de terem recebido os mesmos rótulos do DSM, Thomas e James não tinham nada em comum. Comecei a pensar em James quando bebê. Uma mãe jovem e inexperiente, sofrendo de depressão, pressionada pelas necessidades constantes de um recém-nascido. Talvez ela tivesse problemas relacionais ou de vinculação. O que havia acontecido com ela? Não se pode dar o que não se teve.

Imagine o começo de vida de James. Ele tinha uma mãe que atendia às suas necessidades, mas talvez não muito mais que isso. Exatamente quando ele está começando a organizar sua neurobiologia "relacional", todo o seu mundo muda. Um novo grupo de adultos começa a cuidar dele no abrigo. Cada um desses adultos tem um cheiro, uma voz, um jeito de tocar diferentes. E então, subitamente, eles também se vão. Aos 5 meses, o cérebro de James, em rápido desenvolvimento, contém uma série de "memórias" confusas e desorganizadas sobre vinculação humana. Ele aprendeu que as pessoas desaparecem, não são consistentes ou previsíveis e não atendem às suas necessidades. Elas não o confortam nem o recompensam de maneira confiável.

Agora, imagine qualquer bebê faminto, assustado e com frio entregue a uma cuidadora inconstante. Em um bebê, a versão da resposta ao dilema "lute ou fuja" é chorar. Mas se chorar não traz a cuidadora responsiva, ou traz uma cuidadora frustrada ou raivosa, o bebê é obrigado a usar outras opções para se acalmar. Nessas situações, uma resposta adaptativa dominante de um bebê ao estresse é se desligar do mundo externo confuso e ameaçador, e se recolher em seu mundo interior.

Quando conheci James, eu já sabia que a dissociação era a adaptação fundamental quando os animais ficavam estressados de maneiras específicas: quando a ameaça era inescapável ou imobilizadora, e quando lutar era inútil. Esse tipo de estresse leva a uma resposta de "capitulação" ou "derrota" em animais. Sua fisiologia muda: eles se fingem de mortos. A pesquisa animal nessa área é extensa. Curiosamente, pesquisas paralelas sobre a neurofisiologia de dissociação em humanos pouco avançaram – até hoje.

De qualquer modo, aqui estão duas crianças com os mesmos rótulos de acordo com o manual, mas com comportamentos diversos e reações diferentes a tratamento. De onde vêm essas diferenças? Do que aconteceu com elas quando muito pequenas.

Conforme passei mais tempo com Thomas, comecei a escutar mais sobre todas as pessoas amorosas em seu mundo tumultuado. A mãe, a tia e a avó materna eram muito afetuosas e não desistiam de tentar levar Thomas para casa. Mas a mãe não deixaria o marido. E o marido não conseguia parar com o vício.

Soube que o pai de Thomas nem sempre tinha sido abusivo. Segundo a família, suas dificuldades começaram depois de ele ter voltado do Vietnã. Naquela época o TEPT não era bem compreendido, e muitos veteranos do Vietnã não receberam ajuda. O consumo de álcool e drogas pelo pai fez com que ele fosse despedido. Quando se viu incapaz de cuidar da família, sua autoestima desmoronou. O ciclo traumático, envolvendo vergonha, sofrimento, álcool, raiva, humilhação e perda, acelerou a fragmentação familiar.

Antes da piora do pai, Thomas tivera um bom começo de vida, com cuidados amorosos e consistentes. Quando era bebê, o pai não era abusivo. No entanto, conforme o pai foi se mostrando agressivo, toda a família sofreu, principalmente a mãe de Thomas. O pai começou a bater nele quando Thomas tentou protegê-la. O menino se tornou o alvo preferencial da raiva do pai. Embora a mãe e outros membros da família fossem incapazes de protegê-lo completamente, fizeram o possível. O efeito amortecedor desses cuidadores e o bom começo de vida fizeram toda diferença. Thomas desenvolveu uma neurobiologia relacional saudável, apesar da resposta ao estresse sensibilizada pelo trauma.

Com o tratamento, ele melhorou. Sua capacidade relacional saudável permitiu que se saísse muito bem em um processo terapêutico focado no relacional. Em 12 meses, mostrou-se muito menos desregulado. Conseguia se concentrar e aprender com mais facilidade. Os problemas de comportamento diminuíram, e ele avançou duas séries em um ano. Começou a se curar.

James não progrediu no mesmo ritmo. Na verdade, piorou. Suas atitudes predatórias continuaram, ele ficou mais esperto e não era pego em seus pequenos delitos. Todos os esforços para moldar seu comportamento ou construir relacionamentos saudáveis fracassaram. Era quase como se, mesmo com ajuda terapêutica, ele não possuísse ferramentas para ter êxito.

Os relacionamentos são a chave da cura. Falaremos muito mais sobre isso. Mas, para James, toda interação relacional resultou em desligamento. Para ele, os "outros" não eram confiáveis. Em sua visão de mundo, as pessoas o machucam ou o abandonam. Não dá para confiar nos outros. Para mim, a lição foi esta: um aspecto essencial de *O que aconteceu com você?* é *O que não aconteceu com você?* O que faltou em termos de atenção, toque acolhedor, reconforto – basicamente, amor? Percebi que a negligência é tão tóxica quanto o trauma.

– Dr. Perry

Oprah: Quando você diz negligência, o que quer dizer? A negligência não é traumática?

Dr. Perry: Acredito que, na maioria dos casos, a negligência e o trauma possam ocorrer concomitantemente, mas provocam experiências biológicas muito distintas, com efeitos muito diferentes no cérebro e na criança em desenvolvimento. Algumas pessoas usaram o termo "trauma complexo" para tentar enquadrar negligência e maus-tratos no desenvolvimento, mas acho que esse jeito de conceituar põe coisas demais na mesma caixa.

Oprah: Então, me ajude a entender negligência.

Dr. Perry: Vamos pensar na criança em desenvolvimento. Para que o potencial genético dessa criança seja expresso, ela precisa passar por uma variedade de experiências.

Se essas experiências não acontecem, ou se o timing, padrão ou natureza delas for anormal, as capacidades fundamentais não se desenvolvem. A negligência é mais destrutiva no começo da vida, quando o cérebro está crescendo rapidamente. Nessa fase, ela dificulta que a criança receba o estímulo necessário a um desenvolvimento normal.

Provavelmente, você ouviu falar dos "órfãos romenos". Acredita-se que, durante o regime de Ceaucescu, na Romênia, mais de 500 mil crianças tenham passado parte do começo de vida nos orfanatos institucionais administrados pelo estado. Em 1989, com o fim do comunismo no país, o público e a imprensa testemunharam as horríveis condições a que essas crianças haviam sido submetidas. Era comum haver de 40 a 60 bebês ou crianças pequenas em um único cômodo grande, cada um no próprio berço o dia todo, com apenas uma ou duas cuidadoras circulando entre eles, fazendo jornadas de 12 horas. As crianças sofreram privações, desnutrição, abuso e mais. Mesmo depois de resgatadas dessas instituições, cresceram com uma série de déficits. Algumas tinham QIs baixos, outras não conseguiam andar, a maioria desenvolveu problemas graves na formação e manutenção de relacionamentos. Trabalhei com muitas crianças vindas desses orfanatos. Em geral, quanto mais tempo a criança passou neles, mais tempo de privação e mais sérios os problemas. Ironicamente, em algumas instituições superlotadas, crianças que tiveram que compartilhar berços acabaram se saindo melhor.

Hoje, os órfãos romenos são adultos. Para a maioria, os problemas persistem. Enquanto grupo, eles têm uma probabilidade muito maior de estar desempregados, ter problemas de saúde físicos e mentais, e dificuldade nos relacionamentos.

Casos similares isolados aconteceram nos Estados Unidos. Nosso grupo médico trabalhou com muitas crianças e jovens que vieram de contextos extremamente negligentes. Essas crianças crescem subsocializadas. Não aprendem a usar o banheiro, não sabem manusear talheres, suas habilidades de linguagem são mínimas. Nos casos mais extremos, parecem "bárbaros". O termo usado é *selvagem*.

Você, na verdade, mostrou o histórico de uma dessas crianças, Dani, a "menina na janela", no *The Oprah Winfrey Show*. Ela ficou trancada e foi profundamente negligenciada nos primeiros seis anos de vida, com resultados trágicos. Por sorte, foi resgatada e adotada. Sua jornada de cura foi dolorosamente lenta, mas constante.

Oprah: Quando ela foi recebida em um lar amoroso, começou a melhorar, mas não deixou de enfrentar dificuldades com a comunicação e as interações sociais.

Dr. Perry: Continua difícil para ela até hoje. Acontecem muitas coisas importantes no cérebro em desenvolvimento de uma criança nos primeiros seis anos de vida. E se as redes neurais principais não recebem as "experiências" corretas, nas horas certas, algumas capacidades essenciais não se desenvolvem normalmente. Ainda temos muito a aprender sobre isso e sabemos que outros fatores, como problemas na gestação ou trauma de nascimento, podem estar envolvidos em casos extremos, como o de Dani. Mas assim como no caso dos órfãos romenos, quanto mais tempo a pessoa passa em um ambiente que não favorece o desenvolvimento, mais difícil será sua recuperação.

Oprah: Mas esses exemplos, como o de Dani, são muito incomuns. Seis anos é um período muito longo. O que acontece se for apenas um ano? E se for apenas com uma babá específica? E se você deixa um adolescente de castigo, trancado no quarto durante um mês? Isso é negligência?

Dr. Perry: Deixar um adolescente de castigo não é negligência, porque sistemas fundamentais no cérebro já estão desenvolvidos. Não defendo que se tranque alguém de 15 anos no quarto por um mês, mas não é o mesmo que um mês de privação na primeira infância.

Mas os assuntos que você levanta são importantes. E, exatamente como no trauma, várias questões essenciais podem nos ajudar a avaliar se uma situação é negligência, e se for, qual o tamanho do impacto. Em que período do desenvolvimento aconteceu a negligência? Qual foi o padrão? O quanto a negligência foi severa? De que ela privou a criança? Quanto tempo durou? E, uma vez que uma negligência total e absoluta é rara, que fatores "protetores" estavam presentes quando ocorreu a negligência?

A forma mais comum de negligência é fragmentada, cuidados sem padrões. Em alguns dias, quando o bebê chora, o adulto vem alimentá-lo e acolhê-lo. Em outros dias, ninguém aparece. Em outros, ainda, alguém chega e grita com ele, sacode-o, machuca-o. Esse mundo confuso e caótico é muito desregulador. O bebê não recebe "estrutura" suficiente para enviar um conjunto de sinais claro e organizado para os sistemas em desenvolvimento do cérebro. O mundo do bebê é imprevisível, e o resultado é uma negligência "caótica". Os sistemas fundamentais se desenvolvem de maneira fragmentada e desorganizada, levando a problemas funcionais.

Outro tipo de negligência – negligência "fatiada" – ocorre quando muitos aspectos do desenvolvimento são normais, e alguns sistemas fundamentais recebem experiências no tempo adequado, mas um ou mais não, levando à ausência de um aspecto crítico de desenvolvimento saudável. Vou dar um exemplo.

Certa vez, trabalhei com cinco irmãos, com 11, 8, 6, 4 e 2 anos de idade. Eram todos encantadores. A mãe os criava sozinha. Tinha dois doutorados e amava muito seus filhos. O problema era que ela tinha uma alucinação fixa e um medo profundo de que seus filhos se machucassem se saíssem de perto dela. Então, começou a mantê-los no mesmo cômodo com ela – todas as crianças, o dia todo, a noite inteira. Com o tempo, ela começou a lecionar para eles em casa e insistia para que os filhos se sentassem em cadeirinhas de carro instaladas sobre os sofás. Chegou a ponto de mantê-los amarrados nas cadeirinhas. Não deixava que engatinhassem ou andassem.

Era carinhosa com essas crianças e muito atenta ao desenvolvimento cognitivo delas. Todas estavam, academicamente, dois ou mais anos à frente de outras da mesma idade, eram interativas entre si, verbal e socialmente, mas mesmo a mais velha mal conseguia ficar em pé. Tinha havido uma privação "fatiada" da atividade motora. O resultado era uma família com pernas e capacidade neuromotora subdesenvolvidas. Esse é um exemplo extremo de negligência "fatiada", mas existem muitos outros em que um importante campo de desenvolvimento é relativamente ignorado ou subestimulado, inclusive o do desenvolvimento emocional.

Oprah: Existem diversas maneiras de se negligenciar uma criança. Vi algumas crescerem negligenciadas porque não eram consideradas na casa. Fantasmas emocionais, como James.

Dr. Perry: Ah, sim. Trabalhei com muitas crianças negligenciadas emocionalmente, filhas de pais muito ricos que optaram por "terceirizar" a parentalidade, mas fizeram isso de uma maneira que ignorava o desenvolvimento. Eles não compreendiam a importância da consistência relacional no começo da vida, então a criança era cuidada por diferentes turnos de cuidadoras contratadas.

Oprah: O que você quer dizer com isso? Ouvimos o tempo todo que não importa quem ou quantas pessoas cuidam de uma criança, desde que ela receba amor e atenção. Está errado?

Dr. Perry: Eis uma grande questão. Em geral, quanto mais atentas e carinhosas as pessoas na vida de uma criança, melhor. Você se recorda das nossas primeiras conversas sobre o cérebro em desenvolvimento e o processo de construção da visão de mundo? Nesse caso, vai se lembrar de que, no começo da vida, o cérebro precisa de experiências padronizadas e consistentes para desenvolver sistemas fundamentais. Para ilustrar o que estou dizendo, vamos dar uma olhada no desenvolvimento da linguagem.

Digamos que durante seis semanas você fale apenas inglês com um bebê, e então diga: "Basta de inglês, vamos falar chinês." Nos próximos cinco meses, a criança escuta apenas chinês, mas então vem outra mudança: "Basta de chinês, agora vamos falar francês." E a língua que a criança ouve muda mais dez vezes, antes que ela tenha três anos. Essa pobre criança não falará língua nenhuma. Apesar de serem todas línguas válidas, e de todas as línguas "ativarem" a parte da fala e da linguagem no cérebro, não houve repetições suficientes de nenhum idioma para organizar adequadamente a capacidade plena de fala e linguagem da criança.

A confusão da linguagem também aconteceria se a criança escutasse 15 línguas diferentes por dia. Não haveria tempo nem repetições suficientes para que o cérebro em desenvolvimento do bebê processasse qualquer uma delas. O desenvolvimento da linguagem seria adiado, e possivelmente anormal.

O mesmo acontece nos relacionamentos. Se o bebê se familiariza com uma pessoa durante seis semanas, essa pessoa desaparece e outra começa a cuidar dele, e depois essa nova pessoa desaparece, e assim por diante, o cérebro dele não teve interações suficientes com nenhuma delas para criar a arquitetura que permita o desenvolvimento de uma neurobiologia relacional saudável.

A chave para se ter muitos relacionamentos saudáveis ao longo da vida é estabelecer poucos relacionamentos seguros, estáveis e acolhedores no primeiro ano. Isso produz repetições adequadas para a construção dos alicerces – a arquitetura relacional fundamental – que permitirão à pessoa continuar a desenvolver ligações relacionais saudáveis. É só pensar na linguagem: depois que você aprendeu uma ou duas línguas básicas, pode aprender muitas outras. Mas quando um recém-nascido, um bebê ou uma criança cresce em uma casa onde "amar" é terceirizado, o resultado pode ser uma forma de negligência "fatiada". As capacidades relacionais fundamentais ficam subdesenvolvidas ou atrofiadas.

Oprah: Também precisamos considerar a dependência da tecnologia. Cada vez mais, vejo pais terceirizando os cuidados infantis para o celular ou o tablet. Ou as crianças são entregues a seus próprios dispositivos metafóricos, enquanto os pais estão distraídos com seus dispositivos literais. Uma vez, eu estava dirigindo em Chicago e meu carro ficou o tempo todo atrás de uma charrete. As crianças estavam debruçadas para fora, olhando ao redor. A mãe estava ao celular, batendo papo. Durante todo o passeio. Nenhuma vez ela se ocupou das crianças, nem sequer olhou para elas. E eu fiquei pensando: *Quando o passeio terminar, ela vai postar uma foto com a legenda: "Olhe para nós, não foi demais? Fizemos um passeio de charrete."* Vejo com muita frequência pais que estão com os filhos, mas não realmente *com* eles.

Dr. Perry: Acho que esse é um problema grave na nossa sociedade dispersiva. Não somos muitos bons em estar realmente presentes.

Oprah: E até um bebê percebe quando você não está lá de verdade. Eles sabem se você está animado ou feliz. Eles sentem. Sabem se estão seguros ou não. Querem contato visual.

Dr. Perry: Eles querem comprometimento total. Querem que você esteja presente. A incapacidade de se estar de fato presente tem um impacto tóxico no desenvolvimento saudável. Como já dissemos, o cérebro do bebê está tentando dar um sentido ao mundo, e como somos criaturas sociais uma parte crucial desse processo é criar uma sensação de pertencimento: *Eu importo, pertenço ao clã*. Essa sensação decorre de receber dos outros sinais específicos de que somos importantes, principalmente vindos da família. E exige que se dê atenção ao recém-nascido, ao bebê ou à criança. Não uma atenção parcial, mas uma atenção totalmente comprometida. *Estou olhando para você. Estou escutando. Estou bem aqui, com você.*

Todos nós tivemos a experiência de estar conversando com alguém e se sentir dispensado quando a pessoa se desconecta para olhar o celular. Mesmo que sejamos adultos, tenhamos cérebros desenvolvidos e entendamos como o mundo funciona, parece desrespeitoso. Magoa.

Oprah: A sensação é: *Eu não era importante o bastante para prender sua atenção.*

Dr. Perry: Exatamente. *Não sou importante o bastante.* Já é muito ruim receber essa mensagem de alguém quando você é adulto. Imagine se for uma mensagem constante que o bebê recebe na fase de construir sua visão de mundo: *Não sou importante.* A capacidade do bebê de ser empático e acolhedor, de amar, depende da natureza, da qualidade e do número de interações amorosas que ele vivencia no começo da vida. Uma interação evasiva e descomprometida não cria os alicerces para que uma pessoa seja amorosa. Pelo contrário: está contribuindo para uma pessoa emocionalmente faminta, carente, que desejará pertencer, mas não terá a capacidade neurobiológica de realmente encontrar o que precisa. Um cuidado indiferente pode levar a uma insaciável sede de amor. Você não consegue amar se não foi amada.

Oprah: Sob um ponto de vista científico, o que acontece quando uma mãe ou um pai está ao celular enquanto a criança tenta compartilhar uma experiência com eles?

Dr. Perry: Existe um experimento famoso na psicologia do desenvolvimento criado por um amigo e colega meu, Dr. Ed Tronick. Chama-se paradigma do Rosto Imóvel e pode nos dar uma pista. Resumindo, um pai ou uma mãe é instruído a não fazer nenhuma expressão ao interagir com seu bebê. Deve "desligar-se" e mostrar-se passivo e frio em relação à criança. O bebê imediatamente tenta chamar a atenção do genitor e, segundos depois de fracassar, fica claramente estressado.

Oprah: Ele começa a chorar?

Dr. Perry: Quase sempre. O paradigma do Rosto Imóvel mostra, de maneira visceral, que no intervalo de segundos em que uma criança percebe que o pai ou a mãe está desligado e emocionalmente ausente, ela fica angustiada e tenta chamar a atenção do pai. Quando os esforços fracassam de vez, a criança se desliga e se recolhe emocionalmente. Se essa for uma experiência contínua, imagine o impacto em uma criança em desenvolvimento. Um cuidador frio, desligado e pouco atento pode ter efeitos tóxicos imediatos, e potencialmente perenes, na criança em desenvolvimento. Ela pode crescer sentindo-se inadequada, incapaz de ser amada. Mesmo com muitos talentos e habilidades, sentirá que "não é boa o bastante" como adulto, o que pode levar a uma série de comportamentos inadequados, incluindo formas doentias de buscar atenção, autossabotagem ou mesmo comportamento autodestrutivo.

Oprah: Se uma criança pequena depende dos pais ou da cuidadora para regulá-la, e essa cuidadora for indiferente, distraída ou mesmo ausente quando o bebê precisa de conforto ou comida, isso cria nele aquele padrão de ativação de estresse imprevisível e incontrolável.

Dr. Perry: Certo. E isso gera uma resposta sensibilizada ao estresse (veja Figura 3, p. 59). Vamos conversar sobre isso. Sabemos que o corpo humano – do bebê ou do adulto – tem vários sistemas que ajudam a pessoa a lidar com qualquer desafio que esteja enfrentando. O mais conhecido é a resposta "lute ou fuja", sobre a qual já falamos (veja Figura 6, p. 94).

Oprah: Estou olhando para a figura 6: calma, alerta, alarme, medo, terror. Por favor, me oriente.

Dr. Perry: Quando estamos estressados ocorre uma resposta gradual, ativando aos poucos os sistemas no cérebro e no corpo que nos ajudarão. Sem estresse, você pode ficar *calma* e refletir sobre o passado e o futuro. Mas assim que surge qualquer desafio – digamos, uma apresentação no trabalho – você entra num estado de *alerta*. Você percorre a plateia, analisa a expressão do público enquanto apresenta, tenta avaliar se está sendo convincente. *Eles estão entendendo? Será que estão gostando? Estão entediados?* Naquele dia, mais tarde, você sofre uma pequena batida com o carro e por um momento entra no estado de *alarme*, meio paralisada, sem saber ao certo o que fazer... *Devo chamar o seguro? Preciso acionar a polícia? Devo pegar os dados do outro motorista?* Você fica temporariamente sem ação, até que, de repente, o outro motorista salta para fora do carro e começa a gritar, ameaçando-a com uma arma. Agora, você entra num estado de total *medo*.

Aí também entra em cena outro componente importante da sua capacidade de resposta ao estresse: a dissociação. Seu cérebro está continuamente monitorando a situação e acessando opções: *Será que eu consigo escapar? Sou capaz de vencer esta luta?* Seu cérebro diz que você não pode vencer uma luta com um sujeito que tem uma arma, então você tenta evitar um confronto e pede desculpas veementes. Você tem uma sensação de assistir ao que está acontecendo com você, como se estivesse em um filme. Fica tão roboticamente condescendente com as exigências dele que lhe oferece dinheiro pelo estrago ali, na mesma hora. Seu sentido de tempo se distorce. Você está dissociando. Seu corpo está se preparando para uma possível agressão, sua frequência cardíaca diminui. Em vez de todo o seu sangue ir para os músculos para ajudar no "lutar ou fugir", ocorre uma redução no fluxo sanguíneo periférico. Você pode empalidecer e até desmaiar. Seu corpo agora se prepara para um ataque desligando-se da ameaça externa e fechando-se em seu mundo interior. Há a liberação de opioides endógenos – endorfinas, encefalinas –, analgésicos naturais, e você sente como se estivesse observando algo acontecer com você.

Oprah: Muitas pessoas descrevem isso como "experiência extracorpórea", e com frequência não se lembram muito bem do que acontece a seguir.

Dr. Perry: Exatamente. Usamos essa resposta dissociativa quando a dificuldade e a dor são inevitáveis. Sua mente e seu corpo protegem você. Como não é possível fugir fisicamente, e lutar é inútil, você foge psicologicamente para seu mundo interior. Retomando a situação do bebê com um genitor que não se envolve: a resposta "lutar ou fugir" do bebê é chorar. Mas se ninguém comparece, ou comparece irritado, o bebê indefeso recorrerá à dissociação para sobreviver a essa circunstância angustiante inescapável. O mesmo acontece com crianças, jovens e adultos diante de qualquer dor e perturbação inevitável: eles dissociam. E todo um conjunto de mudanças neurofisiológicas ajuda nisso, incluindo a liberação dos próprios opioides do organismo.

Oprah: É por isso que as pessoas dizem: "Tudo ficou em câmera lenta"?

Dr. Perry: Exato. Quando você entra em estado dissociativo, seu sentido de tempo se dissolve. Experiências que só levam alguns segundos parecem ter durado minutos. Minutos podem dar a sensação de estar preso em um momento atemporal.

Interroguei agentes do FBI depois de tiroteios, por exemplo. Um agente pode levar oito minutos para descrever um acontecimento que, na verdade, durou dez segundos. Isso ocorre porque, naquele momento, o cérebro dele "flutua". Ele está fora do corpo assistindo ao acontecimento.

Quem já passou por um luto pode experimentar uma sensação parecida, bem como o torpor que ela traz. Às vezes, passamos roboticamente pelas atividades cotidianas. Há momentos em que parece que estamos em um filme.

Oprah: O que você está dizendo é fascinante. Muitas vezes me questionei, por exemplo, sobre as pessoas que estavam nos aviões no 11 de Setembro. Elas sabiam que havia um terrorista a bordo e só tiveram alguns minutos para ligar para suas famílias. Naquele momento de terror, deve ter havido alguma sensação de dissociação, porque muitos conseguiram ficar calmos e ligar para a família, escrever um bilhete ou correr para a cabine do piloto.

Dr. Perry: Em muitas situações, dissociar-se parcialmente é uma reação adaptativa. É isso que você está dizendo. Se um soldado em combate simplesmente entrasse num estado de ativação contínua e incorporasse os estágios de fugir e lutar, ele iria para cima do adversário e seria baleado. Para manter o acesso ao córtex, o que significa pensar e se comportar conforme o treinamento para se manter vivo em combate, ele precisa se dissociar até certo ponto. Isso é crucial para a sobrevivência. Sem dissociação, quanto mais uma pessoa é ameaçada, mais apavorada ela fica, e mais o córtex se desliga. Ser capaz de se dissociar parcialmente, de se desligar em parte das ameaças do mundo externo e focar em atitudes treinadas é fundamental para o sucesso num esporte competitivo ou em desempenhos artísticos onde há grande pressão. Os termos "flow" e "no clima" são usados para descrever alguns desses estados parcialmente dissociativos.

Oprah: Na verdade, todo mundo usa a dissociação diariamente. É isso que é divagar, certo? E pode ser um mecanismo saudável de enfrentamento.

Dr. Perry: Sim, a mente vagando. O pensamento reflexivo e a criatividade exigem que a gente pare em algum momento, reflita e passe um tempo "dentro da nossa cabeça". Refletimos sobre o passado e imaginamos o futuro, fazendo do desligamento dissociativo uma parte fundamental da vida cotidiana. E ele também é essencial para a interação relacional.

Oprah: Fiquei surpresa quando você me contou que a maioria das pessoas só consegue ficar completamente focada no que outra pessoa diz por cerca de 15 segundos, e depois a mente se dispersa, entrando e saindo do foco de acordo com o que a outra pessoa está dizendo, se tem relação com algum fato na vida de quem escuta, e como isso se liga a outra coisa, e assim por diante.

Dr. Perry: E essa é uma capacidade muito normal e adaptativa. Deveríamos entender que a dissociação não é ruim, embora possa acontecer em circunstâncias ruins. Por si só, é uma coisa boa. Por exemplo, uma criança divagar na aula pode indicar que ela é criativa. Nosso sistema de educação pública atual é bom para produzir trabalhadores, mas pode ser um lugar terrível para criadores, artistas e futuros líderes.

Oprah: É muito comum punirmos a criança que divaga.

Dr. Perry: Verdade. No entanto, se uma escola está atenta a traumas e sabe dos seus efeitos no desenvolvimento, existe uma compreensão de que o período inativo desempenha um papel crucial na consolidação da memória. Incentiva-se a reflexão dissociativa.

Oprah: Ah, sim. Estou muito atenta a esse princípio da dissociação, por causa da minha escola na África do Sul. Ali, as meninas são brilhantes – você conheceu várias delas. Mas vêm de ambientes desafiadores, que causaram traumas, e tivemos que treinar nossos professores a entender que a divagação ou dissociação é, na verdade, benéfica para elas. Trata-se de um mecanismo esperado de enfrentamento quando a pessoa é criada em um meio onde há um caos inescapável e falta apoio mínimo ou outras maneiras de se manter regulada. É preciso conseguir se desligar. Para sobreviver, a pessoa precisa se dissociar daquele ambiente e de sua intensidade.

Dr. Perry: Exatamente. O mais comum é a dissociação, como mecanismo de enfrentamento, ocorrer quando o indivíduo sentir que não dá para escapar de uma situação ameaçadora. Se você é criança e houver muitos conflitos em sua família, você não tem muitas opções. Não pode dizer: "Ei, estou caindo fora." Crianças muito pequenas não podem "lutar ou fugir". Elas têm que ficar.

Oprah: Em que ponto a dissociação como mecanismo de enfrentamento torna-se um transtorno dissociativo, no qual a criança se recolhe cada vez mais em seu mundo interior?

Dr. Perry: Você meio que foi direto ao ponto quando falou sobre o bebê com um genitor que não estava envolvido. Já dissemos que um padrão de estresse imprevisível, incontrolável e prolongado sensibilizará os sistemas de resposta ao estresse. Se, por longos períodos na infância, a dissociação for seu modo preferido de adaptação ao estresse, você desenvolve uma resposta sensibilizada dissociativa diante de qualquer desafio. A resposta dissociativa é hiperativa e hiper-reativa.

Por terem crescido em meio ao caos e a ameaças, algumas das jovens mulheres na sua escola, por exemplo, recorreriam à dissociação perante qualquer desafio, qualquer desconforto.

Oprah: Acho que essa parte da nossa conversa será útil para muita gente que se pergunta por que tende a cair fora. *Por que não consigo ficar no jogo quando as coisas ficam mais difíceis?* É porque seu cérebro foi treinado para se dissociar diante de desconfortos ou ameaças. Mesmo que uma prova de matemática não represente uma ameaça tão grande quanto um agressor, sua resposta dissociativa pode ser tão hiper-reativa que sua reação à prova é se desligar.

Dr. Perry: Exato. Mas nem sempre a resposta é um desligamento completo. Como já dissemos, a resposta dissociativa a desafios e ameaças acontece em uma linha contínua (veja Figura 6, p. 94). Para indivíduos com tendência a uma resposta dissociativa a estresse, o primeiro estágio nessa linha é evitar. Essas pessoas não querem conflito, querem ser invisíveis, fogem do contato visual, calam-se em discussões. Se não conseguem ficar invisíveis e alguém as confronta – *O que você acha?* –, elas mudam para a concordância, mas é uma concordância vazia.

Oprah: Elas respondem aquilo que elas acham que o outro quer escutar, mas não estão envolvidas na troca.

Dr. Perry: Esse é um dos aspectos mais desafiadores do trabalho com crianças que têm trauma de desenvolvimento.

Oprah: E não se limita a crianças. Tenho visto esse comportamento em adultos. Eu me lembro de um programa que fizemos com Gary Zukav, no qual uma mulher explicou que, depois de passar por abuso sexual na infância, sabotava seus relacionamentos adultos, felizes ou não, distanciando-se emocionalmente. Ela se dissociava ainda que dissesse se importar muito com seu companheiro. Ela cumpria os rituais que fazem parte dos relacionamentos – conformidade –, mas, como você diz, era uma conformidade vazia, não estava realmente ali. Depois de trabalhar com um terapeuta na criação e na manutenção de relacionamentos saudáveis, ela passou a praticar ativamente o estar presente. Gary Zukav validou suas sensações, admitindo que muita gente vive um "terror de estar viva". Nunca vou esquecer essa frase.

Dr. Perry: Interessante ele dizer isso. Um dos comportamentos comuns em pessoas que apresentam resposta sensibilizada dissociativa é se cortar. E, com frequência, a pessoa que se fere dirá: "Ver meu sangue faz com que eu me sinta viva. Me acalma."

Oprah: Você pode, por favor, explicar a psicologia por trás dos cortes? Acho que não sou a única que não entende esse comportamento.

Dr. Perry: Visto de fora, cortar-se pode parecer muito estranho. Já conversamos sobre como seus sistemas de resposta ao estresse podem ficar hiper-reativos; sobre como qualquer pessoa que vivencie um trauma inescapável e inevitável se dissociará; e sobre como, se o padrão desse trauma se prolongar ao extremo, os sistemas dissociativos tornam-se sensibilizados: hiperativos e hiper-reativos.

Lembre-se de que a dissociação libera opioides (encefalinas e endorfinas), analgésicos naturais do nosso corpo. Se uma pessoa sem resposta sensibilizada dissociativa se corta, seu corpo libera um pouquinho desses opioides para que ela possa tolerar o corte. A quantidade liberada seria mínima e proporcional ao pequeno ferimento. Mas quando alguém com uma resposta sensibilizada dissociativa – hiper-reativa – se corta, libera muitos opioides. É quase como tomar uma pequena dose de heroína ou morfina.

Oprah: Você está dizendo que a sensação é realmente boa? O corte não causa dor?

Dr. Perry: A "injeção" de opioide desencadeada pelo corte pode, na verdade, parecer regulador, calmante. Para alguns, é gratificante, faz com que se sintam bem.

Oprah: Não dói.

Dr. Perry: Não. Na verdade, para essas pessoas, ferir-se pode se tornar o método preferido de autorregulação.

Oprah: Nunca pensei nisso desse jeito. Então, para ter aquela sensação calmante, você precisa estar num estado desregulado. Se estivesse num estado regulado, cortar-se doeria, certo?

Dr. Perry: Certo. É preciso haver uma resposta sensibilizada dissociativa. Isso em geral resulta de um histórico de abuso doloroso, inescapável e inevitável, ou seja, um ambiente de caos e ameaça crônicos quando a pessoa era bebê ou criança pequena. Ou, com muita frequência, de abuso sexual.

Oprah: Quando o que está acontecendo com você é inescapável.

Dr. Perry: Sim, e então sua neurobiologia dissociativa torna-se "sensibilizada", hiper-reativa. E você descobre que uma maneira confiável de ficar mais calmo, de amenizar a dor, é se cortando.

Oprah: Isso é impressionante. Pensei nesse assunto por um bom tempo porque tenho meninas que, como já dissemos, vieram de ambientes difíceis e desafiadores. Criei a escola para lhes dar oportunidades, e a trajetória de vida delas mudou. No entanto, temos problemas com mutilação na escola. Cada vez que me contavam a respeito, eu me perguntava como alguém *sabe* se cortar. Como aprendem? Viram alguém fazendo? E se a escola não existisse, e essas mesmas meninas ainda estivessem em seus povoados ou distritos? Estariam se cortando ali? As pessoas naqueles povoados também se cortam?

Dr. Perry: Essa é mesmo uma pergunta interessante. Se vivenciam um trauma logo no início de vida, crianças pequenas que têm essa resposta sensibilizada às vezes descobrem que, quando cutucam uma ferida, ou coçam uma picada de inseto, *isso dá uma sensação boa!* Elas começam a aprender que a automutilação pode ser reguladora. Mas essa situação responde por uma fração de todo o grupo de pessoas que acabam se cortando. Muitos aprendem com seus colegas. Em certas situações é até possível monitorar a proporção de pessoas que se cortam, quando um programa popular de televisão fala a respeito.

Algumas crianças experimentarão se cortar e dirão: "Nem pensar, isso dói. Não vou fazer de novo." Outras dirão: "Uau, isso é bom." Exatamente igual às drogas. Uma porcentagem de alunos do ensino médio experimentará uma droga, mas apenas 18% ou 20% terão problemas com o uso recorrente. E se você analisar esse grupo que usa drogas repetidamente, verá que a maioria passou por adversidades no desenvolvimento. Entre as crianças que não voltam, poucas experimentaram traumas de desenvolvimento.

Oprah: As drogas são uma forma diferente de regulação para algumas pessoas que passaram por trauma.

Dr. Perry: É a pura verdade. Existem formas diferentes e inadequadas de "autorregulação", mas todas elas têm relação com a mesma neurobiologia básica do estresse e dos sistemas de recompensa. Algumas crianças balançam o corpo e batem a cabeça na parede, por exemplo.

Oprah: É, já vi isso.

Dr. Perry: O efeito é o mesmo. E outras crianças descobrirão que arrancar fios de cabelo ou das sobrancelhas produz uma leve descarga opiácea.

Oprah: É muito importante entender isso. Eu não percebia como tudo está interligado.

Dr. Perry: As crianças encontrarão uma maneira de se acalmar. Vomitar de propósito também provoca aquela descarga de opioide. Existem transtornos alimentares relacionados à "autotranquilização", e não à imagem física. Trata-se de uma maneira adaptativa ruim de se acalmar.

Oprah: Isso é impressionante, mas esses comportamentos são um tanto extremos. Existem atitudes mais comuns de enfrentamento?

Dr. Perry: Com certeza. E elas podem evoluir para características de personalidade que, no início, não são fáceis de reconhecer, mas afetam a maneira como as pessoas evitam ou enfrentam uma situação problemática, ou interagem com pessoas difíceis.

Oprah: Já mencionei que durante grande parte da minha vida, uma das principais características da minha personalidade era ser uma pessoa que gostava de agradar. Isso afetou tudo: meu peso, minha saúde, meus negócios, meus relacionamentos. Quando se é vítima de abuso, e lhe ensinam a se calar sobre o assunto, você acaba sempre querendo agradar às pessoas, porque aprendeu que manifestar sua opinião resultará em castigo. Você não sabe dizer não.

Dr. Perry: Agradar às pessoas é um mecanismo clássico de enfrentamento que faz parte das atitudes "complacentes" relacionadas à dissociação. Mas, repito, é importante lembrar que a dissociação e os comportamentos autorreguladores dissociativos não são todos ruins.

A capacidade de controlar suas capacidades dissociativas é muito poderosa. Ela permite que as pessoas sejam boas em cognição reflexiva. Permite que se concentrem intensamente numa tarefa específica. A hipnose, o flow, estar "no clima", todos esses são exemplos do estado de transe relacionado à dissociação. Pessoas que aprendem a controlar quando e como entram em estado de transe têm um dom. Garanto a você, Oprah, que você é realmente boa em se dissociar. É um dos seus superpoderes.

Oprah: É mesmo?

Dr. Perry: Sem dúvida. Vamos começar por seu amor pela leitura.

Oprah: Ah, sim, isso é verdade. Para mim, os livros sempre representaram um jeito de escapar. Foram meu caminho para a liberdade pessoal. Na verdade, aprendi a ler aos 3 anos e rapidamente entendi que havia todo um mundo além da fazenda da minha avó, no Mississippi.

Dr. Perry: Certo. E você é claramente reflexiva.

Oprah: Ah, demais.

Dr. Perry: Você pode "visitar" lugares na sua cabeça e imaginar o futuro de maneiras que muita gente tem dificuldade de fazer. Isso é dissociação. É saudável, curativa e produtiva. É por isso que as pessoas precisam tomar cuidado ao rotular dissociação como uma patologia, um comportamento estritamente negativo. Ela pode ser uma força incrível.

Para você, no entanto, era como se essas adaptações dissociativas a transformassem em uma mulher condescendente. Você estava tentando dar às pessoas o que elas queriam.

Oprah: É, vontade de agradar.

Dr. Perry: Esse era o seu padrão. Ficar sob o radar, fazer o que lhe pediam, não dar motivo para ninguém ficar zangado, só dar às pessoas o que elas querem.

Oprah: Exatamente. Só dar às pessoas o que elas querem.

Dr. Perry: Mas, com o tempo, você mudou. Você se controlou para suprimir aquele comportamento supercondescendente. Com frequência você usa o termo *intenção*, e quando você diz isso eu penso em "controlável" (veja Figura 3, p. 59). Sua vida é agitada, cheia de desafios e demandas. No entanto, você pega todos esses estressores e usa limites e intenção para tornar o padrão de estresse da sua vida mais previsível, controlável e moderado. Esse é um padrão de ativação de estresse curativo e que cria resiliência.

Oprah: Aprendi sobre o poder da intenção com Gary Zukav. Ele literalmente mudou tudo para mim, é a força guia da minha vida. Gary me ensinou que uma intenção precede todo pensamento e toda ação, e que o resultado das nossas experiências é determinado pela presença da intenção. Parece complicado, mas, na prática, tudo o que eu faço começa com a pergunta que faço a mim mesma: *Qual é a minha intenção ao fazer isto?*

Depois que entendi isso, comecei a tomar decisões com base no que eu pretendia, não apenas no que outra pessoa queria que eu fizesse, ou no que eu achava que iria agradá-la. Fui muito intimidada na vida, mas o poder da intenção me ajudou a criar limites para fazer só o que eu queria fazer, o que parecia autêntico para mim. A cada decisão, grande ou pequena, aprender a dizer não me curou, e a intenção salvou a minha vida.

E por falar em decisões e escolhas, quero abordar uma questão que confunde muitos de nós. Por que pessoas vítimas de trauma são, com frequência, atraídas para relacionamentos abusivos?

Dr. Perry: Vamos ampliar a pergunta, porque é muito importante entender não apenas o abuso, mas todo o comportamento. O ponto principal é que todos nós tendemos a gravitar para o que nos é familiar, mesmo quando o familiar é insalubre ou destrutivo. Somos atraídos para aquilo que fez parte da nossa criação.

Como já dissemos, quando somos crianças e nosso cérebro está começando a dar sentido às nossas experiências, ele cria nosso "protótipo" do mundo. O cérebro se organiza em torno do tom e da tensão de nossas primeiras experiências. Então, se no começo da vida a criança recebeu os cuidados adequados e acolhimento, ela acha que as pessoas são inerentemente boas. Essa visão de mundo faz com que ela projete "bondade" nas pessoas que encontra, e essa projeção de bondade, por sua vez, provoca coisas boas.

No entanto, se uma criança vivenciou caos, ameaça ou trauma, seu cérebro se organiza segundo uma visão de que *o mundo não é seguro, e não se pode confiar nas pessoas*. Pense em James. Ele não se sentia "seguro" perto das pessoas. A intimidade fazia com que se sentisse ameaçado.

Aqui está a parte confusa: James se sentia mais confortável quando os acontecimentos estavam alinhados com sua visão de mundo. Ser rejeitado ou maltratado validava essa visão. O evento mais desestabilizador para qualquer pessoa é ter suas crenças fundamentais questionadas. Como a psicóloga Virginia Satir explica: *Nós nos sentimos melhor com a certeza da miséria do que com a miséria da incerteza*. Boas ou ruins, somos atraídos para coisas que nos são familiares.

Oprah: Então, se uma pessoa vem de um ambiente abusivo, poderia estar num relacionamento com alguém abusivo por ser familiar?

Dr. Perry: Sim. Na verdade, se essa pessoa entra num relacionamento com alguém que não a esteja tratando mal, é possível que se sinta cada vez mais desconfortável, e então, inconscientemente, sua mente poderá buscar uma resposta "previsível". Talvez ela tente provocar alguma reação. *Talvez eu faça X e ele fique furioso*. Se isso desencadear o comportamento com o qual a pessoa esteja mais familiarizada – o outro ficar bravo e tratá-la mal –, ele realmente pode ser validador. A visão de mundo foi confirmada. Ainda que o resultado seja caos e conflito, é reconfortante, no sentido de ser familiar.

Oprah: Passo por isso com muitas das minhas meninas, na escola. Selecionamos a dedo jovens mulheres inteligentes e que são uma grande promessa, mas muitas foram criadas em ambientes onde não aprenderam o que significa o verdadeiro amor, ou como se expressa um verdadeiro amor. Para essas mulheres, em suas comunidades, em casa e dentro da família, o abuso é sistêmico. E não apenas físico. As pessoas não aparecem quando dizem que vão aparecer. Não cumprem o que dizem que vão fazer. Nossas meninas acabam acreditando que isso é amor. Foram treinadas assim. Então, quando uma delas conhece um rapaz que realmente vai respeitá-la, ela automaticamente pensa que há algo errado com ele. E, como você diz, faz coisas para provocá-lo. Na verdade, sabota o relacionamento para fazer com que ele a trate da maneira como está acostumada a ser tratada, para afastá-lo. Como Maya Angelou sempre disse: "Você ensina às pessoas como quer ser tratada."

É possível consertar isso se tiver a ver com a maneira como o cérebro se desenvolveu? E, se for possível, de que jeito?

Dr. Perry: A boa notícia é que o cérebro é maleável durante a vida toda. Nós *podemos* mudar, mas não mudamos a esmo. Para usar sua palavra preferida, podemos mudar *intencionalmente* se soubermos o que precisa ser modificado. O segredo é reconhecer o padrão.

Oprah: Certo. Você começa ligando os pontos. Mas, depois, como ajuda as pessoas a entenderem que é o mesmo problema se manifestando, com uma roupagem diferente? Porque, em geral, é assim que acontece – o mesmo tipo de pessoa aparecendo continuamente na sua vida. Talvez com uma embalagem diferente. Poderia ser um patrão, ou um amigo dominador.

Eu digo para minhas meninas: "Vejam, existe uma linha que corre ao longo do curso da vida de vocês. Olhem para o tipo de amigos que escolhem, os tipos de relacionamento pessoal que têm, os namorados pelos quais se sentem atraídas, e vejam o que todas essas pessoas têm em comum. Depois, perguntem a si mesmas como se sentem na companhia dessas pessoas, e quais dessas sensações disparam sensações que já tiveram. Na hora em que essas sensações se instalarem e estiverem dizendo a si mesmas: "Nossa, estou tão frustrada!", reparem se essa pessoa está desencadeando algo que já está lá.

Dr. Perry: Esses padrões realmente percorrem a vida de uma pessoa, e com frequência a vida dos seus pais e avós. Sem reconhecê-los, é muito difícil mudar. As crianças e os adultos com quem trabalhamos estão muito acostumados com o caos. Eles de fato se sentem mais confortáveis na turbulência do que na calmaria. Então, quando entram numa sala de aula, ou numa nova casa de acolhimento onde as pessoas são previsíveis, consistentes e atenciosas, sentem-se desconfortáveis. Pouco a pouco, esse desconforto aumenta até provocar uma resposta previsível. Tenho professores e pais temporários que me dizem: "Ele quase se comporta como se *quisesse* ser punido."

E, até certo ponto, eles têm razão. Aquela pessoa está procurando uma resposta previsível. E, para ela, previsível significa ser punido, excluído, desprezado. Está procurando provas de que sua visão de mundo é correta: *O mundo é caótico. As pessoas não são confiáveis. Não pertenço a esse ambiente.* Ela está tentando ser expulsa dessa turma ou de sua casa. Quando começamos nosso trabalho, tentamos ensinar aos adultos o que esse comportamento realmente significa, e como eles podem identificá-lo para não o repetir.

Oprah: Foi exatamente isso que você me disse dez anos atrás, logo na primeira semana de funcionamento da minha escola na África do Sul. Chamei você no terceiro dia.

Dr. Perry: Eu me lembro.

Oprah: Meninas que tinham acabado de chegar estavam, de repente, se comportando mal, e não entendíamos o motivo. Eu achei que poderia ser saudades de casa, mas você supôs que algumas talvez tivessem problemas relacionados com trauma, até TEPT. Você observou que, não importa o quanto suas condições de vida tivessem sido difíceis, nós havíamos tirado as meninas de suas casas. Lá, seis pessoas dividiam a mesma cama, e agora elas dormiam sozinhas. Os lençóis são diferentes. O nível de conforto é outro. A sensação de ordem é diferente. Todos na escola estão ali para amar a criança, para demonstrar apoio, apoio e mais apoio.

Dr. Perry: E essa ordem, essa estabilidade e esse acolhimento eram um desafio para a visão de mundo delas. Seus cérebros estavam pensando: *Que diabos é isso? Quero alguma coisa familiar.* Então elas começaram a se comportar mal. Criaram caos onde havia ordem, pensando: *Vou fazer alguma coisa familiar.*

Oprah: *Quero desordem. Quero o que eu conheço.*

Dr. Perry: Exatamente. Então, a coisa certa a fazer é dar a essas crianças tempo e experiência. Elas precisam de paciência, compreensão e novas experiências até que tenham condições de esculpir e moldar novas visões de mundo. Leva tempo criar redes neurais com todo um novo conjunto de associações. E é isso que a Oprah Winfrey Leadership Academy for Girls oferece para tantas dessas meninas: anos de novas oportunidades; anos de novos aprendizados cognitivos; e, o mais importante, anos de novos relacionamentos, estruturas, expectativas e novas lições sociais e emocionais. As visões de mundo delas serão modificadas, expandidas, esclarecidas, solidificadas. Isso exige tempo, paciência e, às vezes, ajuda terapêutica.

Oprah: Mas tem que ser a terapia certa.

Dr. Perry: Interessante isso. A maioria das pessoas pensa em terapia como algo que envolve adentrar e desfazer o que aconteceu. Mas seja o que for que suas experiências passadas criaram em seu cérebro, as associações existem e não dá para apagá-las. Não podemos eliminar o passado.

A terapia tem mais a ver com construir *novas* associações, criando novos e mais saudáveis caminhos padrão. É quase como construir uma rodovia de quatro pistas paralela a uma estrada de terra. A velha estrada permanece, mas já não é muito usada. A terapia é a construção de uma alternativa melhor, de um novo padrão, o que exige reiteração e tempo. Sinceramente, ela funciona melhor se a pessoa entende como o cérebro muda. Por isso é essencial que todos entendam como o trauma impacta a nossa saúde.

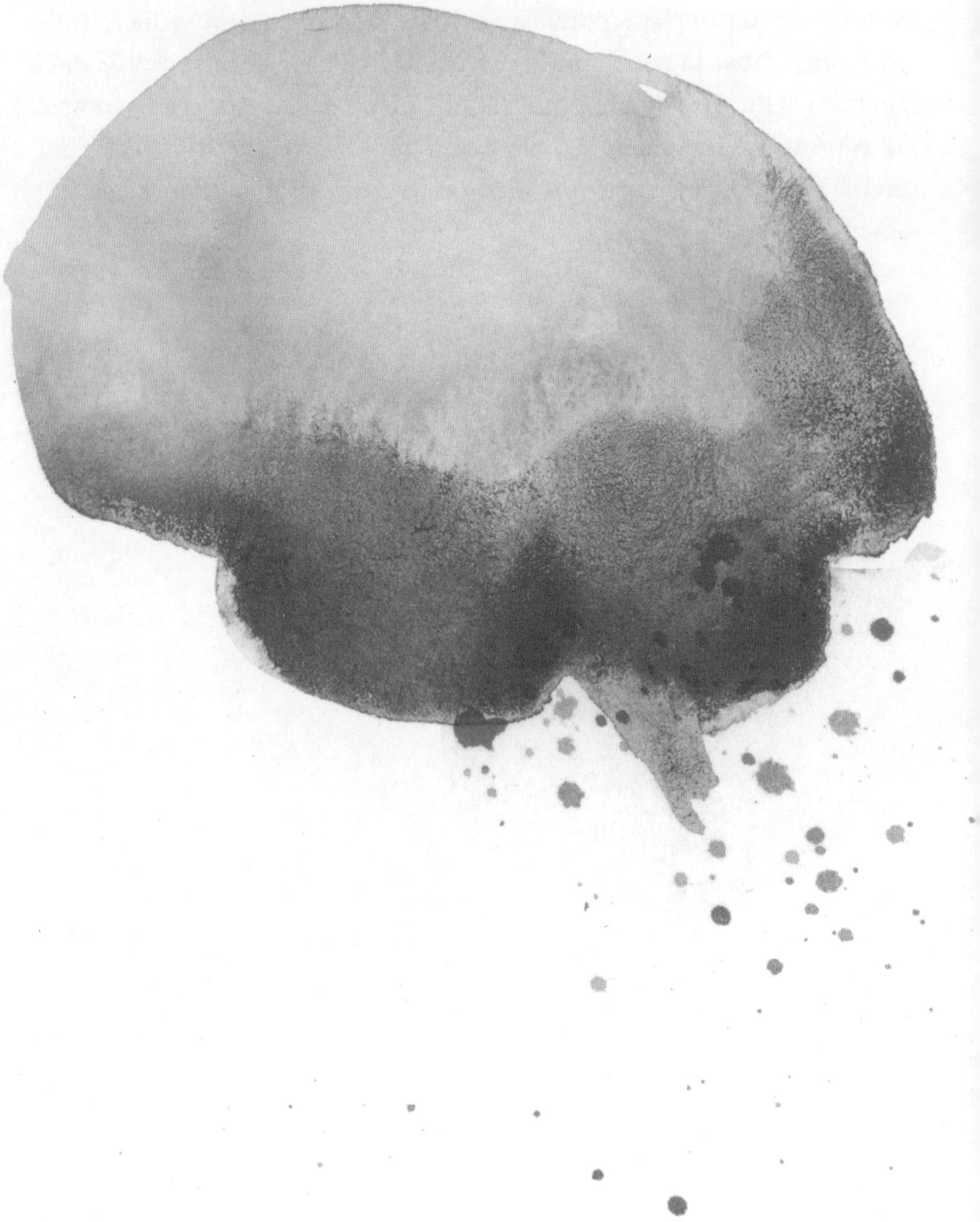

CAPÍTULO 7

PRUDÊNCIA PÓS-TRAUMÁTICA

– As crianças são resilientes, elas vão superar.

Ouvi isso inúmeras vezes. Em pé ao lado de um policial da cidade de Nova York, em frente aos escombros ainda fumegantes do World Trade Center. Acompanhando os socorristas em um apartamento manchado de sangue, após um tiroteio testemunhado por três crianças pequenas. Conversando com funcionários públicos depois de um ataque à mão armada em uma escola – como há tantos nos Estados Unidos. O refrão é sempre o mesmo: "O bom é que as crianças são resilientes. Elas vão ficar bem."

Com frequência, usamos nossa fé na resiliência de outra pessoa como um escudo emocional. Assim nos protegemos do desconforto, da confusão e da impotência que sentimos perante o drama dela. É uma espécie de desvio do olhar: ele preserva nossa visão de mundo e permite que nossa vida continue com o mínimo de perturbação.

Testemunhamos esse processo quando um indivíduo sofre o impacto de um trauma ou de um luto. Com frequência, sua família, seus amigos e colegas de trabalho começam a orbitar um pouco mais longe, temendo a poderosa atração gravitacional da dor traumática. À medida que as visitas diminuem, as conversas ficam mais superficiais, as interações são mais breves e outras pessoas seguem com suas vidas, a pessoa enlutada ou traumatizada sente-se cada vez mais isolada e sozinha. O fundo do poço emocional não vem nas primeiras semanas após o acontecimento traumático. Nesse primeiro momento, a família, os amigos e a comunidade geralmente se mobilizam para oferecer apoio. As próprias reservas físicas e mentais da pessoa em luto também ajudam, em geral pelo poder da dissociação. Embora a experiência de cada um seja diferente, depois de cerca de seis meses a pessoa chega ao fundo do poço. E então você fica por lá, alternando reações a cada data especial, evocação ou oportunidade de se curar. Algumas pessoas subirão à superfície; outras se afogarão. Ninguém jamais será o mesmo.

Vemos a mesma racionalização e evasão diante de um trauma em larga escala, ou comunitário – guerra, fome, desastres naturais, tiroteios em escolas, o impacto transgeracional da escravidão. Os grupos privilegiados desviam o olhar da dor. Em face do racismo estrutural, dizemos: "Olhe tudo que eles já conquistaram." Confrontados com o genocídio cultural: "Eles precisam assimilar." Diante do trauma: "Não é o máximo que eles sejam resilientes?" É fácil criar um "outro". A noção de "nós e eles" está profundamente arraigada em nossa neurobiologia; é o que faz da conectividade uma faca de dois gumes. Estamos fortemente vinculados a nosso clã, mas não tanto a outros clãs; competimos com eles por recursos limitados.

Quando o trauma impacta um grupo ou uma comunidade, existe um epicentro: as pessoas mais impactadas pela perda e pela dor. E ocorre uma mobilização imediata de atenção, energia e recursos fluindo para esse epicentro. Muitos correm para ajudar. Mas essa ajuda é, frequentemente, mal calculada, desorganizada e quase sempre ignora o que seja trauma. Milhares oferecem seu tempo nas primeiras semanas. Seis meses depois, ninguém mais se lembra. Depois do impulso inicial de ajudar, a intensidade da perda traumática começa a exaurir e acaba afastando as pessoas. Escolas ou cidades não querem ser identificadas como locais traumatizados, e sim como lugares florescentes. As pessoas se cansam de escutar sobre o trauma; querem falar sobre recuperação e esperança. É então que entram os esforços bem-intencionados para "fazer alguma coisa": camisetas com slogans sobre força, ursinhos de pelúcia para crianças ainda atordoadas. Pais enlutados pela morte de um filho são "homenageados" em um jogo de futebol. Esses gestos generosos e desajeitados são parte do nosso empenho em ajudar e em afastar nossa sensação de impotência.

Na sequência do trauma, o mais difícil de entender é que nada nem ninguém podem acabar com a dor. No entanto, é exatamente isso que ficamos desesperados por fazer, porque somos criaturas sociais, sujeitas a contágio emocional, e quando estamos perto de pessoas que sofrem, nós também sofremos. Não queremos sofrer. É difícil estar em meio a vidas arruinadas e não sentir a desgraça. Tentar desfazer ou negar a dor dos outros, desviar o olhar, ajuda-nos a nos regularmos.

Então, fazemos deduções arbitrárias sobre a resiliência inata das pessoas. Enunciamos declarações generalizadas que nos permitem marginalizar crianças traumatizadas. Tiramos nosso foco da tragédia, seguimos com nossas vidas, dizendo a nós mesmos que "elas" ficarão bem. Mas, como as conversas entre mim e Oprah mostram, o impacto do trauma não some simplesmente.

Podemos ajudar uns aos outros a se recuperar, mas, com frequência, deduções sobre resiliência e determinação nos cegam para a cura que nos conduz pelo doloroso caminho que leva à prudência.

– Dr. Perry

Oprah: Uma das coisas mais instigantes que você já me falou é que as "crianças não nascem 'resilientes', nascem maleáveis". Poderia explicar a diferença?

Dr. Perry: Se você pegar uma bolinha antiestresse, apertá-la, curvá-la, colocar todo tipo de força nela, no final ela voltará ao seu formato original. Aquela bola antiestresse é resiliente. É a esse tipo de resiliência que as pessoas se referem quando falam sobre as crianças serem "resilientes" após o trauma. Elas se permitem a ilusão de que uma criança poderia sofrer um estresse traumático e, de algum modo, como num passe de mágica, não ser afetada. Como se ela conseguisse voltar inalterada a seu nível anterior de saúde emocional, física, social e cognitiva. Como já discutimos ao longo de todo este livro, não é assim que funciona. Estamos sempre em transformação. Mudamos com todas as nossas experiências, boas e más. Isso acontece porque nosso cérebro é cambiante, maleável. Ele está *sempre* mudando.

Pense em um cabide de metal. Digamos que você precise pescar alguma coisa que caiu no ralo, e o cabide é sua melhor ferramenta. Você força para dobrá-lo da forma que quer. O cabide é maleável. Resolvido o problema, você pode tentar desamassá-lo até readquirir o formato original, mas mesmo que você seja uma campeã em dobrar cabides, não conseguirá deixá-lo exatamente como ele era. Os pontos em que ele foi dobrado ficarão mais frágeis. Se você continuasse dobrando-o e desdobrando-o nos mesmos lugares, o cabide acabaria quebrando.

Ora, já falamos sobre resiliência, e é verdade que tanto crianças quanto adultos podem "demonstrar resiliência", como dizemos na nossa área, diante de uma ameaça ou mesmo um trauma. É possível demonstrar resiliência e, como dissemos, criar resiliência, mas não no sentido da bola antiestresse. E não é uma característica automática da infância. A capacidade de voltar ao que era antes após um trauma é influenciada por muitos fatores, sobretudo a conectividade.

Oprah: Ou seja, não importa a idade que a pessoa tenha, ninguém sai de um trauma incólume? E é impossível voltar a ser "o mesmo", após um trauma?

Dr. Perry: Até certo ponto, sim. No entanto, insisto para deixar claro: *usamos* o conceito de resiliência na nossa área, mas, se você analisar a nossa biologia depois de uma experiência traumática, bem a fundo, até a expressão genética, de algum modo o trauma mudará qualquer pessoa.

E essas mudanças estarão presentes mesmo que não resultem em algum problema aparente no cotidiano da pessoa, mesmo que ela demonstre resiliência. Uma criança pode continuar indo bem na escola, por exemplo, mas isso pode exigir mais energia e esforço. Ou podemos descobrir que ela consegue retomar seu nível anterior de funcionamento emocional, mas mudanças no sistema neuroendócrino podem aumentar a probabilidade de desenvolver diabetes. Em essência, é isso que os estudos de Experiências Adversas na Infância têm demonstrado: a adversidade impacta a criança em desenvolvimento. Ponto. Qual será esse impacto, quando ele se manifestará, como pode ser "amortecido", nem sempre podemos dizer. Mas o trauma no desenvolvimento sempre influenciará nosso corpo e nosso cérebro.

Oprah: O cérebro de uma criança traumatizada será diferente?

Dr. Perry: Nossas técnicas atuais de imagem do cérebro são muito sofisticadas, mas não a ponto de escanearmos determinada criança e afirmarmos com segurança, por exemplo: "A baixa atividade no córtex pré-frontal se deve a abuso." O que realmente sabemos é o seguinte: se você comparar um grupo de crianças que não sofreram abuso com outro grupo que sofreu abusos semelhantes e em fases parecidas, haverá diferenças estatisticamente significativas no tamanho de algumas áreas do cérebro. Haverá também algumas diferenças nas conexões e na atividade. Mas as complexidades do desenvolvimento, o cérebro e a natureza do trauma tornam os estudos de neuroimagens muito difíceis de interpretar.

Oprah: Então, se você analisasse o cérebro de duas crianças de 3 anos, sendo que uma delas foi acolhida e amparada e a outra foi negligenciada e abusada, daria para ver a diferença?

Dr. Perry: Repito que isso é muito complexo, mas se a negligência estivesse na categoria "negligência total global", sim. Usando as técnicas certas de imagem, dá para ver diferenças. Mas são muito difíceis de interpretar.

Os verdadeiros e melhores indicadores de mudança no cérebro após trauma ou negligência são as mudanças "funcionais". A criança está impulsiva ou desatenta? Tem problemas de fala e linguagem, ou questões de motricidade fina? Está deprimida ou ansiosa? Tem dificuldade de aprendizagem? Consegue iniciar e manter relacionamentos saudáveis? Esses são indicadores muito melhores de mudanças no cérebro do que os exames cerebrais.

Agora, os exames cerebrais *mostraram* que cada um de nós tem um cérebro diferenciado, o que, considerando tudo que dissemos até aqui, não é uma surpresa. E como cada um de nós tem um cérebro diferenciado, vivenciaremos estresse, desconforto e trauma de maneiras singulares. Duas pessoas que passaram pelo mesmo acontecimento traumático podem reagir e se recuperar de modos diferentes. Quando uma pessoa consegue "se recuperar" emocionalmente, voltando ao nível de funcionamento pré-trauma, referimo-nos a isso como uma demonstração de resiliência. E a capacidade de fazer isso é maleável. Em outras palavras, a capacidade de lidar com o estresse, com o desconforto e com o trauma é mutável, é algo que podemos ajudar a criar nas pessoas. Você pode fortalecer seu equipamento de enfrentamento e também torná-lo mais eficiente.

Oprah: Quando eu era criança, usávamos o termo *resistência*. Não tínhamos uma palavra para o tipo de trauma que tantos afro-americanos sofriam, então dizíamos que nós "resistíamos". A igreja foi importante para o nosso enfrentamento. Resistíamos juntos.

Dr. Perry: Você identificou um aspecto central no desenvolvimento da resiliência: a conectividade com outras pessoas é a chave para se proteger de qualquer estressor atual e para curar traumas passados. Estar com pessoas presentes, solidárias e acolhedoras. Pertencimento.

É claro que outros fatores também impactam a capacidade de uma pessoa demonstrar resiliência. Alguns dos mais importantes estão relacionados com a sensibilidade dos sistemas de resposta ao estresse. Qualquer coisa que torne esses sistemas mais reativos ou sensíveis a deixará mais vulnerável. Isso poderia incluir fatores genéticos, exposição intrauterina ao álcool, um histórico de problemas de apego ou trauma anterior.

Mas voltemos ao começo da nossa conversa, às nossas redes regulatórias centrais. As RRCs compreendem um conjunto de redes neurais muito importantes, que coletivamente chegam a todas as partes do corpo e do cérebro. Sabemos que quando esses sistemas estão bem organizados, flexíveis, e "fortes", somos capazes de lidar com quaisquer estressores (veja Figuras 2 e 3, p. 54 e 59).

Também sabemos que desafios controláveis, previsíveis e moderados podem deixar as RRCs ainda mais fortes. Com a "prática", nossa capacidade de resposta ao estresse se expande. Assim, se ao longo do crescimento uma criança foi exposta a desafios previsíveis e moderados, ela será mais capaz de demonstrar resiliência diante de uma dificuldade.

Esse processo começa quando o recém-nascido está faminto, sedento ou com frio, e o cuidador atento e sintonizado atende às suas necessidades. Mais tarde, ele engatinhará para longe da segurança dos pais e começará a explorar o mundo. Como isso é uma novidade, ativará sua resposta ao estresse, mas apenas de maneira moderada. Quando não suporta mais, o bebê engatinha de volta para sua "base segura". Esse processo – deixar o seguro, explorar o novo, voltar para o seguro – se repetirá milhares de vezes quando ele começar a andar e enquanto for pequeno. Graças a esses pequenos desafios, ele se tornará capaz de demonstrar resiliência frente a um estresse inesperado.

Todo desenvolvimento envolve estar exposto a novidades, o que, por sua vez, ativa nossa resposta ao estresse. Quando há uma estrutura relacional segura e estável, milhares de doses moderadas de estresse ajudam a criar capacidades flexíveis de resposta ao estresse. Todo início de ano escolar, quando a criança conhece novos colegas e um novo professor e estuda outros conteúdos, proporciona estressores previsíveis e moderados. Fazer esportes, música, teatro e outras atividades gera mais oportunidades para o estresse controlado e previsível e ajuda a criar resiliência.

E em meio a tudo isso, os *relacionamentos* são absolutamente fundamentais. Para o bebê, o relacionamento com os primeiros cuidadores é o alicerce para sua capacidade de relacionar-se no futuro. É no contexto de vínculos acolhedores e carinhosos que a criança pode encarar um desafio e, nessa circunstância, um adulto pode moldar, incentivar e oferecer uma mão amiga. A recompensa relacional – o sorriso, a palavra de incentivo, os cumprimentos pelo progresso durante e depois do desafio – motiva a criança, o que leva à repetição e ao domínio. Uma criança sem esse apoio relacional não terá tantos sucessos no desenvolvimento.

É realmente importante notar que o pai, a mãe, a professora ou o treinador solidários também ajudam a proporcionar a "dosagem" certa de desafio para a criança. Os estímulos deveriam se adequar ao estágio de desenvolvimento dela, porque metas impossíveis resultarão em fracasso. Não se pode esperar que uma criança que não aprendeu a multiplicar conheça álgebra. Ou que uma criança que acabou de aprender a escrever palavras redija parágrafos completos. É como na história de Cachinhos Dourados: tudo tem que estar na medida certa. Assim como o desafio não deve ser grande demais, ele também não deve ser fácil demais. Precisa ser novo o suficiente para tirar a criança da zona de conforto das experiências conhecidas e habilidades já dominadas. O desafio que cria resiliência tem que ser moderado, na medida certa.

Encontrar a "medida certa" é uma questão importante com crianças que sofreram trauma. Lembre-se, elas frequentemente vivem em persistente estado de medo, e o medo desativa áreas do córtex, a parte pensante do cérebro. Numa sala de aula, o que talvez pareça um desafio moderado e apropriado para o desenvolvimento de muitas crianças pode exigir demais de uma criança com uma resposta sensibilizada ao estresse (veja Figura 5, p. 82).

Oprah: Então, as crianças precisam de desafios para desenvolver a resiliência, mas o estresse desses desafios tem que vir na medida certa, e as estruturas de apoio têm que estar a postos. Caso contrário, a criança pode ficar desregulada e falhar. Aí, em vez de ganhar confiança e resiliência, há o risco de minar a autoestima dela, ou coisa pior.

Dr. Perry: É isso. Sua resposta ao estresse precisa de ativação moderada. É impossível se tornar um bom atleta se você não estressar e desafiar seu sistema cardiovascular e seus músculos, mas é preciso fazer isso de maneira previsível e moderada. Caso contrário, você corre o risco de se machucar.

Oprah: E é impossível se tornar um ser humano saudável sem enfrentar alguns desafios que lhe permitam criar resiliência e empatia.

Dr. Perry: Sim. Um desenvolvimento saudável envolve uma série de desafios e exposição a coisas novas. E fracassar é parte importante do processo. Tentamos, erramos, nos levantamos, tentamos de novo. E mais uma vez. Todo sucesso de desenvolvimento vem depois de uma falha, e é normal que muitas falhas aconteçam antes que cheguemos ao domínio. O importante é ter desafios que sejam viáveis, compatíveis com nossas capacidades a cada momento, para que possamos vencer com algum incentivo, prática e insistência.

Uma criança que se sente amada e segura escolherá deixar a zona de conforto. Seguro e familiar é "tedioso". Uma criança segura e estável é curiosa, quer explorar coisas novas. Uma criança que se sente insegura não vai querer isso. Esta é uma regra essencial do desenvolvimento saudável: a sensação de segurança e estabilidade proporciona um alicerce para um crescimento saudável.

Oprah: O processo que você descreve será muito diferente se a criança estiver em uma casa onde não haja nada além de caos ou desconfiança. Estou pensando naquelas pessoas que estão sempre prontas para brigar quando dizemos algo que elas interpretam como crítica ou confrontação. Uma coisa mínima, e elas já explodem.

Dr. Perry: É, poderia ser alguém com um sistema sensibilizado de resposta ao estresse. Nosso cérebro processa de baixo para cima o impulso sensório que chega (veja Figuras 2 e 10, p. 54 e 144), e se alguém vive em meio a um estresse caótico e incontrolável, ou extremo e prolongado, particularmente no início da vida, é mais provável que aja sem pensar. Seu córtex não está tão ativo, e as áreas inferiores do cérebro tornam-se dominantes.

É muito difícil se conectar de verdade ou chegar até alguém que não esteja regulado. E é quase impossível argumentar com essa pessoa. Nunca funciona dizer "acalme-se" a alguém que está desregulado.

Oprah: Só faz com que a pessoa fique mais irritada.

Dr. Perry: Claro. Quando alguém está muito nervoso, as palavras em si não têm muita eficácia. O tom e o ritmo da voz provavelmente têm mais impacto do que as próprias palavras.

Oprah: Então, o que conta é a presença?

Dr. Perry: Sim, é melhor você simplesmente estar presente. Se for usar palavras, é melhor reformular o que a pessoa está dizendo. Isso se chama *escuta reflexiva*. Não dá para convencer alguém a deixar de se sentir bravo, triste ou frustrado, mas você pode atuar como uma esponja e absorver a intensidade emocional dele. Se você permanecer regulada, o outro vai acabar "captando" a sua calma. Também ajuda usar algum tipo de atividade reguladora rítmica, para você mesma se manter regulada enquanto faz isso, como sair para caminhar, chutar uma bola para lá e para cá, fazer umas cestas no basquete, colorir. Existem dezenas de atividades rítmicas para nos ajudar a regular.

Oprah: Porque fazer algo com movimento e ritmo oferece uma comunicação mais eficaz.

Dr. Perry: Como conversamos, o ritmo é muito importante, e, em geral, é ignorado como instrumento terapêutico. Eu me lembro de uma vez em que estava escutando Mike Roseman, o veterano da Guerra da Coreia que conhecemos no Capítulo 1. Ele falava sobre seu final de semana. Eu estava "escutando", mas, na verdade, era meio escutando e meio divagando. Parecia que eu tinha ouvido aquela mesma história umas dez vezes. "Dormi como um bebê na noite de sábado, dormi a noite toda. Me senti muito bem no domingo. Depois, tive de novo uma noite terrível, ontem." Então, tive um estalo. Eu *tinha* ouvido aquilo umas dez vezes. Toda segunda-feira, Mike dizia a mesma coisa sobre a noite de sábado.
Olhei para ele timidamente.
– O que você disse que fez nesse final de semana?
Ele respondeu:
– Fomos jantar e depois fomos a um salão de dança.
– E o que vocês fazem no salão de dança?
Ele olhou para mim e levantou as sobrancelhas.
– Ah, vocês dançam, certo? Mas quanto tempo? Vocês dançam horas, ou só uma ou duas músicas? Valsa? Hip-hop?
– Eles tocam todos os tipos de música, mais swing, um pouco de rock, às vezes. Eu danço e paro, danço e paro por umas três horas.

– E na semana passada, você me contou que adormeceu na fisioterapia, durante uma massagem no final da sessão, certo?

– Certo.

Pensar nisso me ajudou a entender o potencial regulador de uma atividade padronizada, repetitiva, como dança ou massagem. Como você se lembra, Mike Roseman tinha Transtorno do Estresse Pós-Traumático. Seu sistema de resposta ao estresse, incluindo suas RRCs, estava hiperativo e hiper-reativo. Ele tinha dificuldade para adormecer. E, quando dormia, seu sistema sensibilizado de resposta ao estresse dificultava a transição suave pelos vários estágios do sono. O resultado é que ele tinha um sono muito leve, acordando, normalmente, após algumas horas. Várias noites, ele cochilava apenas por alguns minutos, antes de acordar sobressaltado ao menor ruído. Estava sempre exausto. E eis que naquele momento ele me contava que tivera um sono longo, profundo e restaurador depois de dançar durante horas, e que adormecera em minutos ao receber uma massagem.

Daquele ponto em diante, um componente importante da terapia do Mike foi a "fisioterapia". Várias vezes por semana ele recebia massagens para aliviar as dores em suas "costas ruins". Incentivei-o a dançar menos tempo, mas todo dia, e a caminhar. Ele começou a caminhar por toda a cidade. Cerca de um mês depois de criar um esquema mais estruturado de atividades rítmicas, Mike começou a dormir melhor. E seus outros sintomas pós-traumáticos tornaram-se menos intensos.

Oprah: É incrível que uma coisa tão simples quanto caminhar possa ter esse efeito. Caminhar é muito regulador para mim.

Dr. Perry: E é especialmente regulador se você puder caminhar na natureza. Os elementos sensórios do mundo natural nos envolvem com seus próprios ritmos reguladores.

Vamos falar mais sobre como é possível ajudar uma pessoa desregulada a se sentir mais regulada. Em vez de dizer: "Ei, me conte o que você está pensando", é preciso deixar que ela assuma o controle sobre quando e o quanto vai contar a respeito do que a está deixando nervosa. Se você entregar o controle a essa pessoa e ajudá-la a se sentir segura, virá o tempo em que ela estará pronta para falar.

Oprah: Sim! Eu me lembro da primeira vez em que entrevistei os pais de Elizabeth Smart. Você deve se lembrar que Elizabeth foi levada de casa, em Salt Lake City, sob ameaça de uma faca quando tinha 14 anos, e passou mais de nove meses em cárcere privado. Quando entrevistei seus pais, depois que ela se recuperou, perguntei: "O que ela disse a respeito? Sobre o que vocês conversaram?" E eles me contaram que ela ainda não havia dito nada. À época, eu fiquei surpresa, mas agora entendo que eles estavam esperando o tempo dela. Porque, como você disse, se *você* controlar quando e quanto uma pessoa traumatizada fala, a experiência pode ser mais traumatizante, em vez de curativa.

Dr. Perry: Exatamente. Queremos oferecer interações terapêuticas, curativas. Interações moderadas, controláveis e previsíveis. Você se lembra da maneira como descreveu suas conversas com Gayle? E do menininho que contou à funcionária do caixa que sua mãe tinha morrido? Controlar quando, quanto e que aspecto de um acontecimento traumático será compartilhado permite à pessoa que viveu um trauma criar seu próprio padrão de recuperação. Ninguém melhor do que ela para saber qual a "dose de revisitação" a uma lembrança traumática. Para o garotinho no mercadinho, ela durou, literalmente, segundos.

Falamos bastante sobre padrões de ativação de estresse que criam "sensibilização", o que é, essencialmente, o oposto de resiliência. No entanto, quando ativamos lembranças traumáticas em nossos sistemas de resposta ao estresse de maneira a oferecer controlabilidade e previsibilidade, podemos começar a curar um sistema sensibilizado. A cura acontece quando há dezenas de momentos terapêuticos todos os dias para a pessoa controlar, revisitar e retrabalhar sua experiência traumática.

Se ela tem amigos, família e outras pessoas saudáveis em sua vida, há um ambiente natural de recuperação. Nós nos recuperamos melhor em comunidade. Criar uma rede – uma aldeia, dê o nome que quiser – lhe dá a oportunidade de revisitar o trauma em doses moderadas, controláveis. Esse padrão de ativação do estresse acabará levando a uma curva mais regulada de reação ao estresse (veja Figura 5, p. 82). Assim, a pessoa traumatizada com uma resposta sensibilizada ao estresse pode se tornar "neurotípica" – menos sensibilizada, menos vulnerável. Na verdade, ela pode até desenvolver a capacidade de demonstrar resiliência.

O percurso de *traumatizada* para *normal* e para *resiliente* ajuda a criar uma força e uma perspectiva ímpares. Esse percurso pode criar uma prudência pós-traumática.

Por milhares e milhares de anos, os seres humanos viveram em pequenos grupos intergeracionais. Não existiam clínicas de saúde mental, mas havia inúmeros traumas. Deduzo que muitos dos nossos ancestrais tenham sofrido problemas pós-traumáticos: ansiedade, depressão, perturbações do sono. Mas também deduzo que eles vivenciaram a cura. Nossas espécies não teriam sobrevivido se a maioria de nossos ancestrais traumatizados perdesse a capacidade de funcionar bem. Os pilares da cura tradicional eram: 1) conexão com o clã e o mundo natural; 2) ritmo regulador por meio da dança, do batuque e da música; 3) um conjunto de crenças, valores e histórias que ofereciam significado até para traumas aleatórios; e 4) ocasionalmente, alucinógenos naturais ou outras substâncias derivadas de plantas, usadas para facilitar a cura, com a orientação de um curandeiro ou ancião.

Não é de se surpreender que as melhores práticas atuais para o tratamento de trauma sejam, basicamente, versões desses quatro pilares. Infelizmente, poucas abordagens modernas usam bem todas as quatro opções. O modelo médico concentra-se demais em psicofarmacologia (4) e abordagens comportamentais cognitivas (3). Ele subestima imensamente o poder da conectividade (1) e do ritmo (2).

Certa vez trabalhei com uma menina de 4 anos chamada Ally. Ela tinha presenciado o assassinato da mãe pelo pai, que depois cometeu suicídio. Ally vivia em uma comunidade muito unida, e depois da perda traumática dos pais foi morar com uma das tias. Havia, com folga, uns trinta primos, tia, tios e avós vivendo na comunidade. E eles sempre estavam juntos nos aniversários, celebrações, eventos familiares. Ally tinha uma participação ativa em sua igreja, praticava esportes e sua escola era muito solidária, com professores "sensíveis a trauma". Parte do nosso trabalho com ela foi educar os adultos que faziam parte de sua vida, inclusive os professores, em relação a trauma.

Nas primeiras semanas, estivemos com ela cerca de três vezes por semana. No prazo de um mês, tínhamos reduzido para uma sessão semanal. Um ano depois, precisávamos vê-la apenas uma vez por mês. Seis meses depois, dissemos a sua tia para simplesmente pedir ajuda, caso houvesse alguma questão ou problema. A última vez em que soube de Ally, ela tinha sido eleita representante de turma em sua escola secundária, era ativa nos esportes e na igreja e estava indo muito bem nos estudos. Ela e a tia relataram sintomas não significativos. É claro que havia tristezas esporádicas, mas Ally era uma menina positiva, feliz e participativa. As cicatrizes permaneceram, mas ela estava se recuperando bem. Era uma alma sensata. Tinha desenvolvido prudência pós-traumática.

Oprah: Prudência pós-traumática, adoro isso. A experiência de Ally apresenta um resultado positivo. Então, esse não é um exemplo da resiliência de uma criança?

Dr. Perry: Sem dúvida. Mas não por ela ter nascido resiliente. Ally conseguiu mostrar resiliência perante a tragédia por causa da qualidade de relacionamentos amorosos quando era pequena. A resiliência é uma capacidade que pode aumentar e diminuir, não é um traço inato, permanente. Se Ally não tivesse tido uma família estável e acolhedora, uma professora compreensiva ou uma fé poderosa, sua capacidade de se reerguer teria rapidamente se esgotado. Sua capacidade de recuperação e de continuar demonstrando resiliência teve relação com relacionamentos confiáveis e continuados, graças aos quais ela pôde "dar sentido" ao horror e situá-lo no contexto das suas crenças. Até a pessoa aparentemente mais resiliente pode ser exaurida pela pobreza relacional e pela permanência de estresse, desconforto e trauma.

Oprah: A história de Ally e a maneira como você descreveu o poder curativo dos clãs intergeracionais de milhares de anos atrás me fazem pensar na minha infância em Kosciusko, Mississippi, e em como a igreja era o ponto central da nossa vida. Toda semana eu estava lá para a escola dominical e ficava para o culto das 11 horas. Íamos para casa e minha avó cozinhava antes de voltarmos para outro culto, às três horas. Depois havia a preparação na União Batista às cinco ou seis. Nas noites de quarta-feira, íamos a uma reza e ao ensaio do coro. Aos 3 anos e meio eu falava à congregação. As horas que passei naquela igrejinha branca, na estrada de terra vermelha, com certeza constituíram os alicerces espirituais para a minha vida.

Mais tarde, já morando com meu pai, em Nashville, aceitei um trabalho como repórter num canal de televisão em Baltimore. Quando estava me preparando para deixar a minha família e a vida que eu conhecia, o conselho que meu pai me deu foi: "Encontre um *church home*."* Naquela época, pensei que fosse porque ele queria ter certeza de que eu manteria Jesus na minha vida. Mas agora, olhando para trás, enquanto conversamos sobre o poder curativo dos relacionamentos, percebo que não se tratava apenas de um lugar de louvação, mas também de encontrar uma comunidade e descobrir uma conexão verdadeira e duradoura em uma nova cidade.

---

* Em português, "lar igreja". Trata-se de comunidades menores e mais solidárias, cujos membros se ajudam mutuamente, com a possibilidade de oferecer aos fiéis refeições, abrigo e ajuda financeira, entre outras coisas. (N. T.)

Naquele tempo, a igreja era tudo: conselheira, provedora, conforto e refúgio. Nem se discutia a ideia de fazer terapia. Se você precisasse de ajuda, ia para a igreja. Como eu disse, nós resistíamos juntas. Era sua família da igreja que garantia um lugar à mesa no jantar de domingo. Eram eles que faziam visitas quando você ficava doente ou recolhiam doações se você não conseguisse pôr comida na mesa.

Era na igreja que desenvolvíamos o ritmo, com seu poder curativo. Nossa música servia como ligação entre nós e nos reanimava.

Há quem não se interesse pela igreja, mas todo mundo precisa de pessoas que escutem, estejam presentes e façam com que se sintam vistos e ouvidos. E enquanto estamos conversando, percebo que uma solução para se recuperar do trauma é encontrar uma *church home*, seu povo, sua comunidade. Isso pode ajudar a desenvolver a resiliência, a recuperação pós-traumática e, por fim, a prudência pós-traumática. Pode ajudar você a se tornar criterioso.

Dr. Perry: É impossível ser realmente criterioso sem algum sofrimento na vida real. E não podemos desenvolver a prudência pós-traumática sem resistir e, o mais importante, como você observa, resistir com pessoas ao nosso lado.

Oprah: A conexão social cria resiliência, e a resiliência ajuda a criar a prudência pós-traumática, e essa prudência leva à esperança. Esperança por si mesmo, e esperança pelos outros que testemunham e participam da sua recuperação, esperança pela sua comunidade.

Dr. Perry: Exatamente. Uma comunidade saudável é uma comunidade de cura, e uma comunidade de cura é cheia de esperança porque viu seu próprio povo resistir, sobreviver e prosperar.

A primeira vez que vi como uma comunidade de cura pode funcionar foi há quase trinta anos. Essa experiência mudou completamente meu modo de pensar sobre terapêutica. Comecei a entender que a experiência mais terapêutica – a maior parte da recuperação – acontece fora da terapia formal. A maior parte da recuperação se dá em *comunidade*.

Em fevereiro de 1993, o ATF (sigla em inglês para a Agência de Álcool, Tabaco e Armas de Fogo do Departamento de Justiça) tentou invadir o complexo do Branch Davidian, de David Koresh, em Waco, Texas. Quatro membros do ATF e seis pessoas da comunidade foram mortos no ataque. Nos três dias seguintes, o FBI negociou a libertação de 21 crianças do complexo. Depois essas solturas pararam e seguiu-se um cerco de 51 dias. Terminou com um ataque do FBI, que precipitou um abrir fogo dos *davidians*, matando 76 deles, inclusive 25 crianças que ainda estavam lá.

Vários dias depois do ataque inicial do ATF, representantes do estado do Texas me pediram para coordenar uma equipe médica que cuidaria das crianças sobreviventes. Estavam todas abrigadas em um único chalé grande no campus da Methodist Home, em Waco. Tinham entre 3 a 13 anos, meninos e meninas. Haviam passado horas no tiroteio e testemunhado a morte de membros da sua comunidade. Cada uma delas tinha sido separada da família e entregue a estranhos, em geral agentes do FBI armados com equipamento da SWAT.

Antes de assumirmos, as crianças vivenciaram o caos. Os dias eram todos imprevisíveis, e cada criança interagia com dezenas de pessoas estranhas, algumas delas armadas. Elas tinham sido doutrinadas a acreditar que todos que não fossem *davidians* eram "babilônios" com a intenção de destruir David Koresh e todos os seus seguidores. Então, ali estavam aquelas crianças, arrancadas de tudo que conheciam, sendo cuidadas por pessoas que elas acreditavam que fossem matá-las. Conclusão: era um grupo de crianças profundamente traumatizadas.

Nos primeiros dias em que trabalhamos com elas, as crianças apresentaram vários efeitos agudos pós-traumáticos. A frequência cardíaca média em repouso era de 132, quando o normal deveria ser abaixo de 90. Havia certa pressão para "fazer terapia" com aquelas crianças, mas eu sabia que falar com crianças desreguladas não seria eficiente.

Senti que nossa primeira tarefa deveria ser trazer estrutura e previsibilidade para o cotidiano delas.

Começamos a tornar o incontrolável e imprevisível mais controlável e previsível. Limitei o acesso desnecessário às crianças; nada de novos adultos. Tínhamos reuniões de grupo pela manhã, para definir como seria o dia, e no final da tarde, para analisar como tinha sido. Nos encontros, as crianças tinham oportunidade de fazer perguntas. Havia jogos, horas de silêncio e refeições, sempre nos mesmos horários. E demos às crianças múltiplas oportunidades para fazerem escolhas sobre o que comer, com o que brincar, como passar seu tempo de silêncio.

A cada dia, depois que as crianças iam para a cama, nossa equipe se reunia. Conversávamos sobre cada uma delas e pedíamos um relato a cada membro da equipe que tivesse interagido com aquela determinada criança. Registrei essas breves interações em uma planilha, hora a hora. Muitas eram breves momentos terapêuticos. Uma criança perguntava: "O que você acha que vai acontecer com a minha mãe?", depois escutava um comentário tranquilizador e voltava a brincar. As crianças controlavam quando e como falariam sobre os acontecimentos traumáticos que haviam vivenciado. Também estavam buscando interações seguras, estáveis e fisicamente reguladoras. "Me empurre no balanço." "Vamos desenhar." Minha planilha me mostrou que, apesar de não haver sessões formais de "terapia", as crianças estavam recebendo mais de duas horas de interação terapêutica diariamente. Ao final de três semanas com nossa equipe, elas estavam muito mais reguladas. A frequência cardíaca do grupo estava abaixo de 100, dentro da variação normal. Elas estavam mais interativas e falantes, e as interações terapêuticas passaram a ser mais verbais.

Uma das observações mais importantes foi que aquelas crianças precisavam de tipos diferentes de interação terapêutica, em momentos diferentes. Elas sabiam disso melhor que nós. Uma criança que desejava interações acolhedoras silenciosas procuraria alguém da nossa equipe que fosse de fato um bom ouvinte, capaz de se sentar com tranquilidade, sem falar – o que não é fácil para a maioria dos adultos. Quando essa mesma criança queria brincar, procurava outro membro da equipe que fosse mais jovem e mais brincalhão. Se queria a certeza de uma figura de autoridade, vinha a mim. Cada um de nós tinha um conjunto único de características de personalidade, e em algum momento nossa força particular poderia ser exatamente o que uma das crianças precisava. Nenhum terapeuta poderia ser tudo para todas as crianças, em diferentes estágios de desenvolvimento e em diferentes estados de regulação. Nossa estrutura médica em Waco me lembrou da importância da "diversidade" de desenvolvimento para as crianças.

Pense na diversidade dentro de um pequeno clã multifamiliar, multigeracional. Ao longo do crescimento, as crianças tinham numerosos adultos e crianças mais velhas que poderiam moldar, ensinar, alimentar, disciplinar e cuidar delas. Cada pessoa no clã tinha um conjunto particular de forças, a pessoa certa na hora certa. Não se esperava que nenhuma delas suprisse todas as necessidades emocionais, sociais, físicas ou cognitivas da criança em desenvolvimento.

Isso é incrivelmente diferente do nosso mundo moderno. Esperamos que uma mãe sozinha que trabalha jogue beisebol com seu filho de 8 anos, embale o recém-nascido, leia para o de 3 anos e ainda prepare uma refeição nutritiva, ajude com a lição de casa, cuide da roupa, ponha todo mundo na cama, acorde cedo, apronte todos para a creche e a escola e vá trabalhar o dia todo, só para voltar correndo para casa e fazer tudo de novo. Completamente sozinha.

Oprah: Ela precisa de pessoas que entrem em ação e ofereçam ajuda, de modo que tenha alguma folga. Pessoas que compareçam e façam algumas dessas coisas com seus filhos. Não fomos feitos para ficar isolados e sós, e sim para trabalhar em grupo. Então, quando uma mãe sozinha está vivendo com pouco dinheiro, tentando cuidar de quatro crianças, se esforçando para ser mãe e pai, e se sente sobrecarregada, ou acha que é impossível fazer tudo aquilo, é porque é impossível mesmo.

Dr. Perry: É uma expectativa muito injusta da nossa sociedade. Nenhuma outra sociedade na história deste planeta pediu alguma vez a um único adulto que atendesse sozinho às necessidades físicas, sociais, emocionais e materiais de múltiplas crianças.

Oprah: Ninguém foi feito para criar crianças sozinho e isolado.

Dr. Perry: Com certeza, não. Fomos feitos para distribuir cuidados em meio aos muitos adultos do nosso "bando", da nossa comunidade. Em um típico clã caçador-coletor, para cada criança abaixo dos 6 anos havia quatro indivíduos com desenvolvimento mais maduro que poderiam moldar, disciplinar, alimentar e instruir a criança. É uma relação 4:1: quatro indivíduos com desenvolvimento maduro para cada criança abaixo dos 6 anos. Agora, achamos que um cuidador para quatro crianças pequenas (1:4) é "um luxo". Isso é 1/16 do que nosso cérebro social em desenvolvimento está buscando. É pobreza relacional.

Oprah: Me dá vontade de chorar por todos os pais e mães sozinhos que vivem essa realidade diariamente, se matando, desanimados, incapazes de cuidar até de si próprios. Também me leva a pensar na minha mãe de outro jeito. Ela fez o melhor que podia e, em geral, estava cansada demais para fazer mais.

Dr. Perry: E os pais solo, como a sua mãe, geralmente acabam se sentindo inadequados. Acham que existe algo errado com eles, que não são o bastante. Quando, na verdade, é o mundo moderno que não é o bastante.

Uma forte ligação com a comunidade é tão importante hoje quanto era milhares de anos atrás. A tragédia do mundo moderno é que uma comunidade assim é cada vez mais difícil de encontrar. Nem todo mundo tem amigos como a Gayle. Poucas pessoas participam de comunidades religiosas. Nem todo mundo sente pertencer a um grupo. Existe uma relação direta entre o grau de isolamento social de uma pessoa e seu risco para problemas de saúde mental e física. Mas quando você de fato tem conectividade – sua *church home* –, você incorpora amortecedores para qualquer estresse ou qualquer aflição que vivencie.

Oprah: Nós pertencemos, sim. Somos o bastante. Mas é difícil ver isso no nosso mundo atual.

Dr. Perry: Imagine que sua avaliação anual no trabalho seja ruim. Seu supervisor lhe dá um feedback negativo. Você fica muito nervosa. Fica pensando nisso. Revê a cena na sua cabeça sem parar. Volta e fala com um dos seus colegas: "Dá pra acreditar que ele disse isso? Não acredito que seja verdade!" O colega escuta e a tranquiliza: "Não, não é verdade. Ele está falando besteira." Por um tempinho, você se sente calma. Depois, liga para outra colega e conta para ela. E vai para casa e repete tudo para seu companheiro.

Você programou três, quatro ou cinco "doses" em que controlou como e quando contar sobre o feedback aflitivo. À medida que expressou seu ponto de vista, você se tornou regulada, tranquilizada. No dia seguinte, se sentiu melhor. Você criou maneiras controláveis e moderadas de revisitar a avaliação perturbadora, e isso mudou sua reação a ela. Já não é tão aflitiva. Originalmente, você ficou desregulada, desligou a área "racional" da sua cabeça, distorceu os comentários, amplificou-os. Então pôde refletir com mais rigor sobre o feedback e talvez ver alguma verdade nos comentários. Isso não era possível até você usar suas muitas interações relacionais para revisitar o episódio e favorecer a regulação.

Quando temos uma comunidade, podemos fazer esse tipo de dosagem para regular qualquer experiência estressante ou incômoda. Podemos criar e demonstrar resiliência. Fazemos isso o tempo todo. Mas imagine alguém sem os vínculos que permitiriam esse tipo de regulação relacional. Para alguém com escassez relacional, essas experiências estressantes são ampliadas pela câmara de ressonância da própria mente. O estresse se transforma em angústia, e as experiências angustiantes tornam-se sensibilizadoras, resultando nos mesmos efeitos físicos e mentais do trauma.

É esse o desafio para o nosso mundo moderno. Como podemos criar uma comunidade quando somos tão instáveis, tão reclusos, tão desconectados? Trata-se de um desafio importante para a criação de um futuro saudável. Como podemos garantir conectividade, além de uma sensação de segurança e pertencimento para todos?

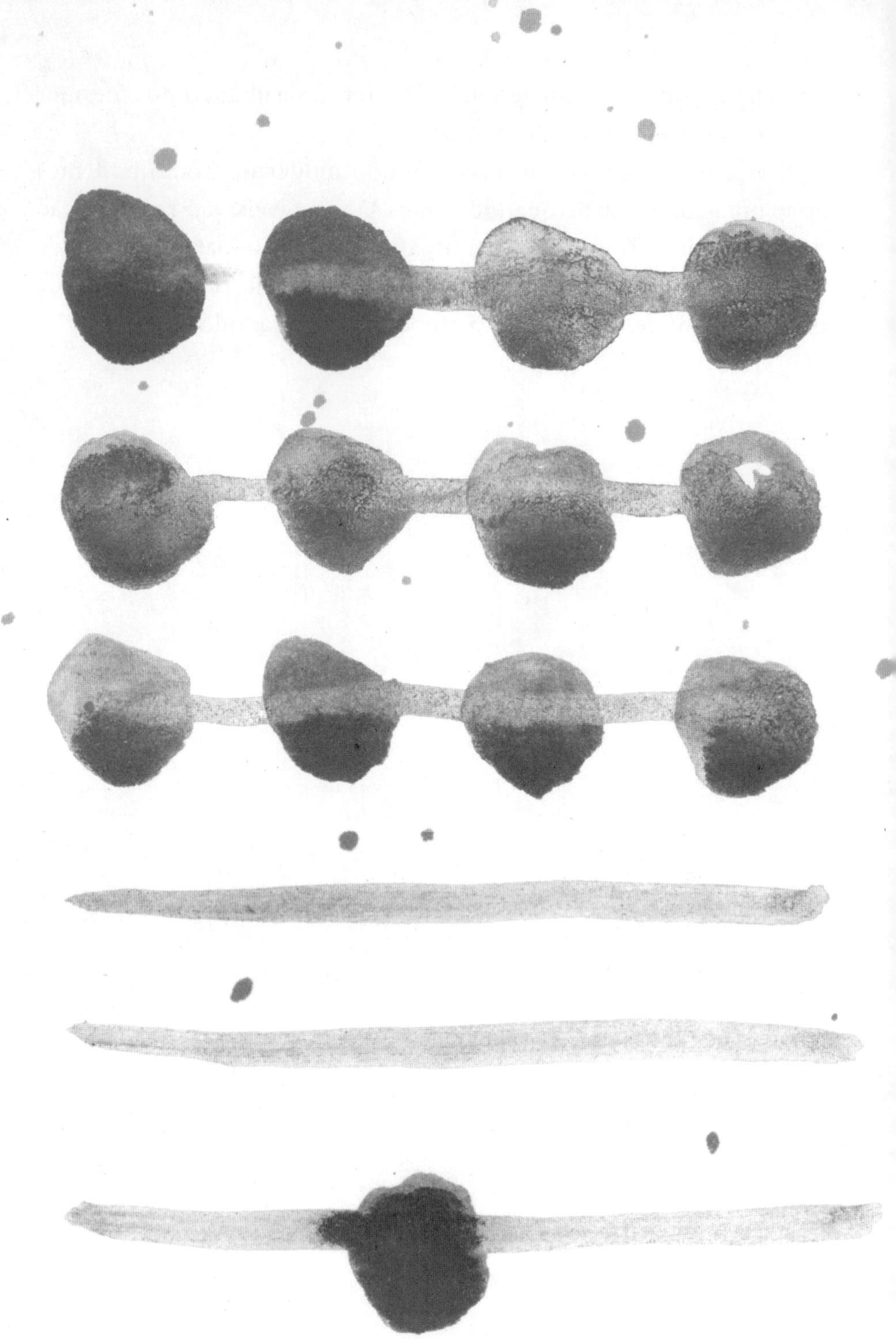

CAPÍTULO 8

NOSSOS CÉREBROS, NOSSAS PROPENSÕES, NOSSOS SISTEMAS

Em 2015, entrevistei um homem chamado Shaka Senghor para meu programa *Super Soul Sunday*. Aos 19 anos, Shaka tinha sido condenado por assassinato em segundo grau. Passou 19 anos na prisão, sete deles numa solitária. Quando começou a cumprir pena, Shaka estava bravo e violento, e logo mergulhou num sistema que não tinha interesse em prepará-lo para um eventual retorno ao mundo externo. Mas depois de seis anos atrás das grades, algo mudou, e Shaka começou a se transformar. Em sua cela de 1,5 metro por 2 metros, começou a meditar, ler, fazer um diário e escrever o que acabaria sendo seu best-seller de memórias, *Writing My Wrongs* (Escrevendo meus erros, em tradução livre).

A primeira vez que vi uma foto de Shaka na capa do seu livro, fiquei cética. O que aquele assassino condenado, tatuado, com dreadlocks poderia me ensinar?

Nossa conversa foi uma das melhores que já tive.

À medida que ele me contava sua história, ao longo de nossas duas horas e meia juntos, compreendi o que significa ser insuficiente, o que significa se perder e o que realmente significa ser moldado pelo meio em que se vive.

Shaka, nascido James White, cresceu numa família de classe média em Detroit. Seu pai, militar da reserva da Força Aérea, era funcionário público estadual em Michigan. A mãe ficava em casa com James e seus cinco irmãos. Quando criança, James era um aluno que só tirava 10 e sonhava em ser médico.

Vistos de fora, os Whites pareciam a família ideal americana, mas

Shaka diz que até onde ele consegue se lembrar, sua mãe tinha um temperamento explosivo e descontava sua raiva nos filhos.

– Você se sentia amado quando criança? – perguntei.

– Me diziam: "Eu faço isso porque te amo" – disse ele. – Mas era sempre uma surra ou um castigo.

Reconheci a situação na mesma hora.

Shaka lembra-se de um dia em que chegou da escola radiante por ter tirado 10 numa prova. Tinha 9 anos e achou que a mãe também ficaria alegre. Em vez disso, ela atirou uma panela nele com tanta fúria que a panela quebrou os azulejos da parede da cozinha atrás de Shaka.

Perguntei se alguma vez ele descobriu o que a deixava nervosa.

– Eu nunca soube – disse ele. – Minha mãe estava sempre nervosa.

Enquanto eu escutava, fiquei com o coração partido por Shaka e pelos milhões de pessoas que, quando crianças, sentiam regularmente um medo paralisante em casa. A tragédia não é apenas a sensação de medo naquele momento; é que elas aprendem a abafar a emoção e aceitar o comportamento abusivo.

Além do abuso físico da mãe, Shaka diz que os últimos cinco anos do casamento dos pais foram instáveis. Ele ficava arrasado com as separações dos dois e se alegrava com suas reconciliações, destruído e empolgado a cada vez que o ciclo se repetia. Quando eles finalmente se divorciaram, Shaka, cansado de ser traído pelas pessoas que mais amava, diz ter construído uma parede emocional buscando proteção e aceitação nas ruas. Começou a se comportar mal: entrava em brigas, recusava-se a fazer a lição de casa, fugia.

O que mais me surpreendeu na história de Shaka foi que em nenhuma vez durante a mudança – de um aluno que só tirava 10 para um garoto de rua – alguém tivesse lhe perguntado: "O que aconteceu com você? Por que está se comportando assim?" Nenhum adulto pareceu notar, ou se preocupar, que aquele menino tivesse se perdido.

Aos 14 anos, Shaka vendia drogas, arrombava casas e furtava. Aos 17 levou um tiro e passou a andar armado. Vivia numa cultura e num meio que perpetuavam a ideia de que o valor de um jovem era definido por ter dinheiro, atenção e uma reputação como "o mau elemento".

— Naquele espaço, eu me sentia aceito — contou Shaka. — Eu andava com outros moleques frágeis e destruídos, e nós nos juntávamos em torno da nossa destruição. Eu pensava: *Isso é apoio, isso é amor, isso é "Estou com você para o que der e vier"*.

— Mas você não era o inteligente que queria ser médico? — perguntei. — Por que você queria ser médico?

Ele fez uma pausa de 23 segundos, uma eternidade no tempo da televisão. Percebi que ele nunca tinha pensado no assunto.

— Minha mãe era sempre agradável quando me levava ao médico — disse ele, finalmente. Fez uma nova pausa. Seus olhos marejaram. — Acho que eu imaginei que, se me tornasse médico, ela seria agradável comigo.

Foi um momento muito comovente para nós dois. Um rapaz confuso e rejeitado por aqueles que deveriam criá-lo, simplesmente procurando a validação e o amor da mãe.

Aos 19 anos, as perigosas escolhas de vida de Shaka chegaram a um ponto crítico. Uma noite, a caminho de casa depois de uma festa, ele começou a discutir com um homem chamado David. No meio da briga, Shaka puxou sua arma, apertou o gatilho e o matou.

Na prisão, Shaka encontrou um ambiente familiar, onde reinavam a violência e a dominação. Repetidas vezes acabou na solitária por motivos diversos: de atacar guardas na prisão a tentativas de fuga.

Shaka tinha um filho, e o que finalmente o dobrou foi uma carta que recebeu do garoto. "Querido papai", dizia a carta, "a mamãe me contou que você está preso por assassinato. Querido papai, não mate mais. Jesus vê o que você faz. Reze para ele, e ele vai perdoar os seus pecados".

— Foi essa parte que acabou com tudo — contou Shaka. — Pensei: *Eu me recuso a deixar esse legado para o meu filho*. Foi nesse momento que decidi que nunca mais voltaria para as trevas. Precisava encontrar a minha luz. Eu devia isso a ele, encontrar a minha luz.

Desde que saiu da prisão, em 2010, Shaka tem sido um defensor da reforma da justiça criminal. Fala para jovens pelo país, compartilhando sua história e incentivando-os a evitar a vida nas ruas. Deu aulas na Universidade de Michigan e é membro do MIT Media Lab, um laboratório de pesquisa em tecnologia. Na essência do seu trabalho está a crença de que as pessoas não deveriam ser definidas por seus erros passados e que a redenção é possível.

A maioria das pessoas que está no processo de escavar os motivos de erros passados encontra resistência em algum momento. "Você está culpando o passado." "Seu passado não é uma desculpa."

Isso é verdade. O passado não é uma desculpa, mas é uma explicação, oferecendo insights para as questões que afligem tantos de nós: *Por que eu me comporto assim? Por que eu me sinto assim?* Para mim, não há dúvida de que nossas forças, nossas vulnerabilidades e reações pessoais são uma expressão do que nos aconteceu.

Com muita frequência, "o que aconteceu" leva anos para se revelar. É preciso coragem para confrontar nossas ações, remover as camadas de trauma das nossas vidas e expor a verdade crua do nosso passado. Mas é aí que começa a cura.

— **Oprah**

Oprah: Quando começamos a falar sobre trauma, mais de 30 anos atrás, não havia muitas pessoas cientes do seu impacto em tantos aspectos da vida. As coisas mudaram? Quando olhamos para as escolas, para o sistema de saúde, o sistema de justiça criminal, enfim, em toda parte há pessoas impactadas por trauma, muitas ainda mal compreendidas, e às vezes duplamente traumatizadas pelo próprio sistema que deveria ajudá-las.

Dr. Perry: Essa é uma verdade de partir o coração. Leva-se muito tempo para mudar as pessoas, e ainda mais tempo para mudar os sistemas. Mas *sou* otimista. Muitas mudanças positivas estão em andamento. Hoje há muito mais pessoas conscientes de quanto o trauma é abrangente. Elas entendem que o trauma pode influenciar a nossa saúde, mas temos um longo caminho a seguir. Precisamos que mais profissionais e organizações mudem a maneira de "atuar" para ajudar a abordar o impacto do trauma.

Oprah: Você está falando sobre *trauma-informed care* (TIC, sigla em inglês para "cuidados conscientes do trauma")?

Dr. Perry: Sim e não. Como você sabe, não sou fã desse termo. Muitos lugares estão tentando implementar esse tipo de cuidado, o que me impressiona, mas acho que a linguagem está atrapalhando o progresso. Vou explicar por quê.

Como andamos conversando, as complexidades do trauma impactam todos os nossos sistemas, da saúde mãe-bebê ao bem-estar infantil, passando por educação, forças policiais, saúde mental e mais. Cada um desses sistemas é um mundo em si mesmo, com seus próprios profissionais, suas próprias atitudes, sua própria linguagem. Já falamos sobre como cada indivíduo desenvolve sua visão de mundo única. Bem, o mesmo acontece com os sistemas e as organizações: eles desenvolvem uma perspectiva dominante. No passado, a maioria dessas perspectivas não incluía qualquer percepção significativa sobre desenvolvimento, estresse ou trauma, ou sobre assuntos inter-relacionados que possam causar perturbação ou trauma, tais como preconceitos implícitos, racismo e misoginia. No entanto, com tanta pesquisa nova surgindo sobre esses assuntos, ficou claro que eles são ignorados pelos nossos sistemas. E como cada sistema se confrontou com o que significa "cuidados conscientes do trauma", eles usaram suas próprias lentes particulares, sua própria visão de mundo.

O resultado é que tem sido um desafio definir o termo. Assim como a palavra *trauma*, ele tem sido usado por muitas pessoas e grupos diferentes, de muitas maneiras diferentes. Pode levar algum tempo para ser equacionado.

A sigla TIC surgiu em 2001 para incentivar os sistemas de saúde mental e bem-estar infantil a reconhecer que o trauma era um fator relevante, embora mal compreendido, na vida das pessoas que atendiam.

Com o tempo, muitos grupos começaram a usar o termo com definição ou clareza mínimas. Organizações assistiam a seminários de três horas e se declaravam "conscientes do trauma". Cidades se outorgavam o rótulo; até países aspiraram a se tornar o primeiro "consciente do trauma". Era confuso. Afinal, o que constitui uma cidade "consciente do trauma"? Não faltaram chavões, mas raramente estavam associados a planos concretos de implementação ou de mudanças nos serviços, programas ou políticas. O "treinamento" em TIC tornou-se uma indústria caseira, com centenas de organizações e "especialistas" querendo tirar seu dinheiro para atestar que você e sua organização eram "conscientes do trauma". Como esperado, a qualidade desse treinamento era inconsistente.

Em reação a esse início caótico, vários países, estados, organizações profissionais, comitês interdisciplinares e equipes profissionais trabalharam para definir e implementar o TIC. Infelizmente, esses esforços desarticulados complicaram ainda mais as coisas. Um comitê concluiu que, "apesar de anos de trabalho na área, não existe uma definição comum para TIC".

Surgiram dezenas de versões sobre o que seriam os "elementos", "princípios", "pilares", "ingredientes", "pressupostos", "componentes", "domínios", e as "diretrizes" do TIC. Embora existam alguns conceitos consistentes, a variabilidade é de deixar qualquer um tonto.

O resultado é que nunca se sabe em que versão do TIC alguém está pensando ao usar o termo. É por isso que, quando estou falando sobre prática, programa ou política em relação a trauma, sempre tento descrever os conceitos, conteúdos ou objetivos específicos, em vez de usar o termo TIC.

Dito isso, penso que esses esforços são muito importantes, e tem havido progresso. Todas essas organizações estão ensinando sobre trauma, defendendo um aumento na conscientização pública e apoiando pesquisas para se aprender mais. Muitas estão avaliando e promovendo intervenções promissoras. Em 1989, surgiu o National Center for Post-Traumatic Stress Disorder (Centro Nacional para o Transtorno de Estresse Pós-Traumático), dentro do Veterans Affairs (VA, Departamento de Assuntos de Veteranos de Guerra) dos Estados Unidos, para estudar o trauma e dar suporte a ex-combatentes traumatizados. Em 2000, foi formado o National Center for Child Traumatic Stress (Centro Nacional para Estresse Traumático Infantil). Somente em 2018 as divisões do Centers for Disease Control and Prevention (CDC, Centro para Controle e Prevenção de Doenças) e do Substance Abuse and Mental Health Services (SAMHSA, Serviço de Saúde Mental e Abuso de Substâncias) dedicadas a estudar trauma lançaram os sete princípios do TIC, que, desconfio, continuarão a evoluir conforme o campo se amplie.

É fácil esquecer quão recente é a traumatologia – estudo do trauma. A traumatologia do desenvolvimento, como disciplina, é ainda mais nova. Neste momento, organizações e sistemas começam a lidar com os mesmos assuntos que estamos discutindo neste livro. E isso é necessário, porque o trauma permeia todos os aspectos da vida; ele ecoa por gerações, atravessa famílias, comunidades, instituições, culturas e sociedades, sempre de maneira muito complexa. O trauma pode impactar nossos genes, os glóbulos brancos, o coração, o estômago, os pulmões e o cérebro, nosso pensamento, nossos sentimentos, o comportamento, a parentalidade, o ensino, o treinamento, o consumo, a criação, a prescrição, a prisão, a sentença. Eu poderia continuar essa lista.

Assim, dependendo da sua perspectiva, da sua visão de mundo e do seu próprio histórico de trauma e perda, você terá a sua versão única de "consciência do trauma".

Oprah: Em essência, isso está fazendo as pessoas se conscientizarem de que "o que aconteceu com você" é importante, influenciando seu comportamento e sua saúde. O passo seguinte é usar essa consciência para agir de modo adequado, seja pai ou mãe, professor, amigo, terapeuta, médico, policial, juiz.

Dr. Perry: Sim, sem dúvida. Isso capta, bem como qualquer outra manifestação breve, a essência da "consciência do trauma". A parte do "agir de modo adequado" é muito importante. Uma coisa é ter consciência de que o trauma pode resultar em certos comportamentos e problemas. Outra é perguntar: "O que vamos fazer agora?"

Como criamos oportunidades para uma recuperação dentro dos nossos sistemas? Como podemos evitar a repetição de estressores imprevisíveis e incontroláveis que exacerbarão os efeitos do trauma? Como podemos ter certeza de que não voltaremos a traumatizar alguém, inadvertidamente, dando continuidade às experiências de marginalização e desumanização que causaram os mesmos problemas que deveríamos abordar?

Acredito que, se a pessoa não reconhece os preconceitos incorporados em si mesma, bem como os preconceitos estruturais em seus sistemas – em relação a raça, gênero, orientação sexual –, ela não pode, de fato, ser "consciente do trauma". Pessoas marginalizadas – excluídas, diminuídas, humilhadas – são pessoas traumatizadas, porque, como já foi dito, os seres humanos são essencialmente criaturas relacionais. Ser excluído ou desumanizado em uma organização, comunidade ou sociedade da qual você faz parte resulta num estresse prolongado e incontrolável que é sensibilizador (veja Figura 3, p. 59). A marginalização é um trauma fundamental.

É por isso que acredito que um sistema realmente "consciente do trauma" seja um sistema antirracista. Os efeitos destrutivos da marginalização racial são abrangentes e severos. Na América do Norte, Austrália e Nova Zelândia, por exemplo, as crianças pretas, pardas e indígenas estão mais propensas a serem hiperdiagnosticadas e hipermedicadas nos sistemas de saúde mental; retiradas de suas casas para ingressar no sistema de bem-estar infantil; suspensas ou expulsas da escola; e acusadas na escola de absenteísmo e "agressão", o que faz com que entrem no sistema de justiça juvenil de modo desproporcional.

Como já comentamos, uma criança com experiências traumáticas frequentemente terá dificuldade de aprendizagem e também será hiper-reativa aos feedbacks e às críticas que decorrem das dificuldades escolares. Isso pode levar a problemas de comportamento que, em geral, são mal interpretados. Mesmo quando as pessoas e os sistemas agem com boas intenções, muitas atitudes provocam um sofrimento adicional para as famílias e crianças que eles deveriam estar ajudando.

Oprah: Quero me aprofundar nesse assunto. Durante nossa conversa no programa *60 Minutes*, percebi que muitas instituições assistenciais e sem fins lucrativos que tentam resolver problemas sociais estão, na verdade, apenas tocando na superfície. Buscam construir a estrutura da comunidade, que sabemos ser importante, mas muitas deixam passar as causas – os alicerces – dos problemas que tentam solucionar.

Se um programa extracurricular não entende por que uma criança enfrenta problemas crônicos de saúde, ou tem dificuldade em acompanhar a escola; se um programa de emprego não percebe por que alguém se desentende com supervisores ou sempre explode com os colegas, então esses programas não conseguirão produzir mudanças duradouras. Fale sobre como esses pontos de fato se desenrolam e se apresentam.

Dr. Perry: Vamos começar com as crianças pequenas. Falamos repetidamente sobre o papel importante dos relacionamentos no começo de vida para o desenvolvimento de sistemas de resposta ao estresse e a capacidade de construir futuros relacionamentos saudáveis. Sabemos que, quando as crianças vivenciam estresse e trauma – incluindo pobreza, falta de moradia, violência doméstica, maus-tratos –, terão alguns distúrbios no desenvolvimento. Com frequência, o resultado é uma "fragmentação" na maturação de habilidades específicas, como falamos no Capítulo 6 em relação à negligência. Então, uma criança de 5 anos pode só ter desenvolvido a capacidade de linguagem de uma criança de 2 anos, e as capacidades de autorregulação de uma de 4. Além desse desenvolvimento fragmentado, terá uma resposta hiperativa e hiper-reativa ao estresse (veja Figuras 3 e 5, p. 59 e 82).

Agora, imagine essa criança num ambiente de pré-escola, com expectativas, transições, regras e currículo planejados para uma criança de 5 anos. Um ambiente que não leva em consideração o trauma e seus efeitos sobre o desenvolvimento esperará que aquela criança "aja" normalmente. Mas, para ela, isso é impossível. Cada dia na escola trará muitas dificuldades de comunicação (por causa do desenvolvimento de linguagem) e intensa frustração (por causa das capacidades autorregulatórias). Nessa situação avassaladoramente angustiante, a criança vai se fechar ou explodir. Seja o que for, ela não recebe todo o benefício do aprendizado social, emocional ou acadêmico. Fica bem atrás. Pode ser posta para fora. Nos Estados Unidos, mais crianças são expulsas da pré-escola do que de qualquer outro ano. Crianças não brancas, especialmente meninos não brancos, são três vezes mais expulsos do que crianças brancas.

Esse é o começo de um descompasso tóxico entre as capacidades infantis e as expectativas irrealistas de um sistema educacional que, com grande frequência, tem poucos recursos e é ignorante em relação ao desenvolvimento e ao trauma. Mesmo que a criança "avance" para o próximo ano, ainda ficará para trás e logo fracassará. Ano após ano, ficará cada vez mais distante dos colegas. Seu atraso no desenvolvimento de habilidades, juntamente com os sintomas relacionados ao trauma, começam a atrair rótulos de saúde mental (veja Figura 6, p. 94). A hipervigilância da sua resposta sensibilizada ao estresse é rotulada como TDAH. Seus esforços previsíveis para se autorregular – balançando o corpo, mascando chiclete, rabiscando, divagando, escutando música, batucando o lápis, etc. – são proibidos. Ela será rotulada, medicada, excluída, punida, talvez expulsa e, depois, com grande frequência, presa. Quando crianças assim tentam evitar as constantes humilhações da escola, são acusadas de absenteísmo. Se tentam fugir e a equipe escolar tenta impedi-las, um incidente de contenção resulta em acusações de agressão – acusações contra a criança. Esse é o canal escola-prisão.

Oprah: E acrescente a isso tudo o fato de que o aluno provavelmente não tem ideia de que exista uma causa subjacente para suas dificuldades. Ele acaba incorporando a visão que o mundo tem dele: que é estúpido, lento ou preguiçoso. É um ciclo de carências que corrói sua autoestima, até ele ficar tão frustrado ou envergonhado que desiste.

Dr. Perry: Esse é um ponto muito importante. Uma criança com dificuldade não vai dizer: "Esse pobre professor simplesmente não entende o impacto do trauma na minha capacidade de aprendizagem. Ele deveria estar me ajudando a me regular, não a conjugar verbos." Ela diz: "Eu devo ser idiota."

O outro ponto muito importante sobre escolas é a *quantidade* de crianças e jovens que enfrentam desafios de aprendizagem e comportamentais relacionados ao trauma. Estudos mostram que de 30% a 50% das crianças nas escolas públicas têm três ou mais experiências infantis adversas. E, como discutimos, essas adversidades têm um impacto.

Imagine quantas crianças estão sentadas nos bancos escolares com lembranças relacionadas a trauma que podem ser ativadas por situações inocentes em sala de aula. Lembre-se de que nossas experiências no momento presente são filtradas pelas áreas inferiores do cérebro antes de chegar à parte pensante, o córtex. Toda informação sensória que chega é comparada com e influenciada por "memórias" de experiências anteriores.

Digamos que um menino mais velho tenha crescido num ambiente de violência doméstica eventual. Quando era criança, viu o pai menosprezando e agredindo a mãe. Isso aconteceu num período importante do desenvolvimento cerebral, quando ele elaborava "memórias" primárias para dar sentido a seu mundo. O cérebro então passa a associar atributos masculinos com ameaça; uma voz alta, grave, masculina é associada a medo.

Cinco anos depois que essas associações e memórias foram construídas, esse jovem estudante tem um professor de inglês que, por acaso, se parece um pouco com seu pai abusivo – mais ou menos a mesma altura, mesma cor de cabelo, voz grave. O menino não é capaz de fazer a conexão conscientemente, mas o simples fato de estar na sala com aquele professor provoca nele uma sensação de desconforto. Essa sensação se origina naquelas partes inferiores, pré-corticais do cérebro. É subconsciente. Você se lembra do Sam, o menino cujo pai usava o desodorante Old Spice? É raro a pessoa ter consciência de uma sugestão evocativa que "chama" outras sensações.

Oprah: E como o garoto não tem consciência dessa associação, de como o que lhe aconteceu afeta seus relacionamentos, ele pode passar a vida às voltas com relacionamentos incômodos ou sabotados com as figuras masculinas. Treinadores, professores ou outros homens que poderiam ser exemplos positivos, mas inconscientemente ele evita ou rejeita as oportunidades.

Dr. Perry: A princípio, você não estava ciente do motivo do seu medo de ficar sozinha à noite. Não tinha consciência das associações anteriores em sua vida. Nossos comportamentos começam a se moldar ao redor das minas terrestres deixadas por traumas precedentes.

Mas o cérebro está sempre tentando "dar um sentido ao mundo", então esse menino lutará por uma explicação. Talvez ele decida que não gosta de inglês. Talvez comece a pensar que o professor não gosta dele, que o professor é um cretino. O professor não faz ideia de nada disso que está acontecendo. Então, digamos que o aluno esteja penando com uma tarefa escrita. O professor se aproxima com a intenção de ajudar, encarando sua disponibilidade como algo positivo. Conforme ele se inclina para olhar a lição, pousa a mão no ombro do menino. Mas, em vez de se sentir tranquilizado, o aluno recua, reagindo agressivamente sem nem mesmo pensar.

Na hora, o cérebro inferior avisa *Perigo, perigo!* e ativa o sistema de resposta ao estresse, que imediatamente desliga o córtex. Não há chance de uma reação fundamentada, racional.

Mais tarde, se você dissesse ao menino: "Você não devia xingar o professor", ele responderia: "Eu sei, não é uma boa ideia." Mas naquele momento, ele de fato não tinha acesso àquela capacidade de raciocínio. Quanto mais você aprende sobre resposta a estresse e trauma, mais fácil fica entender certos comportamentos no local de trabalho, num relacionamento ou na escola.

Oprah: O cérebro dele, mobilizado pela antiga associação com violência, envia o sinal de ameaça, e ele responde com "luta ou fuga": "Tire suas mãos de mim!"

Dr. Perry: Talvez até com "Tire essas mãos de merda de mim!". Esse ataque impulsivo e agressivo deixa o professor completamente desconcertado. Ela não entende o que, de fato, está acontecendo. Quando descreve a cena para outras pessoas, diz algo como: "Do nada, ele me atacou." Esta é uma das descrições mais comuns das explosões de comportamento relacionadas a sugestões evocativas: *Do nada. Imprevisível.* As atitudes parecem gratuitas.

Oprah: Acabei de ter outra ideia. Usamos com muita frequência a palavra *explodiu*, quando não sabemos de onde vem um acesso de raiva, ou por que alguém apresenta uma reação violenta. Bom, agora a gente sabe. Alguma coisa aconteceu naquele momento que disparou no cérebro uma das lembranças de trauma. E como as áreas inferiores e irracionais do cérebro são as primeiras a reagir, elas imediatamente ativam respostas ao estresse que, então, desligam a parte racional. Aquela "explosão" de violência é, na verdade, resultado de alguns processos altamente organizados no cérebro. Nesse caso, a primeira coisa que a escola vai dizer é: "Qual é o problema dele?"

O professor, convencido de que tem alguma coisa errada com

aquela criança, manda-a para a sala do diretor, quando o que ele deveria estar perguntando é: "O que aconteceu com esta criança?"

Dr. Perry: Exatamente. Ela será vista como uma criança-problema. E, se a coisa continuar, será encaminhada para o orientador da escola, depois suspensa, depois enviada para um serviço de saúde mental. E se ninguém no sistema de saúde mental entender que aqueles problemas de comportamento têm relação com "o que aconteceu com ela", com trauma, então eles também farão uma série de intervenções bem-intencionadas, mas inúteis.

Por outro lado, se aquela escola tivesse recursos e ferramentas para ajudar seus professores a entender a prevalência de adversidades na infância, bem como o impacto do trauma na aprendizagem, além de estratégias que ajudassem a criar uma sala de aula regulada, confiável e segura, o comportamento teria sido visto de maneira bem diferente. Em vez de rotular e suspender a criança, a escola tentaria estabelecer uma ligação com ela e entendê-la.

Oprah: Mas isso só seria possível se fizéssemos a pergunta: "O que será que aconteceu com aquela criança?"

Dr. Perry: Isso, se você mudar a maneira de tentar entender as atitudes. A boa notícia é que quando as escolas aprendem de fato sobre os efeitos do trauma e fazem algumas mudanças simples na maneira de avaliar, apoiar e ensinar, elas veem progressos expressivos no desempenho escolar e diminuição dos comportamentos desafiadores e prejudiciais. Se a sala de aula usa estratégias reguladoras, os professores têm respaldo e respeito, as necessidades e resistências das crianças são identificadas e tratadas, os resultados são muito melhores.

Trabalhamos com escolas do mundo todo usando nosso Modelo Neurossequencial em Educação (MNE), que ensina muitos dos conceitos essenciais que nós dois discutimos até aqui. O MNE apresenta exemplos de estratégias em sala de aula para implementar esses princípios e conceitos, com resultados muito promissores. Professores, gestores escolares, pais e crianças, todos relatam efeitos positivos, e as consequências endossam esse ponto de vista.

Muitos grupos também estão introduzindo programas "conscientes do trauma" nas escolas. Assim como acontece com a definição de "cuidado consciente do trauma", os elementos desses diferentes modelos e programas variam bastante, mas todos os modelos bem-sucedidos têm algo em comum: enfatizam regulação e conexão.

Oprah: Então, ajudar as crianças a se regularem é a atitude fundamental numa escola atenta ao trauma. Regular, relacionar e depois argumentar, é isso? Avaliar os passos da mobilização é essencial.

Dr. Perry: Sim. Infelizmente, nossas escolas, em geral, não estão atentas ao trauma e tendem a proibir muitas das atividades regulatórias que mencionamos: caminhar, balançar, mexer em objetos enquanto ouve uma explicação, escutar música com fones de ouvido enquanto faz a lição de casa. A regulação somatossensorial que se dá por meio das atividades rítmicas que discutimos abre o córtex e torna as partes racionais do cérebro mais propensas à aprendizagem.

As escolas também tendem a minimizar atividades com grande poder de recuperação, como esportes, música e arte, que também contribuem para a resiliência. Com frequência, essas atividades são encaradas como facultativas ou de aprimoramento, quando, na verdade, podem ser a própria base da aprendizagem escolar, graças a seus elementos reguladores e relacionais. Atividade padronizada, repetitiva e rítmica faz as redes regulatórias centrais hiperativas e hiper-reativas (veja Figura 2, p. 54) readquirirem um "equilíbrio". A música entra nessa categoria, tanto executada quanto ouvida. Todos os esportes envolvem doses disso. A dança também. E, é claro, cada uma dessas atividades também tem elementos relacionais muito importantes. A criança aprende quando passar a bola para o colega de time. Aprende a se mover em harmonia com seu parceiro de dança. Toca o violino em sincronia com outros membros da orquestra. Por fim, existem elementos cognitivos no esporte, na música e em outras artes: eles mobilizam, ativam e sincronizam atividades através do cérebro, de baixo para cima, e de cima para baixo. São atividades saudáveis para todo o cérebro.

Agora, imagine trinta crianças sentadas em fila numa sala de aula, escutando passivamente a preleção do professor. Não é um modo eficiente de mobilizar a parte superior do cérebro. Aprendemos mais rápido quando estamos nos movimentando e interagindo com outras pessoas. Armazenamos novas informações e recuperamos informações previamente armazenadas com mais eficiência quando empenhados em alguma forma de ativação somatossensorial durante a aprendizagem.

Oprah: Depois que o aluno explode e a escola o encaminha para um serviço de saúde mental, o que acontece se a instituição não tem treinamento ou experiência com trauma?

Dr. Perry: Nada de bom. Normalmente piora a situação da criança. Ela recebe um diagnóstico errado e em geral é hipermedicada. Nossos sistemas atuais de saúde mental infantil têm poucos recursos e estão sobrecarregados. Não é raro que haja longas filas de espera nas clínicas públicas de saúde mental. Às vezes, as consultas acontecem apenas uma vez por mês. Uma consulta com um psiquiatra pode durar apenas 15 minutos. Em média, a família faz apenas três visitas e então simplesmente deixa de comparecer. Nossos sistemas de saúde mental tendem a focar na crise.

Mas existem muitos lugares onde as equipes clínicas aprenderam sobre trauma e estão fazendo um trabalho realmente bom. Na situação ideal, a criança receberá uma avaliação que considera o histórico do seu desenvolvimento, uma versão detalhada de "o que aconteceu com você?". Uma boa análise também determinará as necessidades e os pontos fortes da criança. Com base nisso, a equipe pode criar um método de tratamento individual que tirará vantagem dos pontos fortes e tratará das carências com atividades apropriadas de aprimoramento, educacionais ou terapêuticas.

Essas equipes sabem que não existe um modelo único para tratar todos os casos. Pense no absurdo que seria se todo mundo que tivesse dor no peito e tosse recebesse exatamente o mesmo antibiótico. É o que acontece em muitas clínicas especializadas numa "técnica" específica. Em uma clínica que aprendeu que a terapia comportamental cognitiva focada em trauma é uma intervenção baseada em evidências, todos que tenham trauma devem receber essa intervenção. Embora seja útil para alguns, ela não funciona para todos.

Uma equipe clínica realmente atenta ao trauma tem uma porção de "ferramentas" para usar: terapia ocupacional, fisioterapia, fonoterapia, conexões com a escola, boa psicoeducação com a família e a criança, além de acesso a uma série de técnicas terapêuticas, como a própria terapia comportamental cognitiva focada em trauma, dessensibilização e reprocessamento por movimentos oculares, intervenção somatossensorial, terapias com ajuda de animais e muitas outras. Apesar de ser um campo novo, a traumatologia tem, sim, evidências preliminares da efetividade de muitas dessas técnicas, quando usadas na *hora certa*, no processo do tratamento.

Isso significa que uma abordagem terapêutica eficiente precisa seguir a *sequência de mobilização*: problemas com regulação devem ser abordados antes que se possa obter resultados com terapias relacionais ou cognitivas. Foi por isso que desenvolvi o Modelo de Terapêuticas Neurossequenciais (MTN), tema do meu primeiro livro com Maia Szalavitz, *O menino criado como cão*.

Para mim, um dos aspectos mais importantes da recuperação é reconhecer que ela pode envolver múltiplas técnicas e abordagens terapêuticas. Sabemos que o ingrediente fundamental da cura efetiva envolve usar seus relacionamentos saudáveis para revisitar e retrabalhar a experiência traumática. Se você tem um terapeuta e estabelece um vínculo confiável e estável, o terapeuta passa a ser uma parte crucial do que eu chamo de "rede terapêutica". Mas lembre-se de que os momentos terapêuticos podem ser breves, e o ideal é que aconteçam ao longo de toda a semana – não se trata de cerca de uma hora por semana com o terapeuta. Esse processo cria oportunidades para ativar as lembranças do trauma, incluindo os sistemas de resposta ao estresse, de maneira moderada, previsível e controlável. Com o tempo, os sistemas sensibilizados se tornarão mais "neurotípicos" (veja Figuras 3 e 5, p. 59 e 82).

Oprah: E se a pessoa não tiver os recursos para pagar um terapeuta?

Dr. Perry: Boa pergunta. A maioria das pessoas que vivem situações de adversidade e desenvolvem trauma não tem acesso a terapia, muito menos a uma equipe clínica como a que acabei de descrever. Mas estamos aprendendo que conviver com pessoas dedicadas e atenciosas é, na verdade, um indicador melhor de bons resultados após um trauma do que o acesso a um terapeuta. A rede terapêutica é o conjunto de oportunidades positivas com base relacional que a pessoa vivencia ao longo do dia. Um terapeuta pode ser parte importante na recuperação, mas não é obrigatório. Não estou sugerindo que a terapia não seja útil, mas uma terapia sem "conectividade" não é muito eficiente. No mundo ideal, uma criança pode ter conectividade com a família, a comunidade e a cultura, juntamente com uma equipe clínica atenta ao trauma e suas ferramentas.

E, repito, observando as práticas indígenas e tradicionais de cura, constato que elas realizam um trabalho notável ao criar uma experiência mente-corpo completa, que influencia múltiplos sistemas cerebrais. Lembre-se, as "memórias" do trauma se espalham por múltiplas áreas cerebrais. Essas práticas tradicionais reúnem elementos sensórios, cognitivos e com base relacional. As pessoas recontam a história, criam imagens da batalha, da caça, da morte. Abraçam-se, massageiam-se, dançam, cantam. Reconectam-se com entes amados, com a comunidade. Celebram, comem e compartilham. As práticas aborígenes de cura são repetitivas, rítmicas, relevantes, relacionais, respeitosas e compensatórias. São experiências reconhecidas como efetivas na alteração dos sistemas neurais envolvidos na resposta ao estresse. As práticas surgiram porque funcionavam. As pessoas sentiam-se melhor e os elementos essenciais do processo de cura foram reforçados e passados adiante. Culturas separadas por tempo e espaço convergiram para os mesmos princípios curativos.

Oprah: Quando pensamos nisso, é mesmo incrível.

Dr. Perry: É mesmo. Nossos ancestrais reconheceram a importância da conectividade e a toxicidade da exclusão. Por outro lado, a história do mundo "civilizado" está cheia de políticas e práticas que favoreceram o afastamento e a marginalização – isso destruiu a família, a comunidade e a cultura. A colonização, a escravidão, o sistema americano de reservas indígenas, as Escolas Residenciais do Canadá,* a Geração Roubada da Austrália,** tudo isso teve um efeito devastador sobre muitas gerações porque, intencionalmente, destruiu os vínculos familiares e culturais que mantêm um povo conectado. Essas práticas criaram indivíduos desconectados, traumatizados em situações inescapáveis e dolorosas, situações estas que obrigaram as pessoas a dissociarem para se adaptar e sobreviver. E ainda que a dissociação seja adaptativa, ela resulta em mais passividade e submissão, facilitando a desumanização e a exploração das pessoas traumatizadas.

Embora seja menos óbvio para alguns, acredito que nossos sistemas vigentes de bem-estar infantil, educacional, saúde mental e justiça juvenil frequentemente fazem a mesma coisa: fragmentam famílias, enfraquecem comunidades e promovem práticas de marginalização, humilhação e punição.

Oprah: Há algum tempo, quando visitou minha escola na África do Sul, você falou de um jeito muito comovente sobre racismo sistêmico, poder desmantelador e trauma. Construímos a Oprah Winfrey Leadership Academy for Girls em 2007, treze anos após o término

---

* Internatos obrigatórios para crianças indígenas do Canadá, com péssimas condições de moradia, administrados por igrejas cristãs, sobretudo católicas, entre 1883 e 1997. A finalidade era fazê-las assimilar a cultura canadense. (N. T.)
** Política de assimilação australiana, em vigor de 1910 a 1970, em que os filhos de aborígenes e do povo das ilhas do Estreito de Torres, sobretudo as crianças mestiças de origem branca, foram retirados de suas famílias e obrigados a adotar a "cultura branca". (N. T.)

formal do apartheid e da criação de um governo democrático na África do Sul. Quando você esteve lá, lutávamos para criar um sentido saudável de comunidade entre o corpo docente.

Os professores pretos sentiam que os professores brancos agiam como se fossem superiores, ainda que os aceitassem. Você elucidou muita coisa quando explicou o que poderia estar acontecendo entre os dois grupos, usando as lentes do desenvolvimento cerebral e sua conexão com preconceito implícito e racismo. Você pode repetir aquele raciocínio?

Dr. Perry: É claro. Já falamos sobre como um cérebro de bebê absorve informação sensória para dar sentido a seu mundo e criar associações. E falamos sobre como somos criaturas profundamente relacionais, cujo cérebro em desenvolvimento – a começar pelas áreas inferiores – começa a criar "memórias" dos cheiros, sons e imagens da "nossa gente". Essas memórias são registradas em um nível inconsciente muito profundo, pré-cortical: o jeito como sua gente fala, a maneira como se veste, a cor da pele dessas pessoas.

Agora, lembre-se que seu cérebro está sempre monitorando o seu mundo, tanto interno quanto externo, para assegurar a sua sobrevivência. E quando encontra alguma experiência desconhecida, a reação padrão é ativar a resposta ao estresse. Melhor ficar seguro do que se arrepender, melhor deduzir que a novidade possa ser uma ameaça em potencial.

Agora, acrescente a isso o fato de que o principal predador de humanos sempre foram outros humanos. Nossa resposta ao estresse evoluiu para desenvolver uma sensibilidade relacional, a tal ponto que, se estamos com pessoas que têm atributos semelhantes ao "clã" da nossa infância, nos sentimos seguros. No entanto, ao encontrarmos pessoas com atributos diferentes da "nossa gente", o padrão cerebral é ativar a resposta ao estresse. Quando isso acontece, nos sentimos desregulados, até ameaçados.

Oprah: É por isso que um bebê começa a chorar quando muita gente aparece para visitá-lo. O cérebro dele está reagindo ao desconhecido.

Dr. Perry: Sem dúvida. Para o bebê, todas aquelas pessoas são diferentes, novas e opressivas. Isso ativa a resposta ao estresse.

Mas o cérebro dos adultos também ativa a resposta ao estresse em reação a pessoas que sejam diferentes do seu "clã" original. Ora, na maioria das vezes essa ativação é suave, criando uma desconfiança, uma cautela. Mas se alguém tem uma resposta sensibilizada ao estresse, ou se as características da nova pessoa são muito diferentes do seu clã, pode acontecer uma ativação mais dramática. Nessa situação, retrocedemos e perdemos acesso às áreas superiores do cérebro, onde estão armazenados nossos valores e crenças. Nosso pensamento e nosso comportamento começam a ser comandados por áreas mais primitivas e mais reativas.

Vou dar um exemplo. Certa vez, conheci uma mulher cuja filha tinha se juntado ao Peace Corps e estava indo de aldeia em aldeia numa zona rural da África para imunizar crianças. Ela era de Minnesota e tinha uma aparência muito escandinava: alta, loira, de pele bem branca.

Oprah: E ela iria a aldeias onde os moradores, literalmente, nunca tinham visto uma pessoa branca.

Dr. Perry: Sim. Então, ali está aquela moça muito positiva, generosa, que ama crianças e sente que está fazendo do mundo um lugar melhor, chegando entusiasmada a aldeias rurais para combater doenças. Quando ela entrava em uma aldeia, as crianças pequenas a viam e gritavam. Achavam que era um fantasma. Algumas começavam a chorar, outras saíam correndo. Foi difícil a moça se acostumar com aquilo. A mãe dela conhecia um pouco sobre o nosso trabalho e contou à filha, que finalmente entendeu: aquelas crianças estavam reagindo ao "desconhecido", e não a ela especificamente. O cérebro delas não havia criado nenhuma associação positiva com "brancura", de modo que encontrá-la era muito inesperado e ativava o estresse.

Mas essa foi apenas a reação inicial. Com o tempo, a moça se mostrou carinhosa e acolhedora, cuidou das crianças, ajudou a alimentá-las e a regulá-las quando ficavam assustadas. Então, elas aprenderam que aquela pessoa branca que estava lhes dando amor, acolhimento e apoio era confiável e boa. E esse aprendizado ficou registrado de tal modo no cérebro daquelas crianças que, se anos mais tarde elas encontrarem outra pessoa branca, seu padrão será classificá-la como boa.

Oprah: Mesmo que a nova pessoa branca não seja tão agradável, isso não vai, necessariamente, desfazer a definição original da boa moça branca de Minnesota, porque isso ficou gravado profundamente no cérebro delas quando eram pequenas.

Dr. Perry: Isso mesmo. Ao encontrar pela primeira vez alguém com características diferentes da "sua gente" – a cor da pele, por exemplo –, você começa a criar outras associações para dar sentido ao seu mundo, que agora inclui uma nova pessoa. Seu cérebro vai separar, comparar e classificar essa pessoa. No começo, ele usará seus padrões existentes: ela tem atributos masculinos, é mais velha do que você, é um professor. Quanto mais vezes você estiver com essa pessoa, mais chances terá de fazer novas associações, com mais nuances. Você acaba conhecendo as facetas e complexidades da pessoa, e não simplesmente suas "categorias".

No entanto, ao mesmo tempo, o cérebro está sempre usando "atalhos", que nem sempre são precisos. Eles nos deixam vulneráveis a estereótipos e a generalizações baseadas nas amplas categorias em que as novas pessoas se inserem. E as categorias mais influentes no nosso cérebro vêm de nossas primeiras experiências, normalmente no começo da vida. Isso contribui para nossa tendência a ter preconceitos.

Um tempo atrás, quando eu estava trabalhando com um garotinho preto, perguntei a ele se já tinha conhecido um homem branco.

"Um", disse ele.

Acontece que a primeira pessoa branca que aquele menino realmente viu de perto, não na televisão, foi um policial que mandou seu pai parar o carro, apontou uma arma para ele, obrigou-o descer do carro, gritou com ele, algemou-o e jogou o pai na viatura. O menino ficou sozinho no carro, apavorado, até aparecer uma assistente social e levá-lo embora. Só deixaram que sua mãe o visse depois que ela provou quem era. Você pode imaginar que a representação interna de gente branca feita pelo menino era muito diferente daquela criada pelas crianças da aldeia onde trabalhou a voluntária branca do Peace Corps.

Ora, essa mesma criança, que viu o pai ser detido violentamente, veio mais tarde me ver. Eu era um médico branco tentando ajudá-la, mas nosso relacionamento não começou de um lugar neutro. O menino se sentiu temeroso, desconfiando de mim, em parte porque sou novo para ele, em parte porque sou branco. Foram semanas e semanas de um trabalho positivo, gentil e paciente até ele me enxergar como neutro. Acabamos nos conectando bem, mas foi uma exceção. As experiências originais negativas daquele garoto com pessoas de pele branca, reforçadas por outras passagens de racismo explícito e implícito na escola e na comunidade, permaneceram com ele. As experiências relacionais mais antigas são as mais intensas e duradouras.

Por causa do processamento sequencial de experiências, esse menino sempre processará "pele branca" primeiramente na área inferior do cérebro. Quando encontrar um novo homem branco, aquela associação original – e, portanto, padrão – entre homens brancos e ameaça provocará uma ativação de estresse capaz de influenciar sua maneira de sentir, pensar e se comportar. É como uma sugestão evocativa. Antes que qualquer outra informação sobre o novo homem branco possa chegar ao córtex, o cérebro do menino já ativou sua resposta de medo. No córtex, ele certamente tem alguma lembrança dos nossos encontros e armazenou a informação de que *O Dr. Perry é branco, mas é ok*. Naquele momento, porém, com uma resposta de medo ativada, ele não consegue acessar essa informação com eficiência. Olhará para o novo homem branco e sentirá *Mas este não é o Dr. Perry*. Nossas primeiras experiências criam os filtros pelos quais todas as novas vivências devem passar.

No caso da África do Sul, existem muitas, muitas culturas em um só país. Durante gerações, a comunidade branca oprimiu brutalmente pessoas de cor. Os professores pretos na sua escola cresceram num mundo onde a resistência ativa ao poder branco e às políticas, práticas e leis racistas podiam levar à morte. Associações com pele branca quase sempre induziam ao medo. Muitas pessoas pretas desenvolveram uma estratégia e um estilo adaptativos que eram, em essência, dissociativos. Evite conflito. Quando confrontado, concorde. Capacidades adaptativas como essas estão profundamente arraigadas.

Oprah: E muitos professores na escola devem, inconscientemente, ter se agarrado a essas velhas maneiras de pensar e se comportar.

Dr. Perry: Exatamente. Em 1994, quando as práticas opressivas do apartheid chegaram ao fim, o cérebro das pessoas não mudou de imediato. Os brancos ainda eram associados a dominação e marginalização. Ainda que em teoria as coisas tivessem mudado, quando pessoas criadas sob o apartheid interagiam umas com as outras, havia um restabelecimento inconsciente de diferenciais de poder, desencadeando velhos padrões de adaptação. Os professores brancos sentiam-se confortáveis em se manifestar e "liderar"; os professores pretos sentavam-se atrás, evitavam conflitos e concordavam com sugestões que não apoiavam necessariamente. Isso levou a grandes problemas na escola. No entanto, quando eu conversava com os professores brancos, eles diziam, sinceramente, que o racismo não influenciava os assuntos da escola.

Uma das coisas mais difíceis de entender sobre preconceito e racismo implícitos é que nossos valores e crenças nem sempre ditam nosso comportamento. Essas crenças e esses valores estão armazenados na parte mais alta e mais complexa do nosso cérebro, o córtex, mas outras áreas do cérebro podem fazer associações distorcidas, imprecisas, racistas. A mesma pessoa pode ter crenças antirracistas muito sinceras, mas ainda nutrir preconceitos implícitos que resultam em comentários ou ações racistas. É fundamental entender o processamento sequencial no cérebro para compreender isso, bem como o poder de experiências durante o desenvolvimento. Elas é que preencheram as áreas inferiores do nosso cérebro com todo tipo de associação, moldando a nossa visão de mundo.

Oprah: Ouvimos muitas pessoas brancas dizerem: "Ninguém jamais usou a palavra N* na minha casa." Mas não é apenas uma questão de linguagem: é como você vê seus pais tratarem pessoas que não são parecidas com você. É como você os vê interagindo com os demais e o que é dito sobre eles. É o tom emocional que, na sua casa, permeia a relação com os "outros". É isso que você vai assimilando desde que nasce e que vai influenciar o modo como vê as pessoas que não são como você. Se alguém usa ou deixa de usar a palavra N, não importa. Há muito mais influências agindo.

Dr. Perry: Muito mais. Quando você é pequena e está formando suas principais associações sobre como o mundo funciona, suas maiores influências vêm dos seus pais. E não do que eles dizem, mas de como agem. Você também é influenciada pelas outras crianças e pelos outros adultos a sua volta. Se você for uma criança branca que não convive com crianças não brancas, não terá experiências pessoais que a ajudem a criar essas importantes associações relacionais.

Nós também somos profundamente influenciados pela mídia. Desde a infância, as imagens que vemos moldam nossa compreensão do mundo. Para muitas pessoas brancas, a única experiência ou percepção de pessoas pretas se dá através da mídia. Quando eu era criança, havia muitos estereótipos negativos de pessoas pretas na mídia.

Oprah: Conheço muitas pessoas brancas que, até entrarem em contato comigo, nunca tinham conhecido uma pessoa preta. E houve época em que algumas pessoas brancas tinham pessoas pretas trabalhando para elas, de modo que podiam dizer que conheciam uma. Mas, como você diz, para muitas pessoas brancas a única associação com pessoas pretas era o que viam no noticiário ou nos filmes.

---

* A autora se refere à palavra "nigger", considerada por muitos afro-americanos uma forma extremamente pejorativa de se referir às pessoas negras. (N. T.)

Dr. Perry: Quando eu era criança, era muito mais provável que homens e jovens pretos fossem retratados nos filmes ou na TV de maneira negativa – como criminosos, por exemplo. Eles não eram os detetives, os super-heróis, os cientistas. Essa distorção tem um impacto incrivelmente forte na maneira como o cérebro se organiza. Ela contribui para as associações negativas que as pessoas brancas criam sobre pessoas de cor; é um grande componente na criação de preconceito implícito.

A própria versão de mundo que todos nós criamos tem distorções. Como eu disse, os atalhos do cérebro no processamento da informação nos tornam vulneráveis a preconceitos. Todo mundo tem alguma forma de preconceito implícito, alguma distorção do mundo baseada em como, ou onde, a pessoa cresceu. Imagine as probabilidades de que cada cultura, cada religião e cada etnicidade se tornasse parte do seu "catálogo seguro e familiar" e de que ainda fosse exposta a tudo isso nos primeiros anos de vida. Precisamos reconhecer que todos nós carregamos por aí algumas dessas coisas.

Oprah: No livro de Isabel Wilkerson, *Casta*, ela cita um estudo de uma organização de reforma da justiça criminal chamada Sentencing Project (Projeto de Sentenciamento, em tradução livre). O estudo descobriu que crimes envolvendo um suspeito preto e uma vítima branca somam apenas 10% de todos os crimes, mas respondem por 42% do que aparece na televisão. Quando uma pessoa assiste ao noticiário e quase metade do que vê são pretos cometendo crimes contra brancos, isso vai influenciar sua maneira de pensar ao ver uma pessoa preta.

Dr. Perry: Vamos refletir por um momento em como esse preconceito implícito interfere na ação de um policial branco, inexperiente, em confrontação com um adolescente preto, tarde da noite. É uma questão de funcionamento estado-dependente. Sob ameaça, a parte racional do cérebro começa a se desligar, e as partes emocionais, mais reativas, assumem o controle. Digamos que você seja o policial branco, se sinta ameaçado e tenha uma arma. Se as áreas inferiores mais reativas do seu cérebro começarem a dominar suas cognições e suas atitudes quando você se sentir sob ameaça, e seu cérebro tiver catalogado homens pretos como criminosos perigosos, é muito mais provável que você adote um comportamento baseado no medo – gritando, ameaçando, puxando um gatilho – com um adolescente preto do que com um adolescente branco. Seu cérebro não possui um registro de adolescentes brancos perigosos.

Pense num sistema que precisa de treinamento em trauma. As forças policiais deveriam estar no topo da lista. Se você for integrar uma equipe de emergência, é essencial uma capacitação em trauma, funcionamento do cérebro, estresse e desespero, sobretudo para um policial. Qualquer pessoa a quem se dê a responsabilidade de portar uma arma a serviço da sociedade deveria ter uma vasta formação nesses assuntos.

Oprah: Mas existe uma diferença entre preconceito implícito e racismo. Onde você vê esse limite?

Dr. Perry: Preconceito implícito sugere que o preconceito esteja presente, mas não "amplamente expressado", às vezes até expressado de modo involuntário. Por outro lado, o racismo é um conjunto de crenças concretas e evidentes sobre a superioridade de uma raça em relação às outras. Nos Estados Unidos, racismo é a marginalização e opressão de pessoas não brancas por sistemas criados por homens brancos para privilegiar pessoas brancas. Seria possível dizer que o racismo está entranhado na parte alta, "racional" do cérebro, enquanto o preconceito implícito envolve os "filtros" distorcidos criados nas áreas inferiores do cérebro. Quando uma criança ou um jovem é exposto a crenças racistas evidentes, em casa ou em grupos de colegas, essas convicções podem ficar gravadas nos filtros. O resultado pode ser um conjunto de sensações e crenças profundamente enraizadas, que atravessa múltiplas regiões do cérebro.

Oprah: No entanto, a mudança é possível. Acho importante mencionar uma conversa de 2018 que confirmou minha convicção de que, pela compaixão, existe esperança de evolução até para o indivíduo mais racista.

Conversei com um homem chamado Anthony Ray Hinton, que tinha passado 30 anos no corredor da morte, no Alabama, por um crime que não cometeu. As instalações da prisão eram extremamente isoladas. Ele permaneceu sozinho em sua cela, sem qualquer contato com os outros detentos no corredor com ele. Eles jamais conversavam entre si, mas à noite dava para ouvir choros e gemidos, homens sofrendo.

Uma noite, Anthony escutou alguém chorando, e algo dentro dele mudou. Ele gritou: "Qual é o problema?", e o homem lhe contou que a mãe tinha morrido.

Ora, Anthony era extremamente apegado à própria mãe e naquele momento sentiu empatia. E aquela única pergunta, aquele ato de compaixão, abriu a porta para todos os homens. Eles começaram a conversar entre si com regularidade, compartilhando histórias, apoiando uns aos outros. Anthony ficou especialmente amigo de um homem chamado Henry, e acabou sabendo que seu amigo Henry era Henry Hays, um membro da Ku Klux Klan preso por enforcar um menino preto. Em vez de romper a amizade, Anthony criou um vínculo com ele no corredor da morte, e os dois permaneceram bons amigos.

Dr. Perry: Eu apostaria que, ao fazer isso, Anthony também conseguiu mudar Henry.

Oprah: Sim, tanto que, na noite em que Henry foi eletrocutado, suas últimas palavras foram o reconhecimento de que tinha se enganado a vida inteira. Seus pais tinham lhe ensinado que as pessoas pretas eram o inimigo. Estavam errados. E ele tivera que chegar ao corredor da morte para aprender o que era o amor.

Dr. Perry: Uau! Isso é incrivelmente forte. E um exemplo perfeito de como até o mais odioso sistema de crença racista pode ser mudado. O córtex é a parte mais maleável e mais mutável do cérebro. Crenças e valores podem mudar.

Oprah: O preconceito implícito é mais difícil de mudar, certo?

Dr. Perry: Muito mais difícil. Você pode acreditar, sinceramente, que o racismo é ruim, que todas as pessoas são iguais, mas essas convicções estão na parte intelectual do seu cérebro. Seus preconceitos implícitos, que estão na área inferior do cérebro, ainda se mostrarão todos os dias, na maneira como você interage com os outros, nas piadas das quais ri, nas coisas que diz.

É interessante observar como isso tem relação com o movimento Black Lives Matter. Na sequência do assassinato de George Floyd, muito se falou sobre racismo estrutural, preconceito implícito e privilégio branco. Isso jogou uma luz sobre muitos mal-entendidos e resultou na expressão de muito sofrimento, além de, é claro, muitas atitudes defensivas. Ouvimos coisas como "Nunca fui racista" ou "Não tenho nem um osso racista no meu corpo". Bom, o problema não são os ossos, é o cérebro. Todos nós temos preconceitos profundamente arraigados, entremeados de associações racistas.

O desafio de enfrentar preconceitos implícitos é, primeiro, reconhecer que você os tem. Reflita sobre situações em que foram expressos. Antecipe quando e onde é provável que você os expresse outra vez. Seja suficientemente corajosa para passar um tempo com pessoas diferentes de você, que possam desafiar seus preconceitos, de preferência na comunidade onde elas vivem. Pode ser desconfortável, mas lembre-se: um estresse moderado, previsível e controlável pode gerar resiliência. Crie novas associações. Viva novas experiências. Você precisa criar relacionamentos reais e significativos para poder conhecer indivíduos com base nas qualidades singulares deles, não em categorias.

Oprah: É isso que realmente muda tanto o preconceito implícito quanto o racismo.

Dr. Perry: Exatamente. E é por isso que não basta obrigar todo mundo da sua organização a frequentar um curso antirracismo ou um treinamento de sensibilidade cultural. Não dá para uma pessoa se qualificar em sensibilidade cultural – vá passar um tempo imersa na cultura, passar um tempo com outras pessoas. Anthony Bourdain foi um grande exemplo. Ele incentivava as pessoas a mergulhar em outras culturas, passando um tempo com os cozinheiros, preparando as refeições, comendo as comidas, festejando eventos culturais com as pessoas que os comemoram. Não se pode ficar culturalmente sensível com um seminário de três horas.

Oprah: Isso significa que não deveríamos ter treinamento em sensibilidade cultural?

Dr. Perry: Não, significa que o treinamento em sensibilidade cultural, que pode ajudar a entender os elementos intelectuais de aprendizagem, precisa vir acompanhado de experiências reais e relacionamentos reais. É isso que vai promover a mudança. Para muitas pessoas é difícil, e com certeza não conserta todo o sistema, mas é um começo.

A longo prazo, a solução é minimizar o desenvolvimento do preconceito implícito. Temos que pensar em maneiras de criar nossas crianças com mais oportunidades de exposição desde cedo à magnificência da diversidade humana. E temos que mudar os elementos inerentemente preconceituosos de muitos dos nossos sistemas.

Oprah: Você acha que o trauma está levando a humanidade a regredir?

Dr. Perry: Como já dissemos, os seres humanos sempre conviveram com muitos traumas. Assim, apesar de todos os desafios sobre os quais conversamos, sou otimista. Acho que a "humanidade" de nossa espécie avança e recua. Houve épocas de imensa humanidade e épocas de terrível desumanidade. Mas, se você olhar para a história do ser humano, todos os grandes indicadores de saúde e bem-estar, justiça social, criatividade e produtividade estão com tendência de alta neste momento.

Não quer dizer que esta não seja uma época bastante difícil nos Estados Unidos. Há muita polarização, muitas pessoas usando o medo para moldar a opinião pública. Grupos raivosos e polarizados não escutam bem, mas estão espalhando medo, sofrimento e fome de mudança.

Tenho esperança de que, ao ensinar sobre trauma e o poder da conectividade, as coisas melhorem. Poderíamos investir na construção de bairros, na oferta de serviços sensíveis a trauma, no apoio a artistas, na reconstrução da infraestrutura, na criação de espaços onde as pessoas se unissem em comunidades. Poderíamos dar um grande salto em humanidade. Poderíamos. Podemos. Mas antes precisamos entender os efeitos abrangentes e complexos do trauma. Temos muito potencial reprimido.

CAPÍTULO 9

FOME RELACIONAL NO MUNDO MODERNO

A anciã maori nos levou até um portão na base de uma colina de inclinação suave. No alto da colina havia uma bela construção retangular, com lindos entalhes nos pilares e nas vigas. O portão levava à *marae*, uma área fechada que é o centro da vida comunitária maori. A construção era o centro comunitário ou *wharenui*. Dezenas de membros da comunidade maori ladeavam o caminho até o centro comunitário. Um dos idosos se aproximou de nós segurando uma clava e falando alto em maori, depois depositou uma folhagem no chão à minha frente. Uma idosa começou a cantar. Outros se juntaram. Nossa cerimônia de boas-vindas, o *pōwhiri*, tinha começado.

Há 25 anos, a Dra. Robin Fancourt, pioneira em pediatria na Nova Zelândia, me pediu para visitá-la em seu país e ensinar meu trabalho sobre trauma no desenvolvimento e os efeitos no cérebro. Em troca, eu tinha perguntado se ela poderia me apresentar a alguns curandeiros maori. Eu vinha pesquisando sobre as práticas de cura dos povos indígenas. O trauma sempre fez parte da jornada humana, e nossos ancestrais o conheciam bem. Eu tinha passado algum tempo escutando e aprendendo com os idosos e curandeiros das Primeiras Nações, e também com os métis e as comunidades nativas americanas. Tinha visto elementos comuns nas práticas de cura – sobretudo o uso de ritmo e uma ênfase na harmonia com a natureza. No entanto, sabia que havia muito mais a entender.

Pelos próximos dois dias eu iria aprender sobre trauma e cura por meio das práticas de uma comunidade maori. Minha primeira lição foi sobre educação. Os anciãos não me fizeram sentar e ler, nem me ofereceram uma "apresentação" sobre cura tradicional. Eles me introduziram na comunidade por dois dias. Em sua sabedoria, estavam me presenteando com uma oportunidade de aprendizagem, uma experiência. O que consegui descobrir foi profundo, mas havia muito mais a descobrir dentro de mim. Eu me permitiria estar suficientemente aberto para de fato aprender, ou apenas filtraria as experiências através das lentes da minha medicina ocidental, encarando-as como uma pitoresca nota de rodapé?

Pelo restante do primeiro dia e da primeira noite, a comunidade se juntou no *marae*. Nós nos reunimos no centro comunitário, sentados no chão. Muitos conversaram comigo sobre costumes tradicionais. Muito rapidamente, ficou claro que eles não faziam uma separação conceitual de problemas ou soluções em categorias, como educação, saúde mental, justiça juvenil ou bem-estar infantil. Havia integridade em sua maneira de pensar e ser. Isso era surpreendentemente parecido com a visão de mundo que os anciãos crees e métis tinham compartilhado comigo. Havia, também, uma verdadeira valorização de nossa jornada até aquele momento, uma consciência de que, a fim de melhor entender o aqui e agora, precisamos saber de onde viemos e "o que aconteceu" conosco e nossos antepassados.

Quando alguém falava para o grupo, dirigia-se a um canto onde todos pudessem vê-lo, e ele pudesse ver a todos. O palestrante apresentava-se traçando a linhagem de sua família e frequentemente destacando um atributo especial de algum antepassado. Esse traçado explícito de herança ancestral trouxe um contínuo reconhecimento de ligações intergeracionais. Depois ele começava a falar, quase sempre contando histórias para enfatizar uma questão essencial.

Durante os dois dias, houve refeições comunitárias. Eram uma mescla de cerimônia, conversa, jogos e contação de histórias, sempre com muitos risos e abraços. A sensação era de uma reunião familiar. O calor e a força da comunidade eram palpáveis. À noite, todos nós dormíamos juntos no *wharenui*, como uma comunidade.

Naqueles dias, tive a honra de ser guiado pela terra, caminhar na floresta e pela praia com dois anciãos curandeiros. Às vezes eles paravam, saíam da trilha para examinar uma planta, arrancavam uma folha ou um pouco da casca, ou cavavam em busca da raiz. Faziam-me cheirar e provar, falando sobre os usos potenciais. "Faça uma pasta com água do mar." "Isto diminui a dor."

Os anciãos tinham muita paciência com a minha curiosidade. Quando perguntei como lidavam com depressão, problemas de sono, abuso de drogas e trauma, eles se divertiram com minhas definições de "doença" segundo o modelo da medicina ocidental. Tentaram me ajudar a entender que esses problemas eram todos, basicamente, a "mesma coisa". Estavam interligados. Na psiquiatria ocidental, gostamos de separá-los, o que nos afasta da verdadeira essência do problema. Estamos buscando sintomas, não curando pessoas.

Para meus anfitriões maoris, o sofrimento, a angústia e a disfunção decorriam de alguma forma de fragmentação, desconexão, assincronia. Falamos longamente sobre esses problemas. Os maoris, assim como todos os povos colonizados do mundo, foram profundamente impactados por trauma histórico. A repercussão da colonização, do genocídio cultural e do racismo ao longo das gerações tem sido devastadora. Índices de desemprego, pobreza, alcoolismo, violência doméstica, problemas de saúde mental e física são muito mais altos entre os maoris do que na população em geral da Nova Zelândia (com 85% de brancos). Verifica-se uma hiper-representação semelhante de indígenas e pessoas de cor em sistemas de educação especial, saúde mental, justiça juvenil e justiça criminal na Austrália, com os povos aborígenes e do Estreito de Torres. O mesmo ocorre no Canadá, com as Primeiras Nações, e nos Estados Unidos, com populações pretas, latinas e de americanos nativos. O conceito maori de "doença" explicava melhor essas diferenças do que meu modelo médico; a colonização fragmenta propositalmente famílias, coesão comunitária e culturas, e essa desconexão está no cerne do trauma.

Um elemento fundamental de todas as práticas tradicionais de cura era algo que os maoris chamavam *whanaungatanga*. A palavra se refere a relacionamentos recíprocos, parentesco, e guarda um sentido de conexão familiar. De experiências e desafios compartilhados emerge um senso de conectividade e pertencimento. Muitas práticas e rituais de cura envolvem "reconexão" – articulação explícita das origens da conexão. Trata-se de compartilhar experiências, tais como uma caçada ou incursão, e depois, simbólica e literalmente, reconectar-se com a família, a comunidade e o mundo natural.

Os anciãos sempre deixaram claro que não rejeitavam os avanços em genética, imunologia ou fisiologia e faziam parcerias com os médicos formados no Ocidente que trabalhavam em sua comunidade. No entanto, sentiam que uma visão de saúde que granulava a complexidade de uma pessoa em partes componentes – tratadas pelo médico de ossos, médico de olhos, médico de cérebro e assim por diante – ignorava os elementos essenciais da saúde. Se a conectividade – *whanaungatanga* – não fosse abordada, a potencial efetividade das intervenções ocidentais ficaria embotada.

Ao final da minha visita, fiquei ao lado de uma anciã numa falésia que dava para o oceano. O vento soprava vindo do mar. Ondas arrebentavam nas rochas. O efeito era estrondoso, avassalador e rítmico. Agradeci à anciã por passar tanto tempo comigo. Ela se virou para mim e sorriu. Colocou a palma da mão sobre o meu coração e disse: "Somos curandeiros." À época, com meu ego inflado de médico ocidental, pensei que ela quisesse dizer que nós dois éramos curandeiros. Hoje, entendo que ela indicava, mais uma vez, que o coletivo "nós" de uma comunidade cura. Somos todos curandeiros.

Ao voltar da Nova Zelândia, eu estava determinado a entender melhor a "saúde relacional" das crianças com quem eu trabalhava. Estava curioso em pesquisar evidências das correlações entre saúde e conectividade. O primeiro passo foi reconhecer que eu, de fato, não fazia perguntas sobre alguns dos aspectos mais importantes da vida das crianças. Como elas passavam o tempo? Quem eram seus amigos, sua "gente"? Onde se sentiam seguras? E o que aconteceu ao longo do caminho que fez com que fossem mandadas a um psiquiatra? Eu estivera focado demais em "o que havia de errado" com elas – quais problemas, sintomas, incapacidades na escola precisávamos abordar. Nossa avaliação padrão analisava a natureza e a severidade dos sintomas; não mensurávamos a natureza e a qualidade dos seus relacionamentos. Nossa abordagem de tratamento não estava chegando ao cerne da cura – *whanaungatanga*.

Timothy, um menino de 10 anos, foi um dos primeiros pacientes com quem conversei depois de voltar da Nova Zelândia. Fazia mais ou menos nove meses que ele vinha à nossa clínica. Tinha sido encaminhado por um pediatra local depois de apresentar acessos de raiva e comportamento agressivo com um colega de classe. Recebera um diagnóstico de transtorno do déficit de atenção e hiperatividade (TDAH) e transtorno desafiador opositivo (TDO). Os medicamentos prescritos para "tratar" seus "transtornos" não surtiram efeito, daí o encaminhamento para a nossa clínica.

Quando revisei os relatórios, enxerguei muitas pistas para seus problemas vigentes. A partir dos 3 anos, Timothy tinha sido fisicamente abusado pelo companheiro da mãe, que morava na mesma casa. Ele e a mãe conviveram com essa violência por cerca de três anos, até ela deixar o companheiro abusivo – e mergulhar imediatamente na pobreza. A mãe esforçou-se para encontrar um trabalho decente. Nos três anos seguintes, eles se mudaram para três cidades diferentes, resultando em três novas escolas para Timothy, três novos bairros e grupos de vizinhos. Por fim, depois de se instalarem no Texas, sua mãe conseguiu um trabalho fixo. Pouco a pouco, começaram a recuperar alguma estabilidade econômica e social, mas as experiências passadas tinham cobrado um preço alto de ambos.

A mãe estava esgotada e desgastada, deprimida, mas relativamente funcional. Timothy tinha sintomas clássicos relacionados a trauma: hipervigilância, diagnosticada erradamente como TDAH, problemas de sono, exaustão por causa dos problemas de sono e uma resposta ao estresse continuamente hiperativa. Além disso, era socialmente imaturo. Apesar de ter 10 anos, Timothy crescera com poucas oportunidades para uma "prática" social. A combinação de ser sempre o menino novo e ter dificuldade de aprendizagem relacionada a trauma levou a um atraso significativo em seu desenvolvimento socioemocional. Ele era como um menino de 5 anos num mundo social de 10 anos. Era ignorado ou provocado. Excluído. Sentia-se mais regulado quando estava sozinho ou com a mãe. Queria se integrar a outras pessoas, mas não tinha as habilidades necessárias. Assim que se mudaram para o Texas, ele fez amizade com um menino de 6 anos da vizinhança, mas os pais desse menino sentiram-se desconfortáveis com a diferença de idade e desestimularam e depois proibiram, qualquer brincadeira entre os dois.

Na clínica, Timothy e eu nos sentamos a uma mesa lado a lado, desenhando e colorindo.

– Sabe, percebi que nunca perguntei sobre os seus amigos – arrisquei.

Ele continuou colorindo, sem dizer uma palavra, quase como se não tivesse me ouvido, mas eu sabia que ele estava usando uma resposta de evasão.

– Quem é seu melhor amigo?

Sem hesitar, ele respondeu:

– Meu melhor amigo é o Raymond.

– Não me lembro de você ter falado sobre ele.

– Ele é muito legal. A gente foi nadar juntos. E pegamos alguns sapos. Ele gosta de Tartarugas Ninja que nem eu.

Em geral Timothy era reservado e tristonho, mas agora estava animado.

– Vocês estão no mesmo ano?

Ele parou, parecendo pensar.

– Não sei. Não perguntei.

Fiquei confuso.

– Ele vai para a sua escola?

– Não, ele mora no Kansas.

– Ah, com que frequência vocês se veem?

– Só nos vimos no verão passado. Pode ser que eu veja ele no próximo verão quando a gente for acampar de novo – disse Timothy, melancólico, voltando para sua tristeza habitual.

Eu também me senti triste. Ali estava uma criança me contando que seu melhor amigo era alguém que ele tinha conhecido em um acampamento e com quem tinha brincado alguns dias. Na verdade, aquele menino não tinha amigos. Sua família estendida morava em outra cidade, ele não fazia parte de uma comunidade religiosa, era filho único e marginalizado na escola por suas atitudes impulsivas e imaturas. Era visto como uma criança "esquisita". Sua mãe trabalhava muito, lutando sozinha para cuidar dele. Quando eu a via, ela sempre parecia triste, também.

O contraste entre o mundo deles e a comunidade maori era chocante. Os maoris tinham uma densidade relacional muito rica e se desenvolviam em meio à diversidade: bebês, crianças, jovens, adultos e velhos, todos no mesmo espaço, movimentando-se, cantando, conversando, comendo, rindo. Imaginei Timothy correndo com as outras crianças pela *marae*, de vez em quando conversando com tias, tios e avós. Ou tornando a acampar e caçar sapos com seu amigo Raymond. Isso me fez sorrir. Então, mais realisticamente, visualizei-o esquadrinhando a lanchonete da escola em busca de um lugar seguro para se sentar sozinho na hora do almoço. Voltando para casa a pé, depois da escola, e encontrando o apartamento vazio. Esperando a mãe exausta e amorosa chegar em casa. Preenchendo o tempo com videogames e TV.

Tanto Timothy quanto sua mãe tinham sido impactados por trauma. Os dois estavam vivenciando escassez de vínculos. Não tinham uma rede terapêutica de relacionamentos positivos, tão necessários para a cura. Timothy e a mãe precisavam de conexão, precisavam de *whanaungatanga*.

Ao longo das semanas seguintes, estivemos várias vezes com Timothy e sua mãe, e mudamos o tipo de tratamento. Em primeiro lugar, inscrevemos a mãe em nossa clínica. Por mais surpreendente que pareça, poucas clínicas infantis também atendem adultos. Considerando a frequência do trauma transgeracional e interfamiliar, é um forte exemplo da fragmentação destrutiva dos nossos sistemas "compartimentados". Encontramos um mentor para trabalhar com Timothy dentro da escola e então o inscrevemos em um programa extracurricular com o Boys & Girls Club, organização que oferece atividades diversas para crianças e jovens, em seu bairro. Suspendemos todos os remédios. Incentivamos a mãe a procurar um grupo para pais solteiros na igreja local. Ela tinha crescido como presbiteriana, mas não havia encontrado uma *church home* no Texas. Estivemos com vários professores de Timothy, como parte de um plano educacional individual. Depois de saber o que havia por trás de suas atitudes, os professores foram muito mais compreensivos, e um deles demonstrou um especial interesse no menino. Timothy foi invisível por um tempo, e os professores estavam todos sobrecarregados, mas agora ele era "visto" por mais pessoas na escola.

Seis meses depois, Timothy progredia. Não tinha mais problemas de comportamento e recuperara um ano completo de conteúdo acadêmico. Fez um novo melhor amigo, alguém com quem brincava toda semana. Era ativo na escola, depois da escola e em sua nova comunidade religiosa. Sua mãe também estava melhor. Encontrou um grupo de pais solteiros muito prestativos e estava criando novas amizades. As dificuldades de Timothy a tinham deixado de coração partido, então o progresso dele funcionou como um estímulo para ela. O contágio natural de uma mãe mais feliz alimentou o progresso do filho. Relacionamentos recíprocos positivos e uma nova sensação de pertencimento ajudaram a curar aquela pequena família. Era apenas o começo da minha exploração do poder da conectividade.

– Dr. Perry

Oprah: Você disse que nosso mundo está empobrecido em matéria de relacionamentos. Vivemos em ambientes onde vemos menos pessoas e, mesmo quando vemos e começamos a conversar, não estamos de fato escutando nem totalmente presentes. E essa desconexão está nos deixando mais vulneráveis.

Dr. Perry: Acho que isso é verdade. Ainda que a gente viva em um país maravilhoso, cheio de pessoas boas, acredito que, coletivamente, estamos menos resilientes. Nossa capacidade como povo de tolerar estressores está diminuindo porque nossa conectividade está diminuindo.

Essa pobreza relacional se traduz em menos capacidade de proteção quando passamos por situações de estresse. Estamos nos tornando mais "sensibilizados" a qualquer coisa que pareça uma ameaça em potencial, tal como alguém com uma opinião política diferente. Muitas pessoas estão hiper-reativas a desafios relativamente insignificantes. E quando estamos hipersensíveis por causa de um funcionamento estado-dependente, logo adotamos um estilo mais emocional e menos racional de pensar e agir. Estamos perdendo a capacidade de considerar com calma a opinião de outra pessoa, refletir e tentar ver as coisas do ponto de vista dela.

Oprah: Vejo isso o tempo todo. Alguém comete um erro, ou alguma coisa que foi dita muito tempo atrás reaparece, e a "cultura do cancelamento" toma conta. Ninguém quer escutar o outro.

Dr. Perry: A ironia é que toda comunicação humana é caracterizada por momentos de falta de comunicação e de sincronia, mas depois as coisas se acertam. Como meu bom amigo Ed Tronick – pioneiro em psicologia do desenvolvimento – nos ensina, a ruptura interpessoal e sua reparação são boas para criar resiliência. Essas rupturas são doses perfeitas de estresse moderado e controlável.

A conversa, por exemplo, promove a resiliência. Discussões nos jantares de família e conversas levemente alteradas com amigos – desde que exista reparação – fomentam a resiliência e experiências que fazem crescer empatia. Não deveríamos nos afastar de uma conversa com raiva; deveríamos nos regular. Reparar as rupturas. Reconectar e crescer. Quando nos afastamos, todos perdem. Todos nós precisamos melhorar a escuta, a regulação, a reflexão. Isso exige a capacidade de perdoar, de ser paciente. Interações humanas maduras exigem esforços para entender pessoas diferentes de nós. Mas se não tivermos refeições familiares, se não sairmos com amigos para conversas longas ao vivo e só nos comunicarmos por mensagem ou pelo Twitter, então não poderemos criar aquele saudável e positivo padrão em vaivém de conexão humana.

Oprah: Momentos positivos e agradáveis são maravilhosos, é claro, mas o que você está dizendo é que o verdadeiro crescimento vem de momentos mais penosos, de conversas mais difíceis. E precisamos nos aproximar desses momentos com uma atenção para "O que aconteceu com você?".

Dr. Perry: A empatia é a capacidade de se colocar no lugar do outro, tanto no sentido emocional, de sentir um pouquinho do que ele possa estar sentindo, quanto num sentido cognitivo, ver a situação da perspectiva dele. Se você se aproxima de uma interação com uma postura empática, é muito improvável que tenha uma perspectiva negativa sobre o que quer que esteja acontecendo. Espera-se que isso lhe permita conhecer melhor a pessoa, ainda que seja alguém que você já conheça. Espera-se que você conheça mais a história dela e, em contrapartida, fique um pouco mais regulada ao interagir com ela.

Quando alguém é rude, nossa resposta habitual é nos deixarmos contaminar pelas emoções do outro. Ficamos desregulados e então espelhamos esse comportamento grosseiro. Mas se pudermos abordar a interação com uma postura regulada e empática, nossa resposta muda.

Oprah: E isso muda tudo. Você já disse também que o cérebro humano não foi projetado para o mundo moderno. Vamos falar sobre isso.

Dr. Perry: Bom, os seres humanos vêm sendo seres humanos, com esta genética, há aproximadamente 250 mil anos. E em 99,9% desse tempo vivemos em bandos multifamiliares relativamente pequenos de caçadores-coletores. Então, nosso cérebro está adaptado aos atributos e às complexidades sociais desses grupos menores. Ao longo de quase toda a nossa existência como humanos, nossa rede social era pequena, só conhecíamos de 60 a 100 pessoas. Talvez tenhamos criado alguma ligação com outros bandos com laços familiares semelhantes e alguns elementos culturais comuns, mas em geral nosso "mundo" era pequeno e integrado ao mundo natural. Tínhamos mais diversidade de desenvolvimento – adultos, jovens e crianças misturados nos mesmos espaços ao longo do dia. Havia mais proximidade física, mais toque, mais conectividade.

Nossos sistemas sensórios se desenvolveram para monitorar os ritmos, as cores, as luzes e os sons diários do mundo natural, bem como as indicações verbais, e mais ainda as não verbais, de nossos grupos sociais relativamente pequenos, mas complexos. Nossos clãs e tribos.

Atualmente vivemos de maneira muito diferente. Inventamos nosso mundo moderno. E sempre que esse mundo e suas invenções começam a nos afastar de nossas capacidades e preferências genéticas, temos problemas.

Nosso desafio hoje é que a velocidade das invenções está ultrapassando a nossa velocidade de resolver os problemas. Nos últimos dois milênios, a velocidade de mudança no nosso mundo – em nossa demografia, na tecnologia, nos transportes, etc. – explodiu. Como disse o escritor e bioquímico Isaac Asimov: "O aspecto mais triste da vida neste momento é que a ciência obtém conhecimento mais rápido do que a sociedade obtém sabedoria."

Parte do desafio de nos inventarmos longe do mundo natural e de nossas preferências "sociais" é que isso estressa os sistemas neurais envolvidos em monitorar o mundo. Nossos sistemas de resposta ao estresse estão exauridos por vigiar constantemente a cacofonia sensória do mundo moderno: sons da rua, trânsito, aviões, rádios, TVs, o zumbido dos refrigeradores, o silvo dos ventiladores de computador.

Viver num ambiente urbano exige ainda mais desses sistemas. Toda vez que você vê algo novo na rua, seu cérebro pergunta sem parar: *Seguro e familiar? Amigo ou inimigo? Confiável ou não?* Você analisa as características de cada pessoa e as compara com seu "catálogo interno" do que é "seguro e familiar". Esse monitoramento constante do ambiente social pode consumir uma porção significativa de nossa banda larga.

Ao mesmo tempo, estamos lutando contra a natureza. Usamos luz artificial para ficar acordados à noite. Ingerimos alimentos extremamente processados, muito diferentes daqueles que nosso organismo se desenvolveu para digerir. Tudo isso estressa o nosso corpo, especialmente o cérebro.

E o estresse é ainda pior se você também precisa se preocupar com moradia, alimento ou emprego. A imprevisibilidade e a insegurança da pobreza esgotam a banda larga do sistema de resposta ao estresse e nos tornam quase incapazes de tirar vantagem das "oportunidades" para escapar da miséria.

Oprah: Falamos que a pobreza pode levar ao trauma. Mas, como você bem observa, não é só com a pobreza econômica que temos que nos preocupar. O isolamento e a solidão são uma epidemia.

Dr. Perry: Sim, e estou muito preocupado com a pobreza de relacionamentos na vida moderna. Em nosso trabalho, vemos que o melhor indicador da saúde mental atual é a "saúde relacional" atual, ou seja, a conectividade. Essa conectividade é abastecida por duas coisas: as capacidades básicas que a pessoa desenvolveu para estabelecer e manter relacionamentos, e as "oportunidades" relacionais que tem na família, na vizinhança, na escola e assim por diante.

Simplificando, a vida moderna proporciona menos oportunidades para interações relacionais. Em um ambiente multifamiliar e multigeracional, as contínuas interações sociais oferecem uma fonte rica de regulação, recompensa e aprendizagem. E era assim que costumávamos viver. Em 1790, 63% das moradias do nosso país tinham cinco ou mais pessoas. Apenas 10% tinham duas ou menos. Hoje em dia, esses números se inverteram: em 2006, apenas 8% das casas abrigavam cinco ou mais pessoas, e 60%, duas ou menos. Uma pesquisa recente em algumas comunidades urbanas nos Estados Unidos, na Europa e no Japão revelou que mais de 60% de todas as casas tinham apenas um morador.

Acrescente a isso o impacto do tempo na tela. Em casa, no trabalho, na escola, passamos horas e horas em frente a uma tela – mais de 11 horas por dia, em média. Fazemos muito menos refeições em família. Nossas habilidades de manter conversas estão desaparecendo. A arte de contar histórias e a capacidade de escutar estão em declínio. O resultado é uma população mais voltada para o próprio umbigo, mais ansiosa, mais deprimida e menos resiliente.

Oprah: Você acha que tudo isso contribui para que tenhamos menos empatia?

Dr. Perry: Bom, a capacidade de demonstrar empatia é uma função das redes neurais cerebrais essenciais, que se organizam de modo uso--dependente. Em outras palavras, assim como a fluência de linguagem requer exposição a muitas conversas e estímulos verbais, a "fluência de empatia" requer repetições de interações relacionais solidárias. E o mundo moderno não está propiciando essas oportunidades para nossas crianças.

Em situações extremas, se um bebê não recebe cuidados acolhedores, estáveis, consistentes e seguros, a capacidade crucial de construir e manter relacionamentos saudáveis não se desenvolverá. E, dependendo de outras experiências de desenvolvimento, pode evoluir para uma variedade de problemas com intimidade, habilidade social e comportamento interpessoal.

Oprah: Sei que você trabalhou com pessoas que nunca desenvolveram a capacidade de sentir empatia.

Dr. Perry: Eu me lembro de estar em uma prisão entrevistando uma mulher que havia matado uma jovem mãe para poder tirar o bebê dessa mãe e criá-lo como seu. Enquanto eu analisava os relatórios e conversava com ela, sua desconexão era dolorosamente clara.

No entanto, quando você fica sabendo "o que aconteceu com ela", faz sentido. Essa mulher tinha sido abandonada com seis dias de vida. Passou alguns meses num abrigo, onde teve muitas cuidadoras, antes de entrar no sistema de acolhimento familiar. Assim, desde o nascimento, ela não vivenciou qualquer permanência relacional, não pertenceu a ninguém, a lugar nenhum. Aos 16 anos, tinha morado em 12 cidades de sete estados, em 26 endereços diferentes. Nunca frequentou a mesma escola por dois anos seguidos. O maior tempo que passou em um único lugar foi oito meses. Não tinha ligação com família, comunidade, lugar.

Essa mulher não tinha remorso, não expressava nenhum sentimento verdadeiro pela jovem mãe que havia matado ou pelo bebê que tinha pegado. Enquanto conversávamos, ela parecia vazia e fria. Faltava-lhe empatia. Mas, como conversamos no Capítulo 3, não se pode dar o que não se tem. Se ninguém jamais falou com você, você não consegue falar. Se nunca foi amada, não pode ser amorosa.

Oprah: Tirando casos extremos como esse, você disse que tem havido uma mudança na nossa capacidade coletiva de ser empático, de sentir a dor do outro.

Dr. Perry: Exatamente. Eu me referi a uma empatia pouco desenvolvida ou imatura. Quando crianças pequenas escutam menos palavras, elas ainda podem aprender a falar, mas serão menos fluentes. Da mesma maneira, crianças que têm menos interações relacionais ainda desenvolverão capacidades sociais, porém serão menos maduras, mais autocentradas, mais egocêntricas. É o que vários estudos estão mostrando. Tem havido uma dispersão significativa em medidas de empatia. O adulto típico em idade universitária está 30% "menos empático" e mais egocêntrico do que vinte anos atrás. Um estudo documentou um aumento de 40% na incidência de psicopatologias em estudantes universitários americanos nos últimos trinta anos. Os autores sugerem que isso esteja relacionado a "mudanças culturais para objetivos extrínsecos, tais como materialismo e status, e distanciamento de objetivos intrínsecos, como comunidade, sentido na vida e afiliação". Não quer dizer que os jovens sejam ruins ou estejam piores, mas é um exemplo claro de como somos moldados por nossas experiências de vida. O que acontece com você faz diferença, e todos nós refletimos, em algum grau, as características relacionais da nossa família, comunidade e cultura.

Quando penso nas mudanças em nossa estrutura familiar e na nossa cultura, frequentemente me recordo do filme *Avalon*, de Barry Levinson. A cena de abertura é um grande encontro familiar multigeracional no Dia de Ação de Graças. O apartamento é relativamente pequeno, mas ali estão todas as gerações em seu barulhento caos amoroso. Corta para a cena final, num Dia de Ação de Graças anos mais tarde: depois de conseguir ascender socialmente e se mudar para uma casa grande no subúrbio, uma família nuclear – que já foi parte daquela grande família – está sentada lado a lado, sem conversar, comendo congelados, em bandejas no colo, e vendo TV.

O tecido social transgeracional da nossa sociedade está se esgarçando. Estamos nos desconectando. Acho que isso está nos deixando mais vulneráveis à adversidade, e considero que seja um fator significativo no aumento da ansiedade, do suicídio e da depressão que temos visto, mesmo antes da pandemia de COVID-19.

Oprah: Você acha que o problema é a desconexão.

Dr. Perry: Acho. A desconexão e a solidão em nossa sociedade desempenham um papel importante no aumento visível de casos de ansiedade, problemas de sono, uso de medicamentos e depressão.

Um estudo recente feito por uma equipe de Harvard descobriu que de todos os fatores envolvidos na depressão, os mais influentes tinham a ver com conectividade: "Os efeitos protetivos da conexão social estavam presentes até em indivíduos que corriam um risco maior de depressão por vulnerabilidade genética ou trauma no início da vida." Nosso trabalho vai ao encontro dessa observação. Uma das nossas descobertas mais importantes é que, ao determinar a saúde mental atual de alguém, o histórico da saúde relacional na infância – a conectividade – é tão ou mais importante do que o histórico de adversidade. Em crianças e jovens que vivenciam trauma, o melhor indicador do estado de sua saúde mental é a conectividade naquele momento.

Eu me lembro dos anciãos maoris e de sua crença de que o trauma, a ansiedade, a depressão e o abuso de medicamentos são "uma coisa só", e estão relacionados à nossa conectividade, à nossa sensação de pertencimento.

Oprah: Concordo. Algo profundo que percebi, depois de escutar milhares de pessoas compartilharem suas histórias, é que todo sofrimento é o mesmo, apenas escolhemos maneiras diferentes de expressá-lo. Além disso, acredito que estamos todos aqui para aprender com a dor do outro. Então, a perda do senso de comunidade e o isolamento social que nos afligem são uma fonte de grande sofrimento coletivo.

Dr. Perry: A desconexão é uma doença. Acredito que os anciãos maoris estavam certos e que exista alguma correlação entre as taxas crescentes de suicídio e o esgarçamento crescente de nosso tecido social. Estamos criando nossas crianças e nossos jovens em ambientes pobres em relacionamentos e sobrecarregados por estímulos sensórios graças à proliferação de tecnologias acessíveis por meio de telas.

Oprah: Estamos todos muito ligados a nossos celulares. Ninguém chega a fazer contato visual.

Dr. Perry: Correto. Existem mais mensagens de texto, tuítes, posts, mas menos conversa de verdade.

Acho que não temos muitos momentos de diálogos calmos, escutando um amigo sem outra distração. Esse tipo de interação produz uma qualidade de conexão humana completamente diferente. Uma profundidade diferente. Acho que ansiamos por isso, e muitos de nós buscamos as mídias sociais para encontrá-la, mas ultimamente essas interações não bastam.

Enquanto isso, as taxas de suicídio, ansiedade e depressão disparam entre os nossos jovens. Nossa cultura é muito "avançada", e temos fartura, criatividade e produtividade. No entanto, as disparidades e iniquidades em todos os nossos sistemas continuam marginalizando, fragmentando e minando a coesão comunitária e cultural.

Podemos ter um ótimo sistema de educação pública e tecnologias incríveis, mas ainda não estamos atendendo às necessidades relacionais básicas das nossas crianças ou mesmo nossas. Muitas pessoas se sentem vazias e estão em busca de conexão, porém com frequência essa busca se dá de maneiras realmente insalubres.

Oprah: E isso acontece em todos os níveis socioeconômicos. A impressão é que prosperidade não impede ninguém de ter ansiedade ou depressão.

Dr. Perry: É verdade. Mas estar no patamar mais baixo de qualquer relação de poder torna a vida bem mais difícil. Se você não pertence ao grupo "in", essa marginalização pode desencadear sensações de não pertencimento.

Como dissemos antes, o cérebro está continuamente analisando o ambiente social em busca de sinais que indiquem se você pertence ou não àquele lugar. Quando uma pessoa recebe sinais de que pertence, muitos dos quais são subconscientes, seus sistemas de resposta ao estresse se acalmam, informando que ela está a salvo. Então, ela se sente regulada e gratificada. Diante de indícios de que não pertence, os sistemas de resposta ao estresse são ativados. E indícios de não pertencer são nossa resposta padrão a alguém que não conhecemos, especialmente se a pessoa não tem os atributos do nosso grupo familiar. Vemos essa pessoa como uma potencial ameaça.

Oprah: Como o "outro".

Dr. Perry: Isso mesmo. Agora, pense nas implicações disso para o nosso mundo moderno. Se você vive numa área urbana, talvez veja centenas de pessoas "novas" diariamente, e seu cérebro precisa monitorar o tempo todo essas centenas de pessoas. *Amigo ou inimigo? Me ajuda ou me machuca?* É desgastante. Consome a banda larga emocional. Com frequência, pessoas que vivem em ambientes urbanos aprendem a ignorar completamente o outro e a se desobrigar dele. Podem passar por você sem qualquer reconhecimento. Essa situação faz com que você se sinta invisível, mas para elas poderia ser apenas um jeito de se autopreservar.

Muitas pessoas passam pela experiência de se sentirem "exaustas" depois de um dia de viagem, ainda que só tenham ficado numa fila e sentadas num avião. Isso acontece porque o cérebro delas monitorou continuamente milhares de estímulos novos. Lembre-se: ativar seus sistemas de resposta ao estresse, mesmo que num nível moderado, durante longos períodos é física e emocionalmente exaustivo.

Então, parte do aumento da ansiedade em nosso mundo moderno decorre do constante bombardeio de novidades, principalmente novidades sociais, e da ausência de uma conexão relacional que proporcione equilíbrio.

Oprah: Então, à medida que nosso mundo se expande e encontramos mais e mais pessoas, o cérebro fica sobrecarregado.

Dr. Perry: Sim, e o resultado é que ele começará a usar atalhos para lidar com todas essas novas pessoas. Seu cérebro dá conta de um número limitado de relacionamentos totalmente recíprocos. Curiosamente, à luz do que andamos conversando, esse número é de cerca de 80 a 100 pessoas, o tamanho de um grupo grande de caçadores-coletores.

Oprah: Conhecer alguém novo requer muita energia e muito tempo, e nosso cérebro tem espaço limitado para isso. Talvez seja por isso que mudar de local seja tão difícil.

Dr. Perry: Exato. Quando você é nova numa comunidade, tendo deixado para trás o que lhe era familiar, seu cérebro estará o tempo inteiro tentando lidar com as novidades. Isso é muito difícil sem uma âncora relacional genuína no novo ambiente. Os relacionamentos virão, mas leva tempo. É por isso que as pessoas são mais vulneráveis nos primeiros seis meses depois de grandes transições – depois de abandonar o seguro, estável e conhecido para começar a construir uma nova série de conexões.

Pense nas meninas da sua escola. Elas são muito jovens, mas foram tiradas do seu contexto social e inseridas num ambiente completamente novo. Até conseguirem reconstruir aquela conectividade, estarão vulneráveis.

Oprah: É por isso que tento encontrar famílias que as hospedem. Assim, elas sempre terão um lugar para onde voltar. Um lugar seguro.

Dr. Perry: Isso é bastante inteligente, porque a conectividade é o que nos ajuda a lidar com transições e a nos regular diante de um bombardeio incessante de novidades.

Oprah: Sem uma comunidade, o que as pessoas fazem? Olham para seus dispositivos. Não há nada de objetivamente errado com isso, mas acaba sendo uma conexão vazia.

Dr. Perry: Às vezes vejo tentativas quase frenéticas de estar conectado, arrumando mais "amigos", "seguidores" ou garantindo "likes". Existe uma atração muito forte em pertencer, formar nosso clã, mas, como você diz, as conexões via redes sociais são, em geral, vazias.

Oprah: Porque os "amigos" ou "seguidores" não estão ao seu lado quando você está doente, ou se divorcia, ou simplesmente se sente sozinha. Eles não estão se sentando à mesa com os vizinhos, nem mesmo, em muitos casos, com suas famílias.

Estou pensando no que você disse, que a desconexão é uma

doença. O isolamento poderia ser classificado como uma nova forma de trauma?

Dr. Perry: Acho até que, em algumas situações, o isolamento e a solidão podem produzir uma sensibilização dos sistemas de resposta ao estresse. Se é assim, podem ser traumáticos. Por exemplo, colocar alguém numa solitária. O tempo de isolamento também faz diferença. Pense na mulher que conheci na prisão, que tinha sido abandonada recém-nascida.

É razoável classificarmos a escassez relacional, a falta de conectividade, como uma adversidade. A pobreza de relacionamentos pode atrapalhar o desenvolvimento normal, influenciar o funcionamento do cérebro, predispor ao risco de problemas de saúde mental e física. Não é bom para ninguém.

Oprah: Especialmente para crianças.

Dr. Perry: Sim. Todos nós queremos pertencer a um grupo. No entanto, inúmeras crianças são marginalizadas, excluídas ou intimidadas. Isso pode ser devastador. Ser deixado de fora pode provocar um impacto profundo e duradouro.

Sob muitos aspectos, o resultado da pobreza de relacionamentos na nossa sociedade é uma forma de inanição social e emocional. Nossas crianças estão famintas.

Oprah: Acho que esse é um conceito difícil para a maioria das pessoas entender, porque, na nossa cultura moderna, parece que as crianças têm tudo. O que você quer dizer quando fala que elas estão famintas?

Dr. Perry: Bom, existem diferentes formas de nutrição. Uma das coisas que não avaliamos nas culturas ocidentais é a importância e o poder do toque para nosso crescimento físico e emocional.

Oprah: Interessante.

Dr. Perry: O toque é tão essencial para um desenvolvimento físico e emocional saudável quanto as calorias e vitaminas. Se o bebê não for segurado ou embalado, se não vivenciar o calor amoroso do toque de quem cuida, ele não cresce. Na verdade, pode morrer.

Oprah: Morrer literalmente?

Dr. Perry: Com certeza. Muitas pessoas na nossa sociedade, inclusive crianças e jovens, têm fome de toque. Um toque saudável não é bem compreendido. Em algumas escolas, criancinhas que mal largaram as fraldas sentem vontade de correr e abraçar um colega ou a professora, mas são orientadas a não fazer isso. Tampouco é permitido que professores e outros cuidadores toquem nas crianças. Mas é simplesmente insalubre para uma criança de 3 ou 4 anos passar oito horas sem tocar, sem abraçar um colega.

Oprah: Essa é uma das coisas que mais me perturbaram quando soube de pais sendo separados de seus filhos na fronteira entre México e Estados Unidos. Colleen Kraft, ex-diretora da American Academy of Pediatrics (Academia Americana de Pediatria), disse que ficou chocada porque os cuidadores não tinham permissão de tocar nas crianças pequenas. Os bebês gritavam e choravam, mas eles tinham sido advertidos de que não poderiam acolhê-los. Só podiam oferecer brinquedos. Eu *sei* que existe uma maneira de liberar o toque saudável, ao mesmo tempo que se protege as crianças de manipulações indesejadas.

Dr. Perry: Esse é um exemplo clássico de recomendações bem-intencionadas, mas sem qualquer entendimento sobre as necessidades de desenvolvimento das crianças. A intenção é ajudar os pequenos, minimizando o risco de toque impróprio ou abuso, ao mesmo tempo que se protege a equipe de falsas alegações. No entanto, em vez de pensar em opções razoáveis para garantir um toque saudável num ambiente monitorado, aplicam-se regras gerais de "não tocar".

É um denominador comum na nossa cultura. Somos reativos. Priorizamos soluções convenientes, de curto prazo. Evitamos riscos. Usamos bens materiais, em vez de relacionamentos, como recompensa. *Tome, pegue um brinquedo. Seja bonzinho e nós te damos uma coisa.* Oferecer brinquedos em vez de um toque calmante é uma prática escandalosamente equivocada. É o resultado de políticas desinformadas sobre trauma, ignorantes a respeito do desenvolvimento.

Oprah: Quando ouvi isso, chorei. Precisamos mesmo melhorar. Temos consciência disso. Sabemos que o contato humano é saudável. Sabemos que passar tempo demais em frente a uma tela não pode substituir um amigo, um professor, um treinador, um pai ou uma mãe.

Dr. Perry: Repito: a velocidade com que estamos inventando nosso mundo supera nossa capacidade de entender o impacto de nossas invenções. Televisão, videogames, celulares, computadores, é tudo muito novo. E não conhecemos bem o impacto desses artefatos no cérebro em desenvolvimento, a forma como nossas crianças pensarão e processarão as experiências. Mas estamos começando a entender o impacto prejudicial que 11 horas em frente a uma tela pode causar no desenvolvimento social. Todos nós testemunhamos o efeito perturbador das mensagens de texto ou chamadas de celular durante um jantar de família ou uma conversa com amigos, assim como o impacto dispersivo de entrar na internet durante uma aula ou uma reunião de trabalho.

Oprah: Ouvi você usar a expressão "higiene tecnológica". Adorei. Poderia explicar o que significa?

Dr. Perry: Resumidamente, acredito que precisamos desenvolver regras sociais sobre quando e como usar nossas novas tecnologias. Sempre foi assim.

Pegue como exemplo as práticas atuais de higiene. Na história da medicina, um dos avanços mais importantes foi reconhecer a relação entre doença, micróbios e sujeira. Parece inacreditável hoje, mas os cirurgiões costumavam entrar em cirurgia sem lavar as mãos. As pessoas faziam suas necessidades em qualquer lugar, e as comunidades despejavam o esgoto em fontes de água potável. À medida que aprendemos sobre bactérias, infecção e doença, criamos uma série de protocolos de higiene. Ensinamos as crianças a ir ao banheiro *no banheiro*, lavamos a mãos depois de usar o vaso sanitário, levamos o esgoto para longe de água potável.

Acho que precisamos do mesmo tipo de regras universais para o uso padrão de nossas tecnologias. Lugares e momentos em que não se pode usar o celular, "dosagem" e intervalo adequados de tempo na tela, e assim por diante. Sabemos, por exemplo, que para uma criança pequena, passar um tempo contínuo diante da tela não é ideal para o desenvolvimento de habilidades de linguagem, atenção ou concentração. Então, a American Academy of Pediatrics recomendou limitar o tempo de acordo com a idade. Conforme sabemos mais, podemos desenvolver e modificar algumas dessas recomendações "higiênicas".

Oprah: Não é verdade que crianças com menos de 2 ou 3 anos de idade nem sequer deveriam estar olhando para um tablet ou tela, por ser nocivo para o desenvolvimento do cérebro?

Dr. Perry: Provavelmente não é o ideal.

Oprah: Por quê?

Dr. Perry: Nosso cérebro está organizado de uma maneira que privilegia o sentido da visão em detrimento dos outros sentidos. Imagens podem evocar reações fortes, porque nosso cérebro tem preferência pelo conteúdo visual colorido e em movimento. Quando esses dois elementos se combinam numa tela, a atenção de quem olha é capturada.

Isso não é necessariamente ruim, até se tornar tão agradável e envolvente para o cérebro que começamos a preferir essa forma de entretenimento a outras informações sensórias menos estimulantes. Um bebê ou uma criança pequena consumido por uma tela está deixando escapar outras formas cruciais de aprendizagem do mundo. Eles deveriam estar explorando a impressão tátil das coisas, seu cheiro, seu gosto. Deveriam estar dando sentido ao seu mundo com todas as suas ferramentas sensórias.

Você já observou que bebês ou crianças pequenas estão sempre pondo coisas na boca? Eles estão tentando descobrir qual é o gosto de uma flor roxa. Estão compreendendo o mundo. Mas se 75% do dia é gasto diante de uma tela, sem tocar, sentir, se mexer ou interagir com outros seres humanos, essa criança está, em essência, subdesenvolvendo áreas essenciais do cérebro que se organizam rapidamente nesse período da vida.

A melhor maneira de ensinar linguagem a uma criança não é colocando-a em frente a uma tela, e sim conversando com ela. Quando observamos a aquisição de linguagem das crianças, percebemos que a fluência está relacionada ao número de palavras ditas em uma conversa na qual um fala e o outro responde, interativamente. Não tem relação com o número de palavras escutadas em um aparelho.

Oprah: E queremos que as crianças façam conexões de vida real, com outras crianças e adultos. Como você disse, os sistemas de empatia no cérebro se desenvolvem quando há muitas oportunidades para estímulo.

Dr. Perry: Então, idealmente, se uma criança estiver crescendo em um lar "rico" em relacionamentos, com inúmeras oportunidades para interações seguras, estáveis e acolhedoras, estará desenvolvendo sua conectividade e resiliência. Tive esse insight com os anciãos indígenas e ele foi fundamental para a minha compreensão das práticas tradicionais de cura e criação de filhos.

O entendimento desses anciãos sobre a prioridade da conectividade humana reflete uma sabedoria perdida em nosso tempo. Como é irônico que as culturas que nosso mundo moderno marginalizou sejam as próprias culturas que detêm a sabedoria para curar nossas angústias modernas.

CAPÍTULO 10

DO QUE PRECISAMOS AGORA

Anos atrás, interpretei a personagem Sethe no filme baseado no romance lancinante de Toni Morrison, *Amada*.

Sethe era uma ex-escrava assombrada pela morte horrível de sua filha, Amada. No filme, Amada volta para Sethe, reencarnada como uma criança deficiente, que Sethe acolhe em sua casa. Pelo restante da vida, Sethe se penitencia pelo que aconteceu com Amada, e o relacionamento entre elas se torna cada vez mais debilitante e entrelaçado.

Um dia, estávamos filmando uma cena em que Sethe deveria colocar Amada na cama. A única recomendação que recebi do diretor, Jonathan Demme, foi: "Ok, cubra-a."

Então, caminhei ao redor da cama, alisando o cobertor com capricho e enfiando-o sob o colchão.

— Corta — gritou Jonathan por detrás da câmera. — Oprah, você não está cobrindo.

— Eu estou cobrindo. — Eu podia sentir um misto de medo e constrangimento subindo dentro de mim, mas não entendia por quê.

— Você está fazendo a cama — disse ele. — Não está cobrindo a sua filha para dormir.

Naquele momento, alguma coisa estalou dentro de mim. Profundamente. Olhei fixo para Jonathan.

— Não sei o que "cobrir" significa neste caso — falei baixinho. — Não sei como fazer isso.

Por fim, nós dois entendemos o que estava acontecendo. Com delicadeza, Jonathan me ensinou a envolver minha filha carinhosamente nas dobras do cobertor. Enquanto rodeávamos a cama juntos, fui tomada por uma onda de pesar.

Não me lembro de jamais terem me posto na cama.

Nunca ninguém colocou um cobertor sobre mim com aquele tipo de intenção amorosa.

O amor de mãe deve ser assim.

Anos depois, eu estava na cozinha com minha amiga Urania e sua filha pequena, Kylee. Urania perguntou à filha se ela gostaria de comer alguma coisa.

– Sim, por favor – disse Kylee.

Urania foi até a geladeira e pegou alguns morangos. Lavou-os, empunhou uma faca e começou a cortá-los. Percebi que ela já tinha feito isso muitas vezes. Conforme a faca se movia ao redor de um morango, começava a surgir o formato de uma rosa delicada.

– Uma rosa de morango! – observei, fascinada.

Com cuidado, Urania colocou as frutas num prato e o entregou à filha. Meus olhos se encheram de lágrimas. A ternura daquele gesto ardeu na minha alma.

Novamente, eu disse comigo mesma: *O amor de mãe deve ser assim.*

Minha mãe e eu tínhamos uma relação complicada. Como já contei aqui, passei o começo da minha infância, meus seis primeiros anos, com a minha avó. Não tenho lembrança da minha mãe nesse período.

Quando minha avó adoeceu, fui repentinamente levada para Milwaukee, para morar com a minha mãe. Não foi um alegre reencontro mãe-e-filha. Eu sentia que não era bem-vinda.

Na noite em que cheguei a Milwaukee, a mulher com quem minha mãe morava, Sra. Miller, deu uma olhada em mim e disse:

– Ela terá que dormir na varanda.

A Sra. Miller tinha a pele clara. Quase poderia passar por branca e não iria deixar aquela "aquela criança escura de cabelo pixaim", como ela falou, dentro de casa.

Minha mãe respondeu:

– Tudo bem.

Eu nunca tinha dormido em outro lugar que não a cama da minha avó. Na varanda fechada, eu podia ouvir os sons da rua. Enquanto via minha mãe fechar a porta e ir para o quarto onde eu achava que dormiria, fui invadida por uma sensação terrível de solidão que me levou às lágrimas. Imaginei um ladrão me arrancando da varanda, ou alguém arrombando as janelas e me sufocando. Naquela primeira noite, me ajoelhei e pedi a Deus que mandasse anjos para me proteger.

Quando acordei de manhã, o terror tinha sumido, mas a sensação de estar desprotegida enquanto dormia me acompanharia por grande parte da minha vida. Tinha recebido uma revelação: aos 6 anos, eu sentia que estava sozinha e ninguém, a não ser Deus, tomaria conta de mim.

Minha dor e a determinação que se seguiu compuseram um ciclo que se repetiria muitas vezes. Acredito que seja, de um modo profundo, o próprio mote da minha vida. As dificuldades que enfrentei quando criança me permitiram reconhecer e cuidar da dor dos outros. A validação que desejei quando criança é o que eu vejo outras pessoas desejarem com a mesma intensidade. Milhares tiveram a coragem de compartilhar suas histórias comigo porque a história delas era a minha história. A dor delas era a minha dor. Porque toda dor é a mesma.

– **Oprah**

Oprah: Existem muitas histórias lindas de pessoas que afirmam ter "quebrado o ciclo" de abuso ou trauma em sua família. É possível impedir totalmente que os efeitos tóxicos ou negativos dessas experiências sejam passados adiante?

Dr. Perry: É importante esclarecer que a maioria das pessoas que foram abusadas não abusam de outras da mesma maneira. Por outro lado, está cada vez mais claro que pouquíssimas pessoas abusadas não desenvolveram alguma forma de adaptação que influencia a maneira de lidar com os outros. Não precisa ser uma "patologia", mas pode influenciar a maneira de construir e manter relacionamentos.

Isso retoma nossa conversa anterior sobre por que algumas pessoas parecem buscar relacionamentos abusivos. Nosso cérebro nos impele para padrões familiares, mesmo quando esses padrões são negativos. As pessoas acabam repetindo padrões anteriores inadequados, mesmo sem perceber. Muitas vezes, aqueles à nossa volta verão isso com mais clareza do que nós.

Oprah: Sim, e é muito frequente que a mudança de fato não aconteça até a pessoa ver por si mesma. Desde muito cedo na minha infância eu soube que, se fosse para eu dar certo, teria que ser por minha conta. Não havia alicerces, como você chama, construídos para mim. Com o passar dos anos, alguns professores muito especiais se dispuseram a nutrir o potencial que reconheceram em mim. É isso que você está dizendo. Basta um punhado de pessoas vendo você por uma nova lente e reservando um tempo para ajudar. Meus professores não tinham formação sobre trauma. Agora que algumas pessoas têm, e que seu trabalho revolucionário está percorrendo o mundo provocando efeitos em onda, você se sente esperançoso de que mais pessoas possam se curar?

Dr. Perry: Estou mais esperançoso do que vinte anos atrás. Passei a maior parte da minha carreira tentando entender melhor e ajudar crianças, jovens e adultos que vivenciaram traumas. Tivemos um avanço importante quando, finalmente, conseguimos traduzir algo da complexa neurociência em modelos úteis para o trabalho clínico.

O Modelo Neurossequencial nos permite criar uma versão de como o cérebro do indivíduo parece se organizar. É como a inspeção de uma casa. Ao perguntarmos sobre o "histórico" da construção – ou seja, "o que aconteceu com você?" –, podemos detectar os problemas mais prováveis. O que podemos presumir que aconteceria se o construtor não deixou o cimento dos alicerces secar ou não direcionou o encanamento de maneira adequada para o segundo andar?

Sabendo a origem do problema, podemos entender melhor como consertá-lo. Em uma sequência que replica a construção original da casa – do cérebro –, implementamos um plano de "reconstrução/reforma". Com as áreas problemáticas em mente, oferecemos experiências – tanto educacionais quanto terapêuticas – que ativam e reorganizam os sistemas impactados pela negligência, adversidade e pelo trauma. Temos uma ideia mais clara de como selecionar e sequenciar experiências terapêuticas, uma compreensão melhor do que podemos fazer para ajudar, e quando.

Há muito mais a aprender, mas estamos bastante otimistas. Centenas de milhares de crianças, jovens e adultos, de mais de 26 países, se beneficiaram de serviços clínicos e educacionais que usam as lentes do neurodesenvolvimento com atenção ao trauma.

Relembre Mike Roseman. Quando finalmente começamos a abordagem "de baixo para cima" que ajudou a regular suas RRCs sensibilizadas pelo trauma, aquela ainda era uma versão beta da abordagem do Modelo Neurossequencial. Tratamos os problemas cerebrais na sequência correta e focamos nas redes inferiores antes de passar aos problemas nas regiões superiores.

Oprah: Como você diz: regular, relacionar, depois argumentar.

Dr. Perry: Vejamos um exemplo adicional, ainda mais detalhado, de como isso funciona. Cerca de 20 anos atrás, pediram à nossa equipe para dar uma olhada em Susan, uma menina de 7 anos, adotada quando tinha 2. Ela tinha atitudes que confundiam seus pais, professores e terapeutas.

Ao chegar àquela família, Susan era não verbal e tinha problemas de sono, acessos de birra prolongados, estados catatônicos e atitudes de automutilação, como arranhar o rosto e cutucar a pele até sangrar. À medida que cresceu, participaram de seu tratamento fisioterapeutas e terapeutas ocupacionais, tutores, especialistas em saúde mental de convívio diário, auxiliares na escola, pediatras desenvolvimentistas, psicólogos e psiquiatras. Foram cinco anos de diagnósticos e tratamentos variados, com progresso quase nulo.

No início da vida, Susan vivenciou uma situação de profunda adversidade e conexão relacional mínima. Provavelmente, os "alicerces" de sua casa eram precários e frágeis. Era filha de mãe solteira que sofria de problemas de saúde mental. Essa mãe fora retirada do convívio com os próprios pais aos 4 anos e passara toda a infância e adolescência em uma série de casas de acolhimento. Aos 18 anos, atingiu a idade limite do sistema e foi deixada por conta própria. Imediatamente, ficou grávida, mas foi incapaz de cuidar da filha. O sistema de bem-estar infantil retirou Susan aos 4 meses de idade e acabou cancelando os direitos parentais. Susan tornou-se uma guarda do estado. Essa forma de trauma transgeracional não é incomum entre as crianças em nossos sistemas de proteção à infância.

Quando foi afastada da mãe, Susan passou dois meses em um abrigo. Depois, morou em três casas de acolhimento até finalmente ser adotada. É fácil imaginar sua visão de mundo em relação à segurança e confiabilidade dos adultos. O processo de construção da sua casa foi continuamente interrompido; a fiação, o encanamento e a estrutura foram impactados por um período de dois anos de ativação imprevisível, incontrolável e extrema dos seus sistemas de resposta ao estresse. Não era surpreendente que ela tivesse sintomas clássicos de um sistema sensibilizado dissociativo. Sua automutilação, à qual já nos referimos, era uma tentativa de se regular. Diante de um sofrimento e uma angústia inevitáveis, ela se dissociava, daí seus estados catatônicos. O componente de ativação da sua resposta ao estresse também estava sensibilizado (veja Figura 5, p. 82). Seus ataques de birra eram o equivalente de uma criança pequena à resposta "fuga ou luta". Era uma criança com atraso no desenvolvimento, apavorada, confusa.

Ora, parte do problema era que os sistemas educacionais e de saúde mental – sem mencionar seus pais – viam Susan como uma criança de 7 anos. No entanto, ainda que cronologicamente ela tivesse 7, em matéria de desenvolvimento sua habilidade social era a de um bebê, as habilidades regulatórias eram as de uma criança de 2 anos e as habilidades cognitivas, de uma criança de 3. Pais, professores e terapeutas insistiam em argumentar com ela, explicavam as regras e tentavam explorar "por que" ela fazia todas aquelas "malcriações". Estavam fazendo o possível, não entendiam o funcionamento estado-dependente nem os desafios de desenvolvimento previsíveis, considerando-se o histórico de Susan.

Nosso Modelo Neurossequencial nos permitiu criar um esquema terapêutico que começava com as "fundações", as áreas inferiores do cérebro de Susan. Ela tinha problemas significativos de integração sensória e não suportava ser tocada. Quando mais de uma pessoa falava perto dela, mais se sentia oprimida. Não suportava o toque de certos tecidos em sua pele e estava sempre se enfiando debaixo de pilhas de travesseiros e cobertores.

Começamos criando uma série de experiências somatossensórias previsíveis e padronizadas: cobertores pesados, massagem terapêutica introduzida gradualmente, uma "dieta sensória" enriquecida, proporcionada por uma terapeuta ocupacional atenta aos efeitos do trauma. Naquele momento, não endereçamos os problemas de Susan com colegas nem sua incapacidade de prestar atenção na aula, os sintomas depressivos, os rompantes explosivos ou os problemas de fala. Estávamos indo em sequência. Iniciamos com os sistemas inferiores, sabendo que chegaríamos aos outros problemas mais tarde, ao longo do tratamento.

Parte fundamental de uma abordagem neurossequencial é ajudar pais, professores e médicos a identificar o "estágio" e observar o "estado", ou seja, queremos ajudá-los a aprender quais são as verdadeiras capacidades de desenvolvimento da criança e seu estágio em contraste com a idade. O objetivo é que tomem consciência do estado-dependência da criança. Nosso incentivo é para que se perguntem: "A criança está num estado em que pode efetivamente 'escutar' o que estou tentando dizer ou ensinar?"

É incrível a frequência com que ignoramos isso. Como já dissemos, se a criança estiver desregulada demais, não se abrirá a nenhuma experiência ou aprendizagem nova. E se você continuar esperando que a criança preste atenção, se concentre e aprenda, estará minando a sensação de segurança que a criança tem quando está com você. Estará prejudicando o vínculo de empatia entre vocês duas, exatamente o fator fundamental para que a mudança aconteça. Então, não tente "ensinar", "treinar" e "argumentar" quando o estado da criança é tal que ela não consegue aprender. Foque em manter-se presente e regulada quando começar a se sentir frustrada, desrespeitada ou zangada por ela não ter te escutado. Se você se afastar e se acalmar, terá acesso ao seu próprio córtex e conseguirá pensar em maneiras de ajudar na regulação da criança. Seu relacionamento sobrevive para ensinar num outro dia.

Nosso trabalho com Susan prosseguiu por quatro anos. Ela teve um progresso lento, mas contínuo. As técnicas terapêuticas básicas evoluíram de somatossensória para rítmica e regulatória (incluindo trabalhar com um cachorro terapêutico), para relacional e finalmente para cognitivo-dominante (como terapia cognitivo-comportamental focada no trauma). O fascinante é que usamos muitos dos métodos terapêuticos que anteriormente haviam falhado. Não tinha havido nada inerentemente "errado" nos métodos anteriores, eles simplesmente foram aplicados numa fase em que Susan não podia se beneficiar deles. Neurossequencial. Tudo se resume à sequência. O cérebro se desenvolve, processa os estímulos sensórios que chegam e se cura, em sequência.

No final desse processo terapêutico, Susan já frequentava uma classe normal, com a escolaridade adequada, tinha um monte de amigos e não apresentava mais comportamentos explosivos nem automutilação. Tinha feito a transição para formas de regulação dissociativa mais saudáveis, mais aceitas socialmente: leitura, arte e teatro. Estava desenvolvendo sua capacidade de ser gentil e compassiva. Seus pais já não estavam exaustos e esgotados.

Oprah: E a lição é que, não importa o que tenha acontecido, você tem a chance de reescrever o script.

Dr. Perry: Exatamente. Nunca é tarde demais. A cura é possível. A chave é saber onde começar o processo. E agir de acordo com as necessidades de desenvolvimento da pessoa.

Oprah: Eu me lembro de conversar com Belinda Pittman-McGee, que dirige o centro Nia Imani, em Milwaukee, um abrigo para jovens mulheres sem-teto que estejam grávidas ou tenham crianças pequenas. Belinda disse que frequentemente recebe mulheres com transtornos de comportamento, como pavio curto ou incapacidade de parar num emprego, possíveis consequências de viver num ambiente traumático. Quando ela começa a ensinar sobre trauma, Belinda diz que as mulheres passam a entender que suas dificuldades com emoções e mau comportamento estão ligadas ao "que aconteceu com elas". Essa percepção, por si só, pode ser transformadora para quem já foi rotulada de ruim ou estúpida e acreditava que era essa a sua sina.

Dr. Perry: Nem sei dizer quantas pessoas se sentiram profundamente aliviadas ao receber uma explicação de como seu cérebro funciona e por quê. Nós não colamos um rótulo psiquiátrico. Apenas dizemos: é assim que você está organizada e é totalmente previsível, baseado *no que lhe aconteceu*. Então, ensinamos o que é cérebro maleável, "plástico", mutável. E, juntos, fazemos um plano que ajudará a mudar alguns dos sistemas que talvez estejam causando problemas.

Oprah: É o reconhecimento de que *O que eu passei fez com que eu tivesse esses sentimentos. E não sou o único. E faz sentido.* Faz sentido que uma mãe sobrecarregada de trabalho com três ou quatro filhos e um histórico de trauma tenha dificuldade em carregar sozinha tantos fardos. A saúde dela está comprometida em aspectos que ela nem mesmo reconhece.

E então descobre que se sente tão sobrecarregada porque não encontrou uma boa maneira de se regular. É por isso que se aceitar é tão importante. Se você mesma não estiver regulada, como pode cuidar dos filhos ou trabalhar com eficiência?

Dr. Perry: Esse é um ponto muito importante. Frequentemente nos pedem para ajudar crianças e jovens que foram maltratados ou traumatizados, ou uma comunidade após um acontecimento traumático. Quando digo para as pessoas que também terei que trabalhar com os adultos, elas ficam confusas. Mas se os adultos que moram com essas crianças, as ensinam e tratam delas não estiverem regulados, eles serão incapazes de estar totalmente presentes de uma maneira compassiva e regulada. Para as crianças, esses momentos de presença plena é que são regulatórios, gratificantes e curativos. Se ajudamos as crianças, mas não atendemos às necessidades dos adultos, nosso trabalho terá pouco impacto. Esse é um dos princípios mais importantes de qualquer abordagem consciente do trauma: é preciso ajudar os adultos da linha de frente que trabalharão com as crianças e os jovens.

É uma mudança de foco desafiadora para alguns dos nossos sistemas. No sistema de saúde mental infantil, por exemplo, o "paciente" é a criança. O modelo econômico do sistema, em geral, não inclui o pagamento de um médico se ele quiser atender o professor, treinador ou mesmo os pais da criança. Isso é uma visão limitada. Sabemos que um adulto desregulado não pode regular uma criança desregulada. Um adulto exausto, frustrado e desregulado não pode regular ninguém.

Como você destaca, se a pessoa não se aceita, simplesmente não será eficaz como professor, líder, supervisor, pai ou mãe, treinador, nada. O autocuidado é importantíssimo. Infelizmente, muitos sentem certa culpa por cuidar de si mesmos, veem o autocuidado como egoísta. Não é egoísta, é essencial. Lembre-se, a principal ferramenta que você tem para ajudar alguém a mudar – seja você um pai, uma mãe, um professor, treinador, terapeuta ou amigo – é *você*. Os relacionamentos são a moeda de troca.

Oprah: Temos que cuidar de nós mesmos para poder *estar* presentes. Isso é especialmente importante considerando que tantos de nós carregamos traumas ou adversidades. Eu não seria quem sou sem meu trauma. Então eu o reconheço, eu o reivindico. Ao fazer isso, acredito ter encontrado uma maneira de usá-lo a serviço de outros. Empatia, compaixão e perdão. Tudo faz parte da prática que me move em cada decisão ou encontro que vivencio.

Dr. Perry: O que nos leva de volta à prudência pós-traumática. Quando você atravessou a adversidade, pôde chegar a um ponto da vida em que é possível olhar para trás, refletir, aprender e crescer com a experiência. Acredito que seja difícil entender a humanidade sem conhecer um pouquinho de adversidade. Adversidades, desafios, decepções, perdas, traumas, tudo isso contribui para a capacidade de ser amplamente empático, de se tornar sábio. De certa maneira, o trauma e a adversidade são dádivas. O que fazemos com essas dádivas diferirá de pessoa a pessoa.

Oprah: É muito interessante ouvi-lo dizer isso. Quando eu era criança, queria viver como na série *Leave it to Beaver*. Era a ideia que eu tinha do que deveria ser uma família: leite e biscoitos em casa, mamãe e papai juntos, essa coisa toda. Mas eu não estaria a caminho de me tornar um ser humano cada vez mais evoluído se tivesse tido tudo à minha disposição, ou exatamente no momento em que pensava querer.

Dr. Perry: Sinto a mesma coisa. No entanto, é verdade que o custo da sabedoria pode ser muito alto. E para muitas pessoas, o sofrimento nunca passa. O sensato aprende a carregar seu fardo com suavidade, geralmente para proteger os outros da intensidade emocional da sua dor.

Oprah: Isso me faz pensar em Anthony Ray Hinton, o homem que passou trinta anos no corredor da morte por um assassinato que não cometeu. Nos três primeiros anos da sua sentença, ele não falou nada. Estava tão deprimido e desolado que sentia como se Deus tivesse levado sua voz embora. O que lhe permitiu sobreviver foi sua capacidade de se dissociar. Ele mergulhou em sua imaginação e se concedeu todo tipo de experiências. Jogou em Wimbledon e ganhou cinco vezes. Jogou na NBA, conheceu a rainha da Inglaterra, casou-se com Halle Berry, e tudo isso aconteceu na sua mente.

Dr. Perry: Ele foi capaz de usar seu superpoder dissociativo para se proteger do sofrimento incontrolável, inevitável do encarceramento.

Oprah: E então ele descobriu uma maneira de levar isso para o bem, a sabedoria e a suavidade de que você fala. Depois de se conectar com os outros prisioneiros no corredor da morte, convenceu o diretor a deixá-los começar um clube do livro. Anthony achava que os outros não sabiam fazer viagens mentais como ele, mas que os livros poderiam ajudar. Queria que eles tivessem acesso a uma maneira de começar a se curar, assim como ele tivera.

Sabe, ao longo de todas as nossas conversas, fico me lembrando de um programa que fiz com Iyanla Vanzant, anos atrás. Ela disse que enquanto não curarmos as feridas do passado, continuaremos a sangrar. As feridas sangrarão e mancharão nossa vida, pelo álcool, pelas drogas, pelo sexo, pelo trabalho em excesso. É preciso ter a coragem de sarar a ferida e começar a curar a nós mesmos.

Esta é a lição que espero que todos levem desta nossa conversa. Temos que entender e curar as feridas do passado antes de seguir em frente.

Dr. Perry: Não posso deixar de pensar que o mesmo também se aplica a uma sociedade, não apenas a um indivíduo. Como é que a nossa sociedade pode caminhar para um futuro mais humano, socialmente justo, criativo e produtivo sem confrontar nosso trauma coletivo histórico?

Tanto o trauma vivido quanto o trauma infligido. Se quisermos entender, honestamente, a nós mesmos, precisamos entender nossa história, nossa verdadeira história. Porque o resíduo emocional do nosso passado nos acompanha.

Oprah: Mas isso não acontecerá até haver um ponto crucial de conscientização a respeito do que fizemos a nós mesmos como seres humanos, de qual é a verdadeira condição humana, do que o trauma causou em nós. Só então haverá uma conscientização de que precisamos fazer algo diferente.

Dr. Perry: Os elementos fundamentais são conscientização associada à conectividade. Juntas, elas podem criar uma comunidade atenta aos efeitos do trauma.

Oprah: Acho que é disso que o mundo realmente mais precisa neste momento. Quando você consegue de fato enxergar outra pessoa, essa é a verdadeira compaixão. Oferecer-se em compaixão para outro ser humano muda a natureza dos nossos relacionamentos, das nossas comunidades e do nosso mundo. O reconhecimento de um ser humano por outro é o que nos vincula. Perguntar "O que aconteceu com você?" amplia a conexão humana.

Dr. Perry: É fácil sentir-se desencorajado e oprimido pelos vários problemas na nossa sociedade, ser desmoralizado pelas desigualdades, adversidades e pelo trauma, tão presentes no nosso mundo. Mas se você estudar a história, reconhecerá que, em geral, a trajetória da humanidade é positiva. Nosso mundo está cheio de pessoas generosas, capazes e criativas. Somos uma espécie curiosa. Continuaremos a descobrir, inventar e aprender. Podemos tornar o nosso mundo um lugar mais seguro, mais justo e humano para todos.

EPÍLOGO

O rapaz estava em pé na piscina, com água até a cintura, dando uma aula de hidroginástica para os idosos. Vestia uma camiseta azul com o logo da casa de repouso. Trazia no peito um cordão com um apito e um grande crachá. Não consegui ler o nome, mas sabia qual era: Jesse, o rapaz do Capítulo 3. A última vez que o vi, dez anos atrás, ele estava inconsciente numa cama de hospital.

Observei por um vidro como Jesse conduzia com entusiasmo os oito membros da comunidade residencial para idosos. Ia de pessoa em pessoa, sorrindo, corrigindo cada postura, ajudando delicadamente uma mulher com um incômodo no ombro. Estava claro que gostavam dele, e ele gostava daquelas pessoas. Todos estavam se divertindo. Ele pertencia àquele ambiente.

Lá atrás, quando avaliei Jesse, foi a pedido de uma equipe clínica de outro estado. Depois da primeira consulta presencial, enquanto ele ainda estava em coma, continuei a acompanhar seu progresso e atender a equipe à distância. Após cerca de um mês, Jesse "acordou". No início, demonstrava sinais de grave dano cerebral, mas pouco a pouco todas as suas funções voltaram, com exceção de alguns aspectos da memória de longo prazo, especialmente a memória "narrativa". Sua memória "autobiográfica" da vida antes do coma continha fragmentos desorganizados. Quando lhe perguntavam sobre pessoas, lugares e acontecimentos, ele simplesmente não conseguia se lembrar. A equipe neurológica pensou que isso tinha relação com dano cerebral. Como eu já tinha presenciado muitos casos de amnésia depois de um trauma, não tive tanta certeza. Minha recomendação foi deixar aquilo de lado por enquanto. Focar em ajudá-lo a voltar a andar, falar, se movimentar, socializar. Sugeri que nos concentrássemos na capacidade para memória de curto prazo. E, mais importante, vamos levá-lo a um lugar seguro, estável e acolhedor, pela primeira vez na vida.

No começo, Jesse precisou de um lugar para necessidades especiais, tendo em vista seu plano de reabilitação. A assistente social da equipe, bem mais esperta do que eu, sugeriu que o colocássemos em uma comunidade local de aposentados. Nesse lugar havia várias possibilidades de moradia, desde condomínios para pessoas mais independentes até quartos individuais e camas tradicionais de reabilitação para grandes necessidades. Vários membros seniores da equipe que atuava na comunidade tinham direito a alojamento no local, como parte de seus benefícios, e o companheiro da assistente social estava incluído nesse grupo. Os dois moravam juntos no campus da comunidade de aposentados e concordaram em "abrigar" Jesse. Era uma verdadeira comunidade, várias construções, um jardim, uma academia de ginástica com piscina e academia, biblioteca, cabeleireiro, refeitórios e um café. O lugar era o máximo!

Jesse mudou-se para lá e logo foi acolhido pela equipe e pelos moradores. Embora no começo ele tivesse aulas no alojamento, em um ano já conseguia caminhar até a escola pública. Mostrou-se capaz de absorver o conteúdo e não tinha problemas de comportamento em casa nem na escola. Embora fizesse alguns amigos, nunca ficava muito próximo nem à vontade com seus colegas; todos gostavam dele, mas ninguém, de fato, o incluía. Ele se dava melhor com os pais adotivos e com os moradores idosos. Passou a trabalhar como assistente de locomoção, ajudando moradores a se deslocar pelo complexo e cumprir seus vários compromissos na comunidade. Aprendeu a dirigir. Aos 18 anos, obteve autorização para se mudar para um dos locais de moradia independente, bem ao lado dos pais adotivos. Formou-se no ensino médio. Agora, aos 23 anos, era legalmente independente, mas tinha um vínculo com seus pais adotivos e era considerado parte da família. Cursava a faculdade comunitária de meio período, com foco nas aulas de educação física; seu desejo era se tornar fisioterapeuta. Na comunidade de aposentados, tinha assumido a função de diretor-assistente de recreação, com direito a moradia e alimentação. Tinha encontrado um lar seguro, estável e acolhedor. Milhares e milhares de momentos terapêuticos espontâneos em sua comunidade o ajudaram a se curar.

De tempos em tempos eu recebia notícias dos meus colegas, mas ainda me perguntava sobre a memória de Jesse. Ele havia tido uma infância terrível, fora submetido a várias formas de abuso juntamente com traição relacional, negligência, uma degradação indescritível. No entanto, enquanto se recuperava do ferimento na cabeça, não se mostrou impulsivo, agressivo, desatento nem hostil. Embora reagisse fisiologicamente a certas sugestões evocativas, não tinha Transtorno do Estresse Pós-Traumático nem outro sintoma prontamente detectável relacionado a trauma. Seu funcionamento emocional e comportamental nunca despertou em alguém do mundo adulto, ou mesmo nele próprio, a urgência de procurar ajuda para saúde mental.

O neurologista que o atendia era o Dr. Anderson, que vinha trabalhando com Jesse todos aqueles anos. Sabendo que eu estaria na cidade, nos encontramos e perguntei-lhe como Jesse estava se saindo. Ele sugeriu que eu visse por mim mesmo e perguntou a Jesse se ele aceitaria almoçar comigo.

– Você não vai se lembrar de mim, Jesse – falei, quando nos encontramos –, mas fui um dos médicos que trabalharam com o Dr. Anderson quando você teve dano cerebral. Obrigado por concordar em me ver.

Ele sorriu e estendeu a mão.

– Bom, obrigado por me ajudar naquela época.

Caminhamos até o refeitório que mais parecia um café, ficamos na fila para escolher nosso almoço e nos sentamos para conversar. Um bate-papo. Ele perguntou sobre o Texas, eu perguntei sobre a sua escola. Ficamos assim, meio cerimoniosos, até ele perguntar, educadamente:

– Você veio aqui me analisar?

Respondi em tom de brincadeira:

– Não, você teria que me pagar para isso.

Ele sorriu. Nós nos entreolhamos, totalmente presentes num momento silencioso, conectado.

– Mas estou curioso em relação a sua memória.

Uma lenta tristeza se abateu sobre o seu rosto. Ele abaixou os olhos para um lugar cheio de lembranças dolorosas. Deixei o som do ambiente encobrir o momento.

Uma senhora se aproximou e beijou Jesse na testa.

– Obrigada pelas flores – disse ela. – Ganhei o dia.

O gesto quebrou o clima e fez ressurgir o Jesse animado e sorridente.

– Eu sabia que você iria gostar. Vamos voltar ao jardim, hoje à tarde, e pegar mais algumas.

Enquanto ela se afastava, Jesse pareceu constrangido. Não pela interação entre os dois, mas pelo momento anterior de tristeza.

– Quando você estava se recuperando do ferimento na cabeça, o Dr. Anderson disse que você não tinha memórias da sua infância – adiantei.

Jesse deu de ombros.

– Na verdade, não gosto de pensar nisso.

– Não precisamos tocar nesse assunto se você não quiser, Jesse.

– Tudo bem. Só não gosto de pensar nisso, e não gosto de chatear ninguém.

– Entendo. Provavelmente você sabe que trabalho com muita gente, crianças e adultos que tiveram experiências terríveis. E cada uma dessas pessoas me ajudou a entender melhor como ajudar outras. Então, quando você estiver pronto, eu adoraria aprender com você. – Enquanto eu falava, ele me analisava. – Você teve um começo de vida difícil, Jesse. E agora, aqui está você, depois de tudo que passou, indo para a faculdade, com um ótimo trabalho, relacionamentos sólidos, e você parece bem feliz. Desconfio que poderia me ensinar muito.

– Às vezes, tenho dificuldade para dormir.

Balancei a cabeça afirmativamente.

– Mas aí eu me levanto e me exercito, vou dar uma corrida. Isso ajuda muito. E fico bem nervoso quando tem muita gente por perto. Tudo o que eu quero é voltar para casa sempre que fico muito tempo fora.

– Mas aqui você está sempre junto de muita gente, Jesse.

– Verdade. O que quero dizer é que não gosto de estar junto de gente mais jovem, crianças. Muito barulho, muita agitação.

Naquele momento, percebi que muitas das sugestões evocativas de

Jesse vinham do catálogo de estímulos sensórios de crianças e infância. Vozes infantis, cheiros, brincadeiras, gibis, comida, qualquer coisa: seus primeiros anos foram tão permeados de ameaças e abuso que o cérebro, lutando para dar sentido ao mundo, associou quase tudo com ameaça. E aquela nova vida, sua vida "reconfigurada" e refeita, era em um mundo de idosos. A casa de repouso estava repleta de experiências sensórias totalmente diferentes daquelas de uma sala de aula infantil ou de um abrigo para jovens. O tipo e a velocidade de movimento, o timbre das vozes, os cheiros, as imagens, os cronogramas, as preferências musicais e televisivas, tudo era diferente. As interações relacionais também eram diferentes, mais paralelas e menos evocativas do que aquelas da infância. A escolha do local para abrigá-lo tinha sido ainda mais incrível do que eu tinha percebido: havia bem menos sugestões evocativas para desregular Jesse naquele contexto. Ali, ele conseguia ter experiências mais moderadas, previsíveis e controladas. Tinha mais domínio sobre as interações: empurrava pessoas que dependiam dele em cadeiras de rodas. Com o tempo, ele conseguiu construir um catálogo totalmente novo de experiências seguras e familiares que forneceu os alicerces para a sua cura. E milhares de interações positivas e curativas ao longo de dez anos daquela existência estável fortaleceram o catálogo.

– Então, a perda de memória...? – perguntei.

Ele olhou para mim com um pequeno sorriso agridoce.

– Eu me lembro muito bem de tudo.

– É, imaginei. Uma das coisas que aprendi com o passar dos anos é que o que acontece com alguém não some simplesmente. Aquelas experiências infantis podem produzir diversos impactos e existem maneiras de ajudar as pessoas a se restabelecer. Então, se algumas dessas memórias o incomodarem, ou você se sentir confuso ou nervoso, não hesite em pedir ajuda. Dá para lidar com o trauma de um jeito mais fácil. – Dei-lhe meu cartão.

Terminado o almoço, um grupo barulhento de velhinhas veio buscá-lo para uma aula adaptada de Zumba. Enquanto seguíamos pelo saguão, ele olhou para o meu cartão, virou-se para acenar e se foi.

Conversamos algumas vezes por ano. Jesse está se saindo bem. Nós dois ainda estamos aprendendo.

– Dr. Perry

Em 22 de novembro de 2018, minha mãe, Vernita Lee, faleceu.

Até o finalzinho, tive conflitos quanto ao nosso relacionamento.

A verdade é que minha mãe só começou a demonstrar mais interesse por mim quando fiquei famosa. Tive muitas dúvidas sobre como cuidar dela. O que eu devia à mulher que me deu a vida? A Bíblia diz: "Honrar pai e mãe", mas o que isso realmente significa?

Decidi que uma das maneiras de honrá-la seria ajudar a cuidar dela financeiramente. Sempre assegurei que tivesse todo o necessário para levar uma vida confortável, mas nunca houve uma verdadeira ligação. Eu diria que a plateia que me via na televisão sabia mais de mim do que a minha mãe.

Quando a saúde dela começou a se deteriorar, alguns anos atrás, eu sabia que deveria me preparar para sua transição. Poucos dias antes do Dia de Ação de Graças, minha irmã Patricia me telefonou para me dizer que achava que o momento estava chegando. Voei para Milwaukee.

Passei horas com minha mãe num quarto que ela gostava de manter numa temperatura por volta de 26°. Assistimos ao programa de Steve Harvey e *One Life to Live*. Tentei pensar em alguma coisa para dizer. A certa altura, cheguei a pegar o manual deixado pelos cuidadores da clínica para doentes terminais. Li os conselhos, o tempo todo pensando na tristeza que era eu, Oprah Winfrey, que havia falado com milhares de pessoas frente a frente, ter que ler um manual da clínica para descobrir o que dizer para a minha mãe.

Quando finalmente chegou o momento de eu ir embora, algo me disse que seria a última vez que eu a veria. Mas quando me virei para sair, as palavras ainda não vieram. Tudo o que consegui dizer foi:

— Tchau... eu venho te ver. — E saí, ironicamente para fazer uma palestra.

Naquela noite, no voo para casa, uma voz na minha mente sussurrou o que, no meu coração, eu sabia ser verdade: "Você vai se arrepender disso. Você não terminou a tarefa." Naquele momento, me senti uma hipócrita. Se qualquer outra pessoa estivesse no meu lugar, eu teria dito a ela: "Você precisa voltar e dizer o que precisa ser dito."

Voltei para Milwaukee.

Passei mais um dia naquele quarto abafado, e as palavras não vinham.

Naquela noite, rezei pedindo ajuda. Pela manhã, meditei. Quando eu me preparava para sair, peguei meu celular e notei a música que estava tocando, Mahalia Jackson cantando "Precious Lord". Se alguma vez houve um sinal, foi aquele. Não faço ideia de como Mahalia Jackson surgiu na minha playlist. Enquanto eu escutava as palavras *"Precious Lord, take my hand/ Lead me on, let me stand/ I am tired, I am weak, I am worn/ Lean me on through the light. Take my hand* (Senhor amado, pegue minha mão/ Conduza-me adiante, deixe-me levantar/ Estou cansado, estou fraco, estou esgotado/ Conduza-me através da luz. Pegue minha mão)", de repente eu soube o que fazer.

Quando entrei no quarto da minha mãe, perguntei se ela queria ouvir a música. Ela concordou com a cabeça. Então tive outra ideia: chamei meu amigo Wintley Phipps, um pregador e cantor gospel, e lhe pedi que cantasse "Precious Lord" para minha mãe moribunda. Pelo FaceTime, de sua mesa do café da manhã, ele cantou a música a capela e depois rezou para que nossa família "não tivesse medo, só paz".

Percebi que minha mãe ficou comovida. A música e a oração tinham aberto uma espécie de canal — para nós duas.

Comecei a conversar com ela sobre sua vida, seus sonhos e sobre mim.

Por fim, as palavras vieram.

Falei:

— Quando você ficou grávida, deve ter sido difícil. Não ter uma formação, uma habilidade, não saber o que o futuro traria. Tenho certeza de que um monte de gente disse para você se livrar daquele bebê.

Ela concordou com a cabeça.

— Mas você não fez isso — continuei. — E quero te agradecer por ter tido aquele bebê. — Fiz uma pausa. — Sei que muitas vezes você não soube o que fazer. Você fez o melhor que sabia e, por mim, tudo bem. Por mim, tudo bem. Então, agora você pode ir, sabendo que está tudo bem. Minha alma está bem. Faz muito tempo que está bem.

Foi um momento sagrado e lindo, um dos que mais me orgulho. Como adulta, aprendi a ver a minha mãe por lentes diferentes, não como a mãe que não se importava comigo, não me protegia, não me amava, não conhecia nada a meu respeito, mas como uma garota, ainda uma criança, assustada, só e despreparada para ser uma mãe amorosa.

Já fazia anos que eu tinha perdoado minha mãe por não ser a mãe de que eu precisava, mas ela não sabia. E em nossos últimos momentos juntas, acho que consegui libertá-la da vergonha e da culpa do passado.

Voltei e terminei o que precisava ser feito.

Perdoar é abrir mão da esperança de que o passado poderia ter sido diferente. Mas não podemos seguir em frente se ainda estivermos nos agarrando à dor daquele passado. Todos nós que fomos desestruturados e marcados pelo trauma temos a chance de transformar essas experiências no que o Dr. Perry e eu tanto falamos: prudência pós-traumática.

Desculpe a si mesmo, desculpe o outro. Saia da sua história e entre no caminho do seu futuro.

Meu amigo, o poeta Mark Nepo, diz que a dor é necessária para se chegar à verdade. Mas não temos que manter a dor viva para manter a verdade viva.

Fiz as pazes com minha mãe quando parei de compará-la à mãe que eu queria ter tido. Quando parei de me agarrar ao que deveria ou poderia ter sido e me voltei para o que foi e o que pôde ser.

Porque tenho certeza de que tudo que aconteceu com você também estava acontecendo para você. E durante todo esse tempo, todos esses momentos, você estava se fortalecendo.

Força multiplicada por força sucessivas vezes equivale a poder.

O que aconteceu com você pode ser o seu poder.

— **Oprah**

PARA SABER MAIS

Esperamos que este livro tenha provocado reflexões sobre como você entende a si mesmo e aos outros, e que tenhamos despertado seu interesse. A gama de tópicos relacionados a trauma é vasta, e as implicações da adversidade no desenvolvimento são abrangentes e profundas. Certamente não conseguimos abordar todas elas nas páginas finitas deste livro. Se quiser saber mais sobre o assunto, estes são ótimos pontos de partida.

PARA MAIS LEITURAS SOBRE O ASSUNTO:
O menino criado como cão
Bruce D. Perry e Maia Szalavitz. Editora NVersos, 2020
Este livro, originalmente publicado nos Estados Unidos em 2006, revisado e atualizado em 2017, acompanha a evolução do trabalho do Dr. Perry com crianças e jovens impactados por negligência, trauma e adversidade no desenvolvimento. Trata-se de um complemento excelente para este livro ao aprofundar alguns dos conceitos essenciais discutidos em *O que aconteceu com você?*

O corpo guarda as marcas – Cérebro, mente e corpo na cura do trauma
Bessel van der Kolk. Editora Sextante, 2020
O Dr. Van der Kolk é um pioneiro no campo do trauma, que abordou com olhar inovador. Esta obra clássica, publicada nos Estados Unidos em 2014, delineia o desenvolvimento de sua pesquisa, abordagem clínica e pensamento sobre os efeitos complexos do trauma no cérebro, na mente e no corpo.

Born for Love: Why Empathy is Essential – and Endangered
Maia Szalavitz e Bruce D. Perry
Publicado nos Estados Unidos em 2010, este livro recorre a histórias e exemplos de casos para ilustrar o papel crucial que a empatia e o amor exercem no desenvolvimento e na saúde. Os autores enfatizam a importância de se estar atento às mudanças nos relacionamentos no mundo moderno e abordam muitos dos tópicos relacionados a conectividade discutidos em O *que aconteceu com você?*

O poder curativo das relações humanas
Vivek H. Murthy. Editora Sextante, lançamento previsto para 2022
Nesta obra, publicada nos Estados Unidos em 2020, o Dr. Vivek H. Murthy, cirurgião-geral (responsável por questões e programas que envolvam saúde pública nos Estados Unidos) durante os mandatos dos presidentes Obama e Biden, aborda a importância do relacionamento humano e o impacto da solidão em nossa saúde física e emocional. Essas mensagens ecoam muitas das conversas de *O que aconteceu com você?* e *Born for Love*, mas o Dr. Vivek as analisa a partir da perspectiva da liderança médica, abordando-as de um ângulo singular e importante.

Mal profundo
Nadine Burke Harris. Editora Record, 2019
Esta obra, publicada em 2018, descreve como a Dra. Harris, a primeira cirurgiã-geral da Califórnia, tomou conhecimento dos estudos de 1998 sobre experiências infantis adversas e as correlações documentadas entre trauma infantil e risco para problemas físicos de saúde. Mais importante, ela defende mudanças no serviço de saúde que ajudem a identificar, prevenir e tratar o impacto do trauma na saúde.

PARA APRENDER MAIS SOBRE O ASSUNTO:
O cérebro e neurociências:
BrainFacts.org
Esta é a fonte mais confiável, precisa e acessível para interessados nas descobertas sobre o cérebro. Trata-se de uma iniciativa de infor-

mação pública, numa colaboração entre a Society for Neuroscience, a Kavli Foundation e a Gatsby Charitable Foundation. Com material para professores, estudantes e profissionais, é um esplêndido ponto de partida para um mergulho mais profundo nos mecanismos cerebrais. Em inglês.

Prevenção de abuso e apoio às famílias
Prevent Child Abuse America (preventchildabuse.org):
Maior e mais antiga organização dos Estados Unidos dedicada à prevenção. Este site é um ótimo ponto de partida para conhecer mais sobre programas inovadores e de apoio a famílias, com redução comprovada em abuso e negligência. Em inglês.

Experiências Adversas na Infância (EAIs):
O CDC (sigla em inglês para Centros para Controle e Prevenção de Doenças, órgão americano) tem um setor que aborda a prevenção da violência e, dentro dele, um braço para tratar de experiências adversas na infância. Seu site, https://www.cdc.gov/violenceprevention/aces/index.html, é um tesouro de recursos educacionais, artigos de pesquisa e implicações políticas relacionadas a experiências adversas na infância. Trata-se da fonte mais confiável para informação acurada sobre esse tipo de trauma. Em inglês.

O modelo neurossequencial e o trabalho de Dr. Perry:
The Neurosequential Network (neurosequential.com):
Este site descreve os programas clínicos e de pesquisa, além de outras atividades educacionais na Neurosequential Network, uma comunidade atuante em 28 países e dezenas de disciplinas. Em inglês.

Visite whathappenedtoyoubook.com para uma lista completa de publicações mencionadas neste livro, e para mais fontes relacionadas a trauma, resiliência e recuperação. Em inglês.

CRÉDITOS E AGRADECIMENTOS

Somos gratos a todas as crianças, os jovens e adultos que compartilharam suas vidas conosco. Suas histórias são dádivas de vulnerabilidade e coragem.

Escrever um livro é um esforço de grande colaboração. Gostaríamos de agradecer às várias pessoas da Harpo, Flatiron, Melcher Media, Neurosequential Network e outras que nos concederam seu tempo, sua energia e sua criatividade para ajudar nesta obra.

Gostaríamos de agradecer especialmente a Jenna Kostelnik Utley, Bryn Clark e Lauren Nathan por comandar o processo. A equipe da Senior Leadership da Neurosequential Network – Jana Rosenfelt, Emily Perry, Diana Vines, Steve Graner, Erin Hambrick e Kristie Brandt – merece um reconhecimento especial pela qualidade e pelo desenvolvimento de grande parte do trabalho do Dr. Perry apresentado neste livro.

Para saber mais sobre os títulos e autores da Editora Sextante,
visite o nosso site e siga as nossas redes sociais.
Além de informações sobre os próximos lançamentos,
você terá acesso a conteúdos exclusivos
e poderá participar de promoções e sorteios.

sextante.com.br